Guía fotográfica de la

DECORACIÓN DE PASTELES

Título original: THE COMPLETE PHOTO GUIDE TO CAKE DECORATING

Autora: Autumm Carpenter

EDITORIAL JUVENTUD, S. A., 2013
Provença, 101 - 08029 Barcelona
info@editorialjuventud.es
www.editorialjuventud.es

Publicado con el acuerdo de Creative Publishing International, Inc,
un sello de Quayside Publishing Group

Traducción de SUSANA TORNERO

Primera edición, 2013
DL B 13.243-2013
ISBN 978-84-261-3995-5
Núm. de edición de E. J.: 12.649
Printed in China

Guía fotográfica de la

DECORACIÓN DE PASTELES

editorial juventud
Barcelona

CONTENIDO

5
Annika

Introducción

Celebrar las ocasiones especiales con un pastel es toda una tradición. Ya sea una sencilla reunión familiar o un espectáculo descomunal, el pastel constituye una pieza clave de la fiesta. No hay nada mejor que participar en una fiesta compartiendo tu talento. Si eres un principiante de la decoración de pasteles, este libro te servirá para hacer un curso paso a paso, y si eres un decorador profesional o experto, este libro pronto se convertirá en tu guía de referencia para buscar nuevas técnicas.

El libro se divide en cuatro secciones: Preparación básica de pasteles, Técnicas con la manga pastelera, Adornos de fondant y pasta de goma y Técnicas diversas. En cada sección encontrarás capítulos dedicados a multitud de técnicas de decoración, detalladas por pasos y acompañadas de fotografías a todo color. También se ofrecen trucos y consejos para solucionar problemas para que confecciones fácilmente pasteles con una decoración fabulosa.

La primera sección comprende los fundamentos básicos de la confección de pasteles. Es importante aprender o revisar las técnicas básicas antes de pasar a una decoración más detallada. Técnicas básicas de horneado, recetas de fondant, glasear un pastel, cubrir un pastel con fondant y tablas de medidas para pasteles... son solo algunos de los conceptos básicos que incluye dicha sección. La segunda sección trata las técnicas de decoración tradicional americana con manga pastelera y descubre diversos consejos de decoración para crear texturas con el glaseado. Los adornos de fondant y pasta de goma se cubren en la tercera sección. Este material comestible similar a la plastilina constituye un lienzo excelente para técnicas de decoración sorprendentes. La última sección trata una serie de técnicas variadas que te permitirán ampliar tus conocimientos sobre decoración. Las instrucciones para utilizar técnicas y utensilios avanzados como el aerógrafo o las máquinas de corte electrónicas se incluyen en esta sección.

La decoración me ha dado muchas satisfacciones, desde hermosos recuerdos trabajando con mi madre en diferentes proyectos hasta las impagables caras de alegría de los invitados de honor al recibir los pasteles. Como copropietaria de una tienda de artículos de decoración de pasteles, Country Kitchen SweetArt, ahora puedo compartir mi pasión impartiendo clases y asesorando a los clientes.

Es probable que la decoración de pasteles pronto se convierta en tu pasión. Con práctica y mucha paciencia puedes convertirte en un gran decorador de pasteles. Disfruta aprendiendo y recuerda que no existe un modo correcto o incorrecto de decorar un pastel. Con el tiempo, llegarás a desarrollar un estilo único. La decoración de pasteles es un arte y los pasteles con fondant son el lienzo donde expresar ese arte.

Autumn

PREPARACIÓN BÁSICA DE PASTELES

Es importante empezar con un pastel bien horneado y una capa de glaseado bien lisa antes de iniciar la decoración. Esta sección trata de los conceptos básicos de horneado, recetas y técnicas de glaseado. Incluye instrucciones generales y algunos consejos para garantizarte el éxito al cubrir pasteles con fondant o glasearlos con crema de mantequilla. Esta sección también habla sobre cómo rellenar pasteles, el uso de colorante alimentario, la paleta de colores, el recubrimiento de bases para pasteles y otros fundamentos básicos.

Herramientas para hornear y decorar pasteles

A continuación encontrarás una lista del equipo necesario para empezar. No todos los utensilios mencionados son necesarios, pero son prácticos y harán que el proceso de horneado, glaseado y decoración sea más placentero.

SEPARADOR DE MASAS

Un separador de masas puede utilizarse para hornear dos pasteles de sabores diferentes en un mismo molde. El separador se coloca en el molde después de engrasarlo y se retira antes de hornear.

PINCELES

Es recomendable que tengas a mano varios pinceles de diferentes medidas y estilos de uso exclusivo en la decoración de pasteles para evitar que se impregnen de olores y residuos de otros alimentos. Los pinceles de repostería (1) pueden utilizarse para engrasar moldes, y también para retirar el exceso de migas de la superficie del pastel antes de glasearlo. Los pinceles de cerdas pequeñas y finas (2) se utilizan para pintar detalles en los pasteles. Estos pequeños pinceles también se utilizan para añadir cola alimentaria a las piezas modeladas. Los pinceles planos con bordes cuadrados (3) son ideales para aplicar colorante en polvo sobre las flores de pasta de goma. Utiliza los pinceles planos para los bordados de glasa real. Los pinceles con cerdas redondas y suaves (4) se emplean para aplicar polvo sobre superficies grandes. Los pinceles para plantillas (5) sirven para aplicar color sobre un pastel con una plantilla. Existen multitud de medidas de pinceles que pueden utilizarse para limpiar el exceso de maicena o azúcar glas de los proyectos.

MOLDES PARA PASTELES

Existen multitud de formas y medidas de moldes en las tiendas de decoración de pasteles. Los pasteles tradicionalmente tienen forma redonda, cuadrada o rectangular. Estas formas son versátiles, están disponibles en diferentes tamaños y resultan muy prácticas para multitud de usos. Los moldes rectangulares (pastel de bandeja de horno) y cuadrados poseen esquinas afiladas y permiten hacer pasteles muy atractivos con bordes nítidos. Los moldes rectangulares y cuadrados también están disponibles con las esquinas redondas, lo cual facilita mucho la limpieza, pero los bordes no tendrán un aspecto tan profesional.

No existe un estándar industrial sobre el tamaño de un molde para pasteles. Tradicionalmente, un molde de 23 x 33 cm es un molde de un cuarto de bandeja de hornear, un molde de 30,5 x 46 cm es un molde de medio, y un molde de 40,5 x 61 cm es un molde entero de bandeja de hornear. Los tamaños y descripciones varían según el fabricante. Mide el interior del horno antes de comprar un molde grande: debe existir un espacio de 2,5 cm alrededor del molde cuando lo coloques en el horno para que el aire pueda circular libremente. Por ejemplo, un molde de bandeja de hornear entero, de 40,5 x 61 cm, no cabría en un horno estándar.

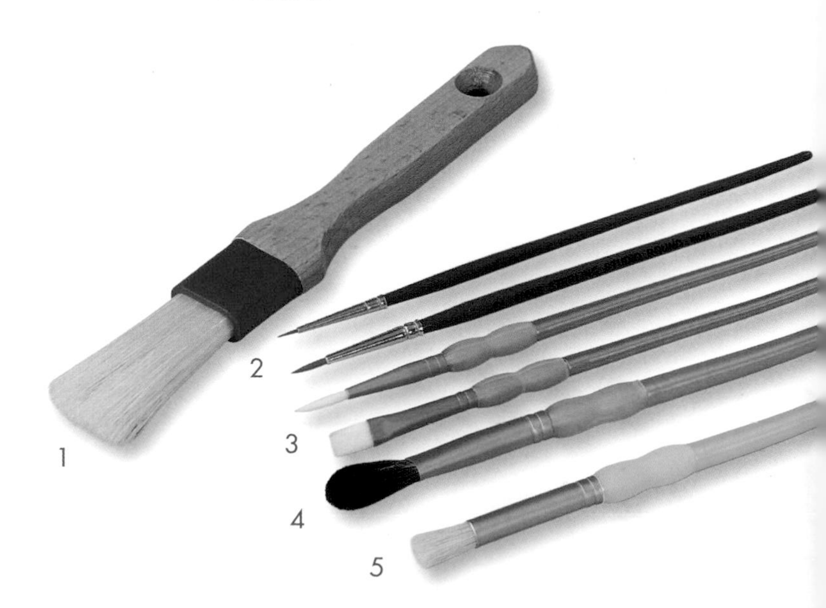

También hay moldes innovadores, de temas o personajes diferentes. Asegúrate de engrasar bien cada hendidura de estos moldes, puesto que el pastel tiende a pegarse en los detalles.

La altura típica de los moldes es de 5 cm. También hay moldes de los tamaños más habituales con 7,5 cm de altura, pero son más difíciles de encontrar. Los moldes de aluminio suelen ser los preferidos de la mayoría de pasteleros. El aluminio puede variar de peso: los moldes de aluminio pesado resistirán un uso frecuente, y es menos probable que se deformen que los de aluminio ligero. Los moldes con un acabado oscuro suelen dorar los pasteles más rápidamente. Baja la temperatura del horno 20 °C si utilizas moldes oscuros. El acero inoxidable no es un buen conductor del calor y no es la mejor opción para hacer pasteles.

Los moldes para pasteles Pantastic son unos moldes de un plástico resistente a temperaturas superiores a los 190 °C y constituyen una opción asequible para hacer pasteles de formas divertidas, y pueden utilizarse varias veces. Según las instrucciones del fabricante, se recomienda hornear los pasteles con moldes Pantastic a 160 °C. Deberías poner una bandeja de hornear galletas bajo el molde Pantastic durante el horneado. Es muy importante engrasar y enharinar cuidadosamente todo el molde.

Los moldes para pasteles de más de 30,5 cm de diámetro puede que precisen un distribuidor de calor, un utensilio que se coloca en el centro del pastel durante el horneado para garantizar que el pastel se hornee de forma uniforme. Coloca un distribuidor engrasado y enharinado en el centro del molde, ya engrasado y enharinado. Llena el molde y el distribuidor de calor con la masa del pastel. Después de hornear, retira el distribuidor de calor, dejando un agujero en el pastel. Rellena el agujero del pastel con el trozo de pastel del interior del distribuidor de calor.

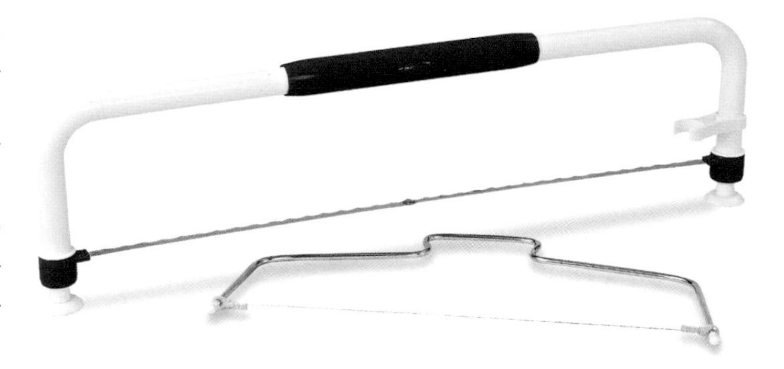

CORTADOR DE PASTELES

Los cortadores de pasteles sirven para nivelar el pastel cuando ha quedado abovedado y para dividir el pastel en capas y rellenarlo. Los cortadores de hoja ajustable son más versátiles.

TIRAS PARA HORNEAR Y PROBADOR DE PASTELES

Un probador de pasteles (1) es un utensilio formado por una hoja larga de acero inoxidable que se inserta en el pastel para comprobar la cocción. También se puede utilizar un palillo. Las tiras aislantes (2) sirven para evitar que los lados del molde se pongan demasiado calientes e impiden que el pastel siga subiendo por los lados (véase Recursos, pág. 324). Sirven para hacer pasteles menos abovedados y sin grietas en la superficie e impiden que los bordes se tuesten excesivamente. Es preciso empapar las tiras con agua, eliminar el agua sobrante y colocarlas alrededor del exterior del molde, fijándolas con un alfiler.

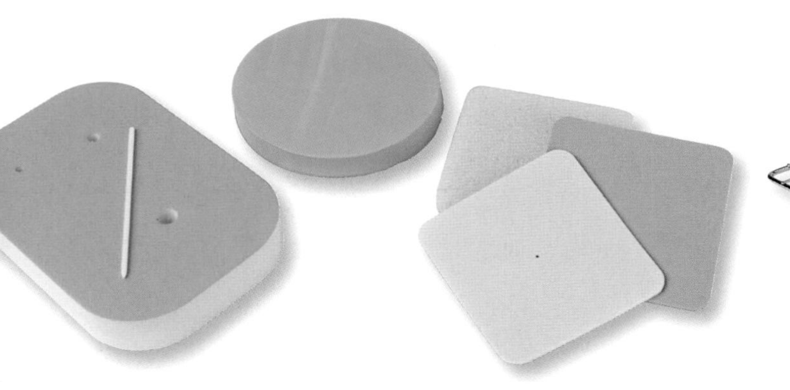

ESPONJAS, ALMOHADILLAS Y HOJAS DE ESPUMA

Las hojas y las almohadillas de espuma se utilizan para ahuecar las flores y añadir venas a flores y hojas. Algunas almohadillas de espuma de dos caras se utilizan con rodillos de amasar de plástico antiadherente para manipular fondant y formas de pasta de goma. Una cara de la espuma es blanda y la otra firme. Utiliza la cara blanda para suavizar los bordes de los pétalos de flores y para los adornos (pág. 214). La cara firme puede usarse para estirar y cortar. Algunas almohadillas tienen agujeros para secar y dar forma a las flores.

EXTRUSORA PARA PLASTILINA

Estas extrusoras diseñadas para modelar son geniales para hacer líneas y cuerdas de pasta de goma o fondant de un espesor uniforme. Los kits de extrusión incluyen multitud de discos intercambiables para hacer hilos de diferentes formas y tamaños.

REJILLAS DE ENFRIAMIENTO

Es importante dejar reposar los pasteles sobre una rejilla de enfriamiento después del horneado para que el pastel se enfríe con una circulación de aire uniforme.

HERRAMIENTAS PARA CUPCAKES

Hay moldes para muffins y cupcakes (1) de muchos tamaños: estándar, mini, grande y extra grande. Los moldes de aluminio reforzado son los mejores. La masa de pastel debe hornearse cuanto antes después de mezclarse, así que es buena idea tener dos moldes de 12 cavidades cada uno. Llenar los cupcakes con una cuchara resulta engorroso y pueden quedar desiguales. Usa una cuchara de helado (2) para mantener el molde limpio y dispensar la misma cantidad en cada cavidad. Utiliza una cuchara de helado de 56,7 g para llenar cupcakes estándar grandes y redondeados. Una cuchara de 42,5 g hará que los cupcakes sean ligeramente abovedados. Una cuchara de helado pequeña es ideal para llenar mini cupcakes. Tus cupcakes serán extraordinarios si los rellenas con un sabroso glaseado u otro relleno. Un vaciador de manzanas (3) es perfecto para

rellenar los cupcakes estándar. También existen vaciadores de cupcakes (4). Para inyectar la cantidad perfecta de relleno en los mini cupcakes, puedes utilizar la boquilla Bismark (5).

CORTADORES DE PASTA DE GOMA Y FONDANT

Existen cientos de cortadores para crear adornos de pasteles. Sirven para cortar limpiamente tiras de pasta de goma, crear flores, adornos en 3D y muchas cosas más. Los cortadores de galletas son mucho más versátiles. Los cortadores de letras dan un aspecto profesional a los textos de los pasteles. Los cortadores Patchwork pueden usarse para cortar fondant o piezas de pasta de goma para un collage, o para repujar adornos en pasta de goma. Los materiales de los cortadores para pasta de goma y fondant van desde la hojalata o el acero inoxidable hasta el plástico. El funcionamiento de casi todos es similar. Hay que lavarlos cuidadosamente, pues la hojalata puede oxidarse. La hojalata y el acero inoxidable pueden doblarse al presionar el cortador, pero proporcionan un corte afilado. El plástico no ofrece un corte tan afilado como el metal, pero aun así corta muy bien y es una alternativa buena y barata a los cortadores de acero inoxidable.

HERRAMIENTAS DE CORTE

Un CelBoard es una superficie totalmente lisa y plana para colocar pequeñas piezas de fondant o pasta de goma y cortarlas. Un CelFlap es una hoja transparente que se coloca encima de la pasta de goma o el fondant extendidos para evitar que se sequen.

Un cortador de pizza pequeño es una herramienta muy útil para recortar el fondant sobrante después de recubrir el pastel, resulta imprescindible para cortar tiras y piezas de fondant o pasta de goma. Utiliza una regla de acero inoxidable para que las tiras sean rectas. Las hojas de acero inoxidable finas y flexibles pueden hacer cortes muy finos sin fragmentar el fondant o la pasta de goma. Para cortar trozos pequeños y precisos se utilizan unas tijeras. Un cuchillo de mondar tiene múltiples usos para la decoración de pasteles. Una rasqueta de panadero es una herramienta con una hoja lisa y larga y un mango que corta fácilmente trozos grandes de fondant y pasta de goma. También sirve para limpiar: sujeta la hoja en un ángulo de 45° y raspa la superficie de trabajo para retirar los trozos enganchados de pasta de goma o fondant.

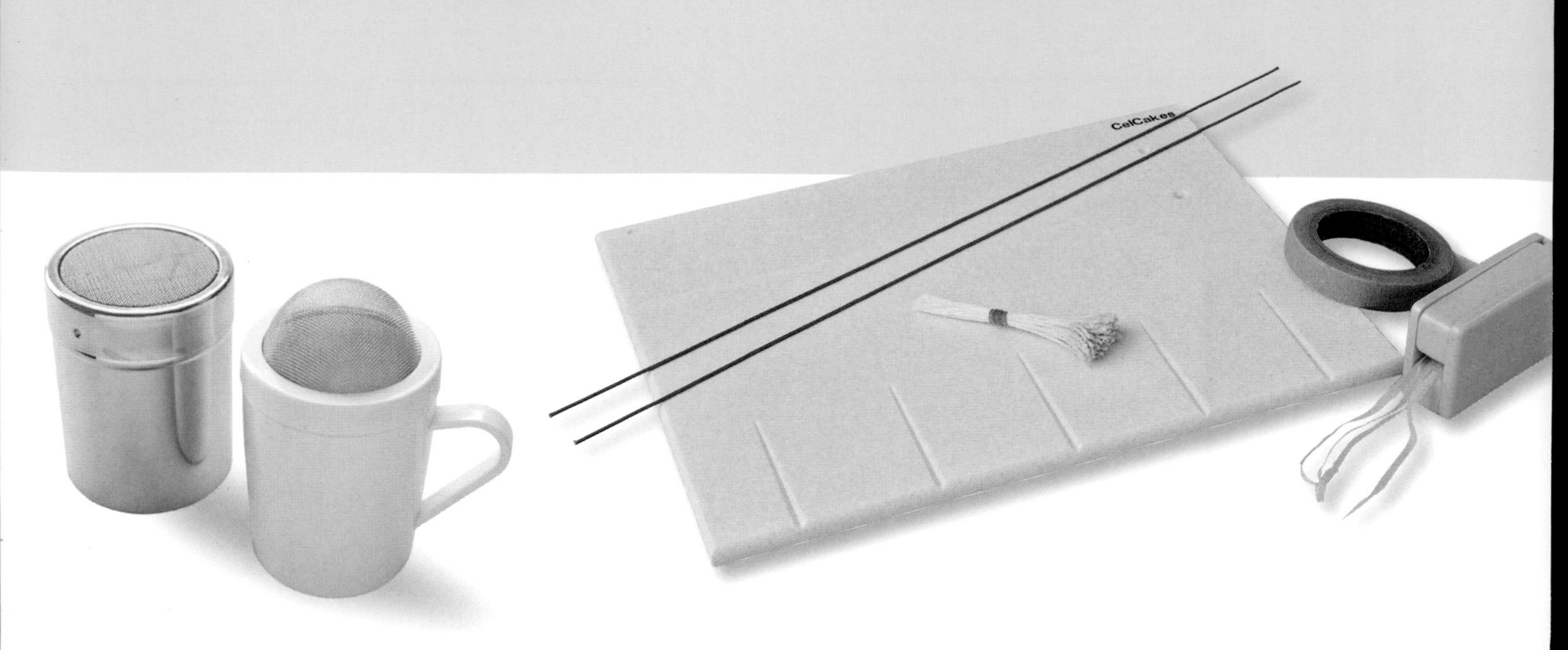

TAMICES Y BOLSAS PARA ESPOLVOREAR

El tamiz sirve para preparar la superficie de trabajo con maicena, azúcar glas o una mezcla de ambos al estirar el fondant. Elige un tamiz de malla fina para no espolvorear excesivamente la superficie de trabajo: demasiada maicena o azúcar glas podría secar el fondant. Una bolsa de espolvorear llena de maicena o azúcar glas (o una mezcla de ambas) resulta muy útil para espolvorear la superficie de trabajo y proporciona un espolvoreado fino ideal.

MOLDES DE FLORES

Para crear flores y adornos con formas se utilizan moldes de flores. Coloca las flores cortadas en un molde, presiona suavemente para adaptarlas a la forma del molde y deja que se sequen.

HERRAMIENTAS PARA HACER FLORES

Para hacer flores con pasta de goma se precisan alambres de distinto grosor, disponibles en blanco y verde. Las flores pequeñas y delicadas quedan mejor con alambre fino; otras precisan un alambre más fuerte y grueso. Cuanto menor es el calibre, más grueso es el alambre. Un alambre de calibre 18 es un buen grosor para muchas flores, como la margarita o la rosa. El calibre 22 es un buen grosor para flores más pequeñas, como el jazmín de Madagascar. La cinta floral sirve para recubrir los alambres y crear arreglos florales. Utiliza alambre blanco y cinta floral si las flores son blancas, y alambre y cinta floral verdes para crear una flor y un tallo más realista. Hay estambres de diferentes variedades para crear centros florales, pero no son comestibles. Una CelBoard es una tabla con dos caras: una es lisa y sirve para cortar flores, y la otra tiene pequeñas muescas para añadir fácilmente los alambres a las flores y las hojas. Otros utensilios muy útiles son las herramientas de modelado, tijeritas, pinzas y un CelPad para afinar los pétalos.

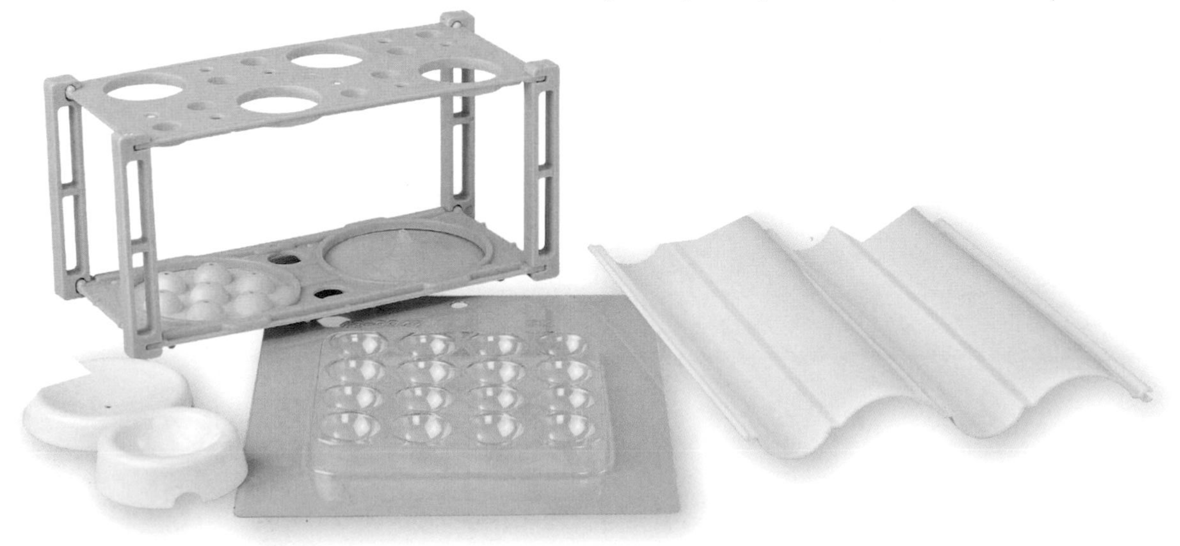

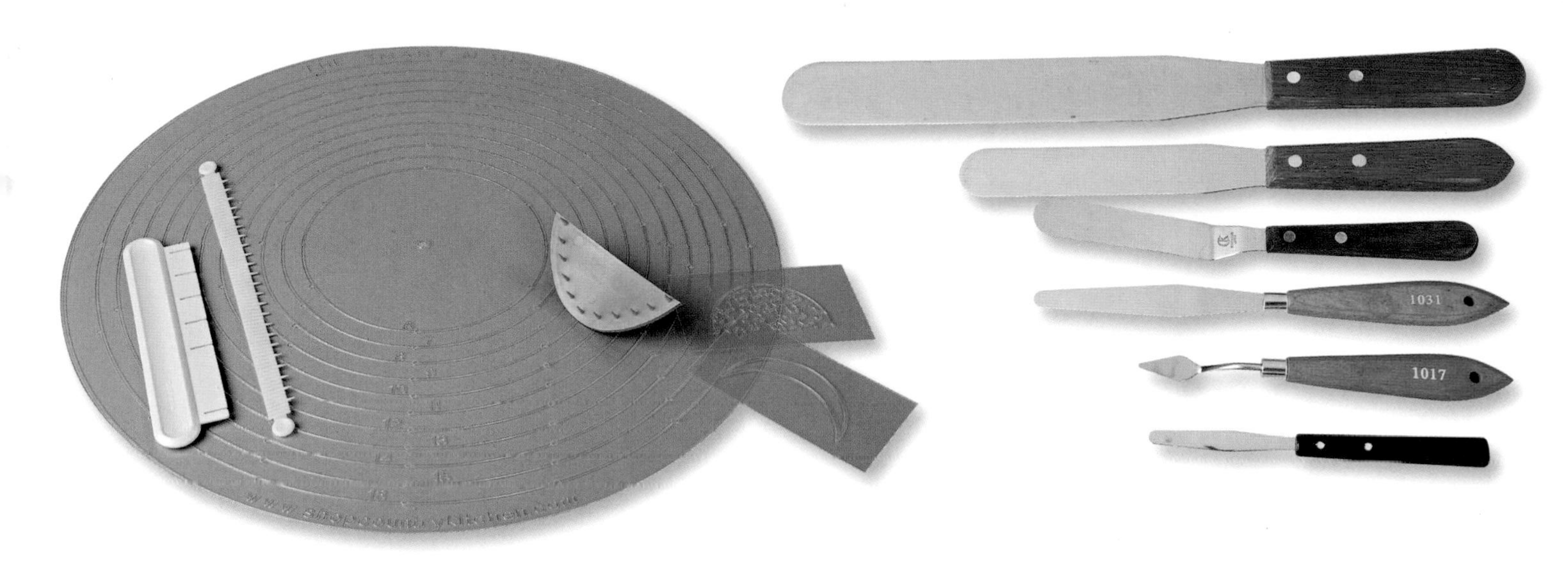

MARCADORES DE GUIRNALDAS

Los marcadores de guirnaldas se presionan sobre el pastel para repujar guirnaldas de tamaño regular. También es importante que las guirnaldas estén espaciadas de forma regular. Las herramientas como el Smart Marker, un disco grande y redondo (también disponible para pasteles cuadrados) te ayudará a espaciar las guirnaldas sin esfuerzo. El Smart Marker incluye marcadores de guirnaldas y también se usa para centrar los pasteles de pisos.

ALISADORES DE FONDANT

Un alisador de fondant aporta un acabado liso y satinado a los pasteles recubiertos de fondant. Desliza la herramienta sobre el pastel para eliminar las arrugas y darle un acabado uniforme. Si alisas el pastel con las manos podrías dejar marcas antiestéticas. Hay que usar dos alisadores: uno para sujetar el pastel y el otro para alisarlo.

ESPÁTULAS DE FONDANT

Las espátulas de fondant son diferentes a las de cocina, pues tienen una hoja larga, fina y flexible. Las hay angulares (acodadas), rectas y afiladas. Cada longitud tiene un uso distinto: las de hoja larga y recta sirven para glasear el pastel; las angulares sirven para extender el relleno, y las hojas pequeñas y afiladas son prácticas para mezclar pequeñas cantidades de fondant. Utilízalas para levantar los trozos de pasta de goma cortada.

PALETA LEVANTA PASTELES GRANDE / ESPÁTULA PARA GALLETAS GRANDE

Una espátula para pasteles grande es una espátula de hoja fina, generalmente de unos 25,5 o 30,5 cm de diámetro, que sirve para levantar fácilmente el pastel al glasearlo y decorarlo.

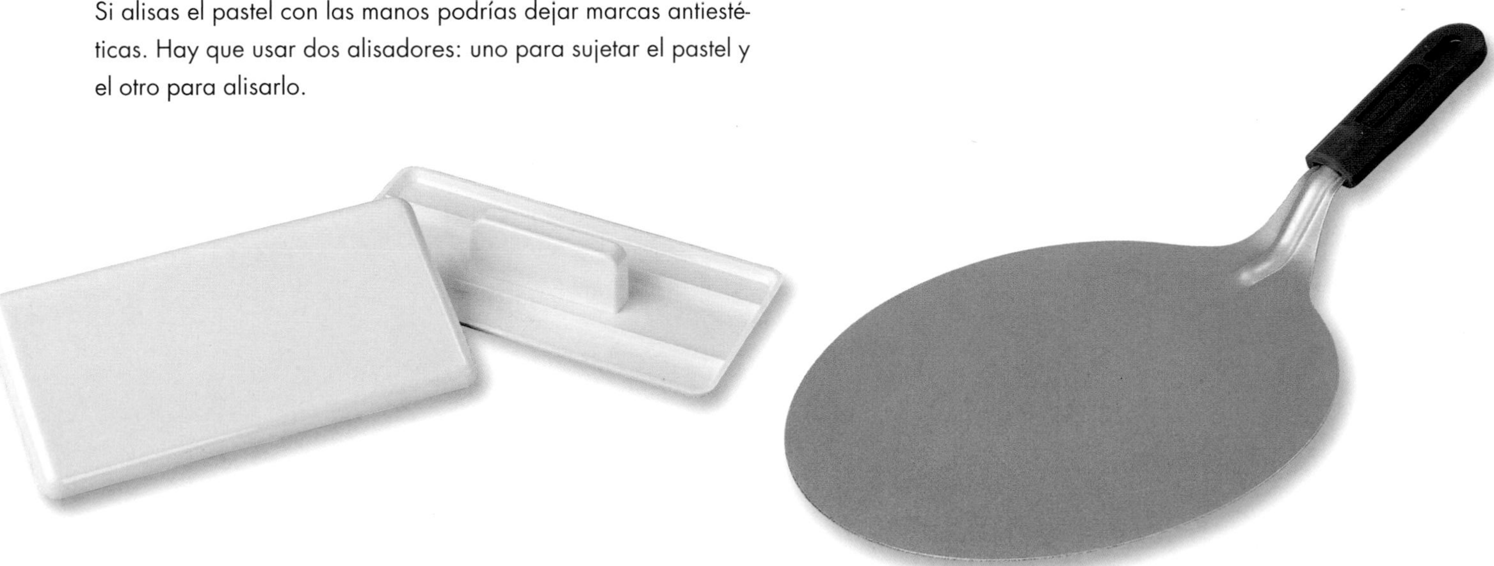

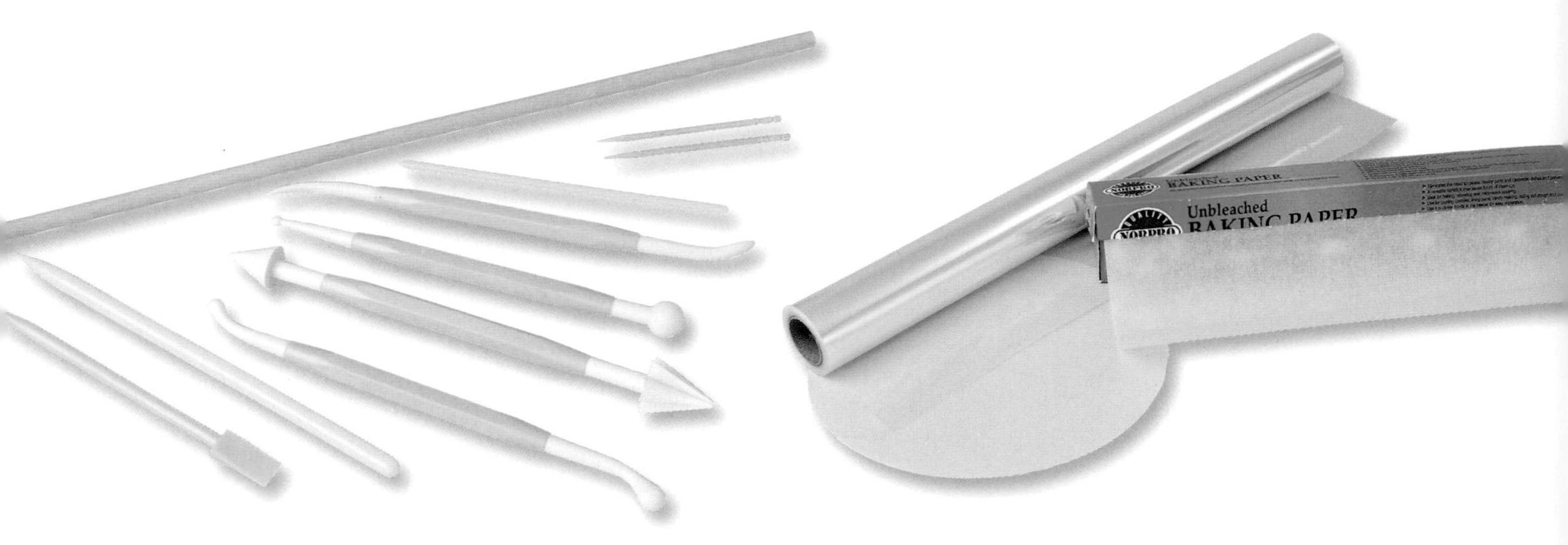

HERRAMIENTAS DE MODELADO

Un juego de herramientas de modelado resulta imprescindible para hacer figuritas y también es muy práctico para otros proyectos. El equipo básico debería incluir estecas de bola de diferentes tamaños, una herramienta cónica, un marcador de venas y una herramienta en forma de hueso. Otras herramientas útiles son una rueda dentada, una herramienta de concha, una aguja de trazado o un punzón. Los CelStick son muy prácticos y versátiles. Estos mini rodillos con un extremo redondeado y otro afilado son la herramienta idónea para decorar y hacer volantes, pues los palillos son mucho más difíciles de controlar. Los palos de madera largos se utilizan para dar forma a los lazos rizados.

PAPEL DE HORNEAR Y PAPEL CELOFÁN

Las hojas de papel de hornear se pueden cortar para ajustarlas a los moldes y evitar que el pastel se pegue. El molde deberá estar engrasado y enharinado. El papel de hornear también se puede encontrar en triángulos precortados para hacer mangas pasteleras desechables. Consulta en la pág. 82 la información sobre conos de papel de hornear. El papel celofán en rollo proporciona una superficie perfecta para dibujos con manga pastelera. Los lazos (pág. 149), los adornos de azúcar fluido (pág. 138) y las decoraciones de glasa real (pág. 126) se desprenden fácilmente del papel celofán. Asegúrate de que el celofán cumple con la normativa vigente para el contacto directo con alimentos.

MOLDES

Los moldes son una decoración muy eficaz. Los moldes de silicona son flexibles, muy detallados y la pasta de goma se desprende fácilmente. Permiten confeccionar elegantes lazos y ristras de perlas. Hay moldes de golosinas muy baratos, de todos los temas posibles, que se pueden utilizar en la decoración de pasteles. También hay moldes en las tiendas de manualidades, pero no siempre son aptos para uso alimentario.

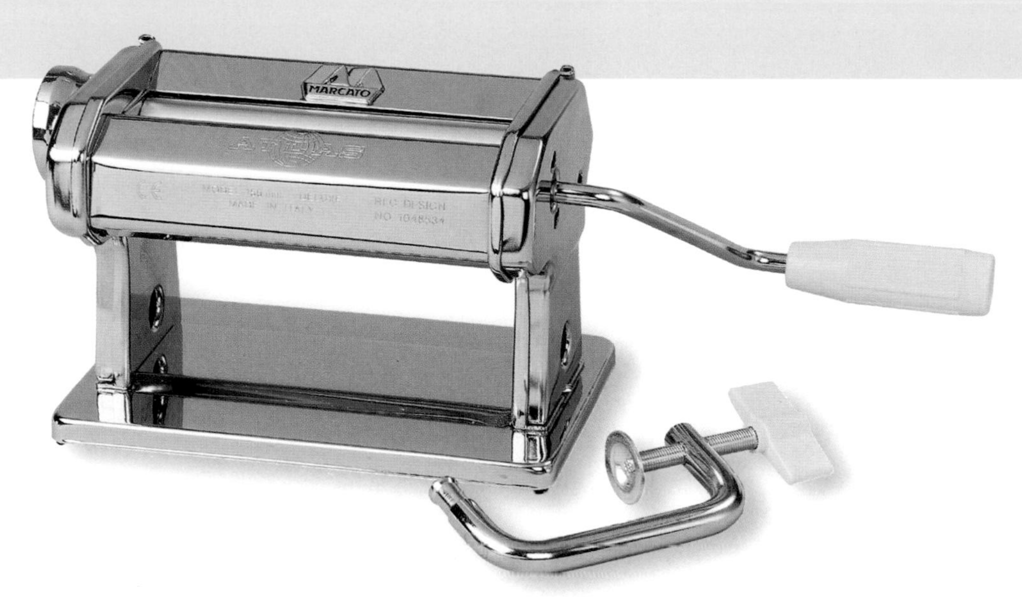

MÁQUINA DE PASTA

Una máquina de pasta puede ser una inversión considerable, pero vale la pena el precio si haces muchos adornos de fondant y pasta de goma. También hay máquinas independientes que amasan el fondant, así como accesorios para mezcladoras. Normalmente las flores y los adornos de los pasteles deberían extenderse para hacerlos muy finos, hasta unos 0,4 mm en un accesorio mezclador de pasta KitchenAid. Los recortes sueltos deberían extenderse a un grosor ligeramente menor, de unos 0,6 mm. Una alternativa a la máquina de pasta es un juego de tiras correctoras del mismo grosor. La pasta de goma se estira a un grosor uniforme, sin bajar del grosor de las tiras. Con estas tiras, el fondant o la pasta de goma no es tan fino como con la máquina de pasta, pero van bien para proyectos en los que no es necesaria una hoja de pasta de goma tan fina.

BOLSAS DE MANGA PASTELERA

Existe una gran variedad de bolsas de manga pastelera. Hay bolsas reutilizables baratas y de diferentes dimensiones, que varían de tamaño, peso y material según el fabricante. Elige una bolsa que sea delgada, ligera y que se adapte a tu mano; no debe ser rígida. Hay bolsas de muchos tamaños: 30,5 cm es el tamaño estándar habitual. Cuánto más pequeña sea la bolsa, más fácil será manejarla. Las bolsas más pequeñas hay que llenarlas más a menudo que las grandes, pero una bolsa grande llena de fondant es más difícil de manejar. Las bolsas desechables son muy prácticas en cuanto a limpieza. Puedes dispensar dos colores a la vez con una divertida bolsa desechable de dos colores, dividida en dos partes: llena cada parte de la bolsa con un color diferente. Coloca la bolsa dentro de otra bolsa del mismo tamaño ajustada con una boquilla de decoración. La cantidad y consistencia de los colores deberá ser igual para que el fondant fluya regularmente. Los triángulos de papel de hornear se emplean para hacer bolsas de manga pastelera ligeras, baratas y desechables. La crema de mantequilla y otros glaseados a base de grasa pueden hacer que la glasa real deshaga: reserva algunas bolsas para su uso exclusivo con glasa real.

PLANTILLAS DE DISEÑOS DE REPOSTERÍA

Puedes hacer letras y diseños de acabado profesional y tamaño regular con plantillas de diseños. Puedes repujar pasteles recién recubiertos de fondant o pasteles con una capa de crema de mantequilla y reseguir las líneas del grabado con la manga. Las plantillas suelen incluir mensajes habituales como «Feliz cumpleaños», «Felicidades», etc. También existen plantillas con elegantes diseños de volutas para los lados o la superficie del pastel.

RODILLOS DE AMASAR

Alisa los pasteles glaseados con crema de mantequilla con un rodillo de amasar pequeño, y utiliza uno grande y pesado de acabado suave para estirar el fondant. Los rodillos de amasar especialmente diseñados para estirar fondant son los mejores. Los rodillos de amasar de madera pueden tener marcas de la madera. Los rodillos de silicona van bien para la masa para pasteles y galletas, pero atrapan las pelusas, así que no son la mejor opción para el fondant.

BÁSCULA

En las recetas e instrucciones de este libro se utilizan los gramos, que son más precisos que las onzas. La mayoría de balanzas digitales convierten las onzas a gramos fácilmente y las hay de muchos precios.

HERRAMIENTAS CON TEXTURA

Añade un diseño grabado a los proyectos con multitud de herramientas con textura. Los rodillos o las hojas con textura graban un diseño por toda la superficie. Los cortadores se pueden emplear para grabar formas y diseños. Las pinzas marcadoras se utilizan para presionar un diseño en un pastel recién cubierto de fondant.

BOQUILLAS Y ACOPLADORES

Con las boquillas puedes hacer formas, tamaños y diseños diferentes. La página 86 trata de las boquillas más habituales y de sus usos. Los pinceles de limpieza son imprescindibles: se trata de un pincel pequeño y cilíndrico para frotar el interior de las boquillas. Los clavos para flores están disponibles en diferentes estilos y permiten rellenar de forma eficaz y uniforme los pétalos al girar el clavo. Un clavo redondo es el estándar para la mayoría de flores sencillas.

Las boquillas se pueden meter en la bolsa: tira suavemente sobre la boquilla para fijarla. Puede que sea preciso cortar la bolsa en caso de boquillas más grandes, o bien utilizar un acoplador, que sirve para intercambiar boquillas cuando utilizas la misma manga pastelera y para evitar que el fondant se filtre. Un acoplador tiene dos partes: una base y un tornillo.

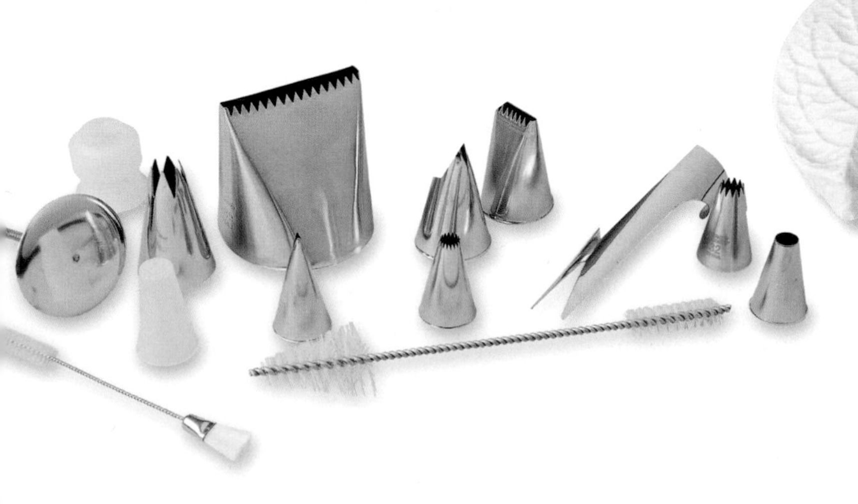

PLATO GIRATORIO

Un plato giratorio es de gran ayuda para glasear y decorar un pastel. Los lados son mucho más fáciles de glasear si puedes girar el pastel. Si utilizas un peine de decoración, el disco giratorio hará que el pastel se deslice fácilmente cuando peines un diseño.

MOLDES DE VENAS

Aporta realismo a los pétalos de flores y a las hojas con los marcadores o moldes de venas.

Hornear el pastel

Hay multitud de libros de repostería y cientos de recetas en la red, y muchas de ellas incluyen cantidades y consejos de horneado para hacer un pastel partiendo de cero. Para aquellos que deseen hacer un pastel rápidamente, los fabricantes de mezclas para pastel han realizado un trabajo excelente perfeccionando sus recetas. Las mezclas para pastel comercializadas pueden variar en sabor, textura y cocción. Prueba con diferentes marcas hasta encontrar el mejor sabor. Si el sabor del pastel no es fantástico, no se valorará tanto tu trabajo. Añade unas cuantas cucharadas de concentrado de fruta (de venta en tiendas de decoración de pasteles) a una mezcla de pastel simple para crear un delicioso y jugoso pastel con sabor a fruta.

Grasa para moldes

La grasa para moldes o grasa de panadería es un producto comercial para panaderos que ayuda a que los pasteles se despeguen bien de los moldes. Si lo usas, no es necesario que pongas harina en el molde, basta con pincelar el molde con una capa gruesa de esta grasa, disponible en tiendas de decoración de pasteles. También puedes engrasar el molde con grasa vegetal sólida y espolvorearlo con harina.

Corta un trozo de papel de hornear que se ajuste al molde para que la base del pastel no se pegue. Es importante que engrases y enharines el molde incluso si usas papel de hornear.

INSTRUCCIONES DE HORNEADO

1 Cubre de grasa para moldes o de grasa y harina el interior del molde. Es importante engrasar cuidadosamente todas las hendiduras de los moldes con formas y dibujos.

2 Puedes usar tiras aislantes (véase Recursos, pág. 324) para que el pastel suba de modo uniforme. Humedece las tiras con agua, elimina el exceso y colócalas alrededor del molde, fijándolas con un alfiler.

3

4

5

3 Sigue la receta para mezclar la masa del pastel. Llena el molde engrasado y enharinado con la masa hasta llenar unos dos tercios del molde.

4 Hornea el pastel siguiendo la receta. Poco antes de que acabe el tiempo indicado, comprueba si el pastel está listo insertando un probador de pasteles en el centro. Si el pastel está hecho, el probador debería salir limpio, con solo algunas migas, pero sin zonas húmedas. Los bordes deberían separarse del molde y dorarse. Coloca el pastel horneado en una rejilla de enfriamiento durante 10 minutos.

5 Si el pastel no sube uniformemente, o si forma una bóveda, nivela la parte superior del pastel con un cortador de pasteles o un cuchillo de pan grande. Puede que el pastel se rompa al girarlo si la parte superior no está nivelada.

(sigue)

6 Cuando el molde está lo bastante frío para manejarlo, desliza un cuchillo por el borde.

7 Coloca una rejilla de enfriamiento sobre el molde, sujeta bien la rejilla y el molde juntos y gira el pastel depositándolo sobre la rejilla de enfriamiento.

8 Levanta suavemente el molde hacia arriba y sepáralo del pastel. Deja que el pastel se enfríe completamente.

Desmoldar

Después de hornear el pastel y sacarlo del horno, déjalo en el molde unos 10 minutos. Si está demasiado caliente al sacarlo del molde puede romperse o deshacerse. No dejes el pastel en el molde durante demasiado tiempo o se pegará. El molde debe estar caliente, no debe quemar ni estar totalmente frío.

9 Si el pastel no está nivelado, alisa la superficie con un cortador de pasteles.

FACTORES QUE AFECTAN AL HORNEADO DEL PASTEL

Temperatura del horno incorrecta

Se puede utilizar un termómetro de horno para garantizar que el horno funciona a la temperatura correcta. Coloca el termómetro en el horno y compara la lectura del termómetro con la temperatura fijada en el horno. Si el resultado es diferente, ajusta la temperatura según convenga.

Colocación en el horno

Lo mejor es hornear los pasteles en medio del horno, en la rejilla central. Si hay varios pasteles en la rejilla central, deja 2,5 cm de espacio alrededor de cada molde. Los moldes no deberían tocarse entre sí ni tocar los lados del horno. Si se usa un horno de convección, los pasteles tardarán menos en hacerse y deberán hornearse a una temperatura inferior a la especificada en la receta. En los hornos de convección el aire circula por todo el horno, por lo que pueden hornearse varios pasteles a la vez, pero sobrecargar un horno con demasiados pasteles puede hacer que la masa suba de forma desigual.

Mezcla

Sigue las instrucciones de la mezcla al pie de la letra. Si se mezcla demasiado, el pastel no subirá o se secará. Si se mezcla poco tampoco subirá bien y habrá burbujas de aire en todo el pastel. La masa del pastel debería hornearse al poco de haberse mezclado. Esto es más importante para unas masas que otras. Las masas de pastel con levadura química y con polvo de hornear deben hornearse justo después de mezclarse. Si dejas reposar la masa algunos minutos, el pastel podría quedar denso y plano.

Tiempo de cocción

Si el pastel está poco hecho, el centro se caerá, y si se ha hecho demasiado, estará duro y seco. La puerta del horno no debería abrirse durante el horneado, pues el pastel podría desinflarse.

Delicias

Haz pequeñas delicias con trozos de pastel y fondant sobrante. Desmigaja trozos de pastel en un bol e incorpora fondant hasta que puedas hacer rodar la mezcla. Forma pequeños bombones, sumérgelos en chocolate deshecho y deja que se endurezcan.

Cortar en capas y rellenar pasteles

El relleno aporta sabor, jugosidad y elegancia. Puedes incorporar relleno entre dos pasteles y hacerlo más apetitoso cortándolo en capas. Se puede cortar un pastel por capas con un cortador de pasteles (disponible en tiendas especializadas) o con un cuchillo de sierra, pero es preferible un cortador de pasteles, para garantizar capas regulares.

Antes de poner el relleno, haz primero una especie de barrera en el borde, para que el relleno no sobresalga, con el mismo glaseado con el que recubrirás el pastel. Si vas a cubrirlo de fondant, deberás hacer la barrera con glaseado de crema de mantequilla. Esta barrera evita que el relleno se filtre en el glaseado del pastel, pero no es necesaria si el relleno es igual que el glaseado externo. Deja unos 6 mm de espacio entre la barrera y el borde del pastel, así cuando coloques la capa superior, la presión empujará el glaseado de la barrera pero no goteará por los lados. Si la barrera gotea por los lados después de colocar la capa superior, podría resultar visible una vez recubierto el pastel.

1 Coloca el pastel sobre una superficie plana. Ajusta el cortador de pasteles a la altura deseada e insértalo en el lateral del pastel.

2 Mantén los pies del cortador nivelados con la superficie y desliza el cortador hacia atrás y hacia delante para cortar el pastel. No levantes los pies mientras cortas.

3 Levanta la capa superior del pastel cortado con una paleta levanta pasteles grande o con una bandeja para galletas sin bordes. Deja la capa superior a un lado.

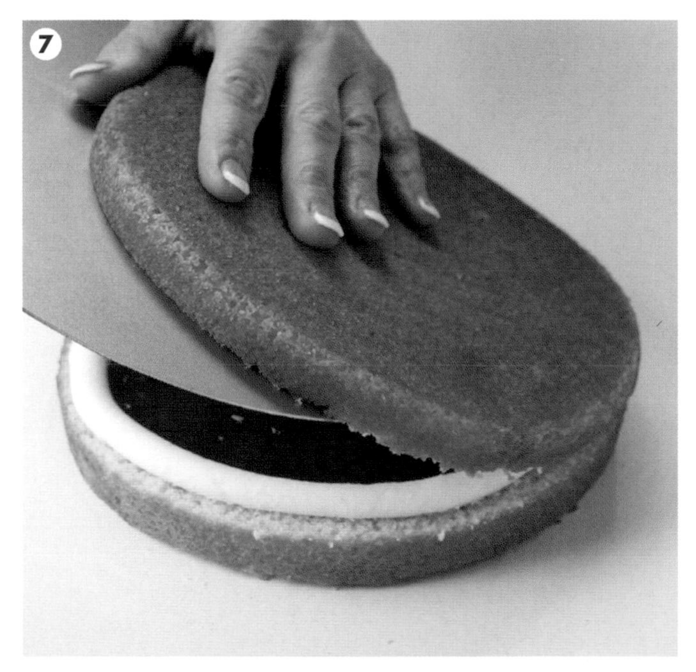

4 Llena una bolsa de manga pastelera con glaseado de crema de mantequilla o el glaseado que quieras utilizar. Con una boquilla 1A, forma una barrera de fondant alrededor del pastel. Esta barrera evitará que el fondant rezume por los lados.

5 Llena una bolsa de manga pastelera con el relleno y rocíalo en el centro del pastel.

6 Extiende el relleno hasta el borde de la barrera.

7 Une la capa superior con la inferior y vuelve a colocar la capa superior sobre el pastel.

Recetas de rellenos

El relleno puede transformar un simple pastel en una delicia de varias capas digna de un gourmet. Los rellenos deben complementar el sabor del pastel sin excederse: una capa delgada de relleno suele ser suficiente. Si la capa de relleno es demasiado gruesa, su sabor será demasiado dominante. Los pasteles rellenos con ingredientes perecederos como fruta fresca deberían refrigerarse hasta la hora de servirlos. También puedes usar rellenos en los cupcakes, convirtiéndolos en una delicia con sorpresa en su interior.

RELLENOS PREPARADOS

Los rellenos comercializados resultan deliciosos y son el modo más rápido y fácil de añadir relleno a los pasteles. Existe una gran variedad de sabores frutales y rellenos cremosos. La mayoría de pasteles que utilizan estos rellenos preparados no necesitan refrigeración.

RELLENOS DE FRUTA FRESCA

Los pasteles con rellenos de crema y fruta fresca son especialmente elegantes. Suelen llevar una capa fina de relleno, como el glaseado de crema batida de la pág. 31, cubierto por una capa de fruta fresca. Los pasteles con rellenos de fruta fresca deberían montarse y decorarse pocas horas antes de servir. También hay que refrigerarlos hasta el momento de servir. El jugo de la fruta fresca podría filtrarse a través del glaseado, por lo que es muy importante que la fruta esté seca. Lava y corta cuidadosamente la fruta y déjala secar sobre papel de cocina.

RELLENOS DE GLASEADOS

Algunas de las recetas de glaseado de los siguientes capítulos, como el glaseado de crema de mantequilla, el de crema batida y la ganache constituyen unos rellenos deliciosos. El glaseado de crema batida es liviano y ligeramente dulce, exquisito para cupcakes y pasteles. El glaseado de crema de mantequilla añade un dulzor adicional al pastel. La ganache es el que aporta más suculencia. Los tres pueden potenciarse con sabores o fruta escarchada. Por ejemplo, puedes transformar un sencillo pastel de chocolate en un pastel de moca y trufa si lo rellenas con una ganache con gusto a café y chocolate.

Receta de relleno de fudge

- *330 g de crema de nubes*
- *300 g de azúcar*
- *160 ml de leche evaporada*
- *56 g de mantequilla*
- *1 g de sal*
- *480 g de chocolate negro (semiamargo), fundido*
- *5 ml de extracto de vainilla*
- *120 ml de agua caliente*

En una cacerola grande y pesada y a fuego medio mezcla la crema de nubes, el azúcar, la leche evaporada, la mantequilla y la sal. Remueve de forma enérgica y constante hasta que hierva y deja cocer 5 minutos, removiendo constantemente. Retíralo del fuego y déjalo enfriar hasta que esté tibio. Incorpora el chocolate fundido y mézclalo bien. Añade el agua caliente y la vainilla. Remueve hasta que forme una mezcla homogénea. Déjalo enfriar antes de utilizarlo como relleno. La mezcla de fudge debería quedar blanda.

(Para 740 ml de relleno)

Rellenar moldes para cupcakes

Una cuchara de helado resulta muy útil para rellenar moldes de cupcakes. El proceso de llenado es más limpio y permite llenar cada cavidad con una cantidad similar. Utiliza tres cucharadas (15 ml) para los cupcakes estándar, 1 cucharada (5 ml) para los cupcakes minis y ⅓ de taza (80 ml) para los cupcakes grandes.

Receta de relleno de caramelo

Este sabroso relleno resulta delicioso para pasteles blancos, de caramelo o de especias.

- *113 g de mantequilla*
- *230 g de azúcar moreno*
- *1 g de sal*
- *90 ml de leche*
- *345 g de azúcar glas*

Deshaz la mantequilla, incorpora el azúcar moreno y la sal y hiérvelo durante 2 minutos, removiendo constantemente. Retíralo del fuego, añade la leche y vuélvelo a poner sobre el fuego hasta llevarlo a ebullición. Déjalo enfriar hasta que esté tibio e incorpora el azúcar glas. Deja que se enfríe antes de utilizarlo como relleno.

(Para 625 ml de relleno)

Hornear cupcakes

Sigue las siguientes instrucciones para que los cupcakes queden siempre bien hechos.

1 Coloca los moldes de papel en el molde para cupcakes. Sigue las instrucciones de la receta para mezclar la masa. Utiliza una cuchara de helado para llenar los moldes.

2 Hornea según las instrucciones de la receta. Antes de que acabe el tiempo de horneado, comprueba que los cupcakes están hechos insertando un probador de pasteles en el centro de uno de los cupcakes. Si están hechos, el probador deberá salir limpio, con solo algunas migas, sin humedad. Deja enfriar el molde para cupcakes sobre una rejilla de enfriamiento durante 10 minutos.

3 Cuando el molde esté lo suficientemente frío como para tocarlo, saca los cupcakes y colócalos sobre una rejilla de enfriamiento, dejando que se enfríen totalmente antes de poner el glaseado.

2

1

3

Rellenar cupcakes

Con un delicioso relleno añadirás a los cupcakes un toque sorprendente y exquisito. Los cupcakes pueden rellenarse con una boquilla Bismark 230, con un vaciador específico para cupcakes, o también puedes usar un vaciador de manzanas. Los vaciadores pueden diferir de diámetro y resulta útil disponer de varias opciones. Los glaseados, la crema pastelera y la ganache son los rellenos para cupcakes más habituales. La crema pastelera y la mermelada resultan pesadas y pueden ponerse gomosas si colocas mucho relleno en el centro. Un poquito de relleno cunde mucho; utiliza menos relleno de crema pastelera o mermelada que glaseado o ganache.

BOQUILLA BISMARK

Una boquilla Bismark tiene un extremo puntiagudo para clavarlo en el cupcake y rellenarlo. Resulta perfecta para rellenar el centro de mini cupcakes.

1 Hornea y deja enfriar los cupcakes. Mete la boquilla Bismark en una bolsa de manga pastelera con el extremo puntiagudo hacia abajo y llena la bolsa con el relleno deseado.

2 Inserta el extremo puntiagudo en el cupcake.

3 Aprieta suavemente para rellenar el cupcake.

La boquilla Bismark también es útil para hacer tres o cuatro agujeros en los cupcakes normales e inyectar rellenos más pesados, como crema pastelera o mermelada.

1

4

2

5

3

VACIADOR DE MANZANAS

Un vaciador de manzanas resulta muy útil para retirar el centro de los cupcakes. El vaciador consta de dos partes: la pieza exterior es el vaciador, y la interior el eyector. Después de vaciar los cupcakes, cúbrelos con film transparente para que no se sequen.

1 Hornea y deja enfriar los cupcakes. Inserta la pieza exterior del vaciador de manzanas en el cupcake y hazlo girar dos tercios a un lado dentro del cupcake.

2 Levanta el vaciador y sácalo del cupcake. Inserta el eyector para desprender el cilindro recortado del cupcake.

3 Corta la parte superior del centro recortado con un cuchillo de mondar.

4 Coloca el relleno en una bolsa de manga pastelera y ajústala con un acoplador. Aprieta el relleno en el cupcake recortado, llenándolo casi hasta arriba.

5 Coloca el trozo superior recortado encima del relleno y glasea el cupcake como desees.

Mantener la humedad

Cubre siempre los cupcakes con film transparente hasta que estén rellenos y glaseados para que se mantengan frescos. Los cupcakes se secan fácilmente si no se cubren.

Un rellenador de cupcakes resulta ideal para rellenar cupcakes grandes (véase foto) o para poner mucho relleno en cupcakes normales (véase Recursos, pág. 324).

Recetas de glaseados

La crema de mantequilla es un glaseado dulce y esponjoso, y uno de los rellenos favoritos de EEUU. Puedes utilizarlo para glasear y decorar un pastel. La crema de mantequilla forma una corteza exterior pero conserva el interior cremoso, y es posible ajustar su consistencia. Las flores de crema de mantequilla puede que requieran un glaseado más firme: añade menos agua para obtener más firmeza en las flores realizadas con manga pastelera. Puedes encontrar glaseado de crema de mantequilla preparado en las tiendas de decoración de pasteles.

Receta de glaseado de crema de mantequilla

- *120 ml de manteca vegetal emulsionada (véase el consejo)*
- *20 g de azúcar glas tamizada*
- *75 ml de agua*
- *2,5 mg de sal*
- *5 ml de aroma de vainilla*
- *2,5 ml de aroma de almendra*
- *1,5 ml de aroma de mantequilla*

Coloca los ingredientes en un recipiente hondo y bátelos a baja velocidad hasta mezclarlos bien. Sigue batiendo a baja velocidad 10 minutos o hasta que la mezcla esté bien cremosa. Tapa el recipiente para que el glaseado no se seque. Puedes guardar el glaseado sin usar en la nevera hasta 6 semanas. Vuélvelo a batir a baja velocidad.

(Para 1 l de glaseado).

La consistencia de la crema de mantequilla

La consistencia de la crema de mantequilla puede variarse en función del uso que se le vaya a dar: la más fina se utiliza para sellar las migas del pastel, y la más firme, para hacer flores con manga pastelera. Añade agua para diluir la crema de mantequilla o usa menos agua para darle más firmeza.

Glaseado de crema de mantequilla y chocolate

Con solo añadir cacao en polvo puedes obtener un delicioso glaseado de crema de mantequilla y chocolate. Añade unos 110 g de cacao en polvo a la receta anterior, eso hará que la crema de mantequilla sea más firme. Añade un poco de agua para conseguir la consistencia deseada.

Glaseados de otros sabores

La crema de mantequilla es un glaseado dulce básico al que pueden añadirse muchos sabores. Sustituye el aroma de almendras por otro extracto. Los más habituales son menta, limón, ron, coco y café. Los extractos y aromas pueden ser más o menos intensos: añádelos al gusto. Algunos aromas llevan colorante y pueden afectar al color del glaseado.

Conservación de la crema de mantequilla

Los pasteles glaseados y decorados con crema de mantequilla suelen formar una corteza, pero la humedad puede afectar la capacidad del glaseado para cuajar. Puedes guardar los pasteles a temperatura ambiente durante tres o cuatro días. El clima muy caluroso puede hacer que el glaseado se ablande y se funda, mientras que la refrigeración puede producir condensación y hacer que los colores se corran.

Crema de mantequilla perfeccionada

- Para obtener un glaseado blanco brillante, utiliza aromas transparentes. La vainilla pura aportará al glaseado un tono marfil.
- La manteca vegetal sólida puede sustituirse por manteca vegetal emulsionada, un sustitutivo de la mantequilla. Esta manteca de calidad de panadería se utiliza en recetas de glaseados y pasteles y aporta al fondant una textura fina, suave y cremosa sin dejar un regusto graso. La manteca vegetal sólida puede afectar a la consistencia y la textura del glaseado.
- No batas el glaseado a velocidad media o alta una vez mezclados los ingredientes: la entrada de aire formaría burbujas.
- Los colores oscuros del glaseado de crema de mantequilla podrían intensificarse después de asentarse. Deja que el glaseado se asiente de dos a tres horas para ver el color final.

El glaseado de crema batida posee una textura ligera y delicada y es menos dulce que la crema de mantequilla. Extiéndelo sobre un pastel o úsalo como delicioso relleno. Es un glaseado blando: permite hacer bordes sencillos con la manga pastelera, pero no es lo suficientemente estable para crear flores o adornos más detallistas. Los pasteles son más fáciles de glasear si se usa de inmediato, pero puede guardarse hasta 4 semanas en la nevera sin usar.

Receta de glaseado de crema batida

- *80 g de harina*
- *400 ml de leche*
- *226 g de mantequilla*
- *190 g de manteca vegetal emulsionada*
- *400 g de azúcar granulada*

Pon la harina en una cacerola y añade la leche batiéndola. Cuece a fuego medio, removiendo constantemente hasta que espese. Déjalo enfriar. Bate la mantequilla, la manteca y el azúcar y añádelo a la mezcla de leche y harina ya enfriada. Bátelo 7-10 minutos a alta velocidad hasta que quede ligera y esponjosa. Guarda el glaseado sin usar en un recipiente hermético un máximo de 4 semanas. Vuelve a batir la mezcla a baja velocidad.

(Para 1,75 l de glaseado).

Conservación del glaseado de crema batida

Un pastel glaseado puede guardarse a temperatura ambiente durante 2 o 3 días.

El glaseado de queso crema es tan exquisito y delicado que resulta delicioso en prácticamente todos los pasteles. De color blanco crudo y crema, permite hacer bordes sencillos de glaseado con manga pastelera, pero es demasiado blando para los adornos detallistas.

Receta de glaseado de queso crema

- *224 g de queso crema, ablandado*
- *45,5 g de mantequilla ablandada*
- *31 g de crema agria*
- *10 ml de extracto de vainilla*
- *650 g de azúcar glas*

Bate el queso crema, la mantequilla, la crema agria y la vainilla en un recipiente hondo grande hasta obtener una mezcla ligera y esponjosa. Incorpora gradualmente el azúcar glas hasta que tenga una consistencia suave.

Conservación del glaseado de queso crema

El glaseado de queso crema sin usar puede guardarse en la nevera en un recipiente hermético durante 2 semanas. Los pasteles con glaseado de queso crema pueden guardarse a temperatura ambiente 1 o 2 días. En la nevera pueden durar más, pero puede producirse condensación, dándoles una textura granulosa.

La ganache es una mezcla de nata montada y chocolate que forma un sabroso glaseado satinado. La ganache se puede verter sobre el pastel o extenderla después de batirla. También es un relleno exquisito. Esta receta requiere chocolate negro, pero también se puede hacer con chocolate blanco, con leche, semiamargo o amargo. Técnicamente el chocolate blanco no es chocolate, porque no tiene cacao en polvo, pero la presencia de manteca de cacao le permite reaccionar de un modo similar al chocolate con leche, semiamargo o amargo. El chocolate blanco puede teñirse con un colorante a base de aceite. El contenido en manteca de cacao del chocolate afecta al espesor de la ganache. El chocolate de cobertura o con una elevada proporción de manteca de cacao es el más adecuado para las recetas de ganache. Si utilizas chocolate con un bajo contenido en manteca de cacao, se puede aumentar la cantidad de nata. Para elaborar una ganache más sabrosa, utiliza chocolate verdadero con manteca de cacao y no cobertura de chocolate, que lleva diferentes aceites. La cobertura de chocolate es una alternativa asequible y se puede utilizar, pero la calidad de la ganache no será tan buena.

Receta de ganache

- *42 g de mantequilla sin sal*
- *80 g de nata montada*
- *227 g de chocolate negro*

Vierte la nata y la mantequilla en una olla resistente y ponla a fuego medio hasta que hierva. Retírala del fuego, añade el chocolate y remueve hasta que casi todo el chocolate se haya deshecho. Bate la ganache hasta que esté bien mezclada y tenga un aspecto brillante. Si el chocolate no se ha fundido completamente, vuelve a poner la olla sobre el fuego. Caliéntalo a temperatura muy baja hasta que se funda el chocolate. Viértela sobre el pastel o extiéndela con una cuchara.

(Para 375 ml).

Conservación de la ganache

Un pastel recubierto de ganache puede conservarse a temperatura ambiente 1 o 2 días. La ganache sin usar debería guardarse en la nevera. Se puede recalentar colocando la ganache en una olla de vapor, encima de agua caliente. Si deseas una ganache batida, deja que la ganache llegue a la temperatura ambiente antes de batirla. La ganache puede recalentarse en el microondas durante 5-10 segundos. Remuévela y vuélvela a calentar si es necesario, hasta obtener el espesor deseado.

La calidad cuenta

El chocolate puede diferir enormemente en cuanto a sabor, textura y espesor. El sabor y la calidad de la ganache dependen del chocolate empleado. Elige un chocolate delicioso, que se funda en tu boca al comerlo una vez fuera del envoltorio, y obtendrás una ganache fabulosa.

La glasa real posee gran variedad de usos en la decoración de pasteles. Endurece mucho al secarse, así que no es un glaseado adecuado para cubrir un pastel. Muchos proyectos realizados con glasa real pueden hacerse con algunos días de antelación. Las flores de glasa real hechas con manga pastelera serán ligeras y de pétalos crujientes. La glasa real se emplea para hacer detalles en los pasteles cubiertos de fondant, como stringwork (pág.144), bordado con glasa real (pág. 143) y azúcar fluido (pág. 138). Suele emplearse como «cola» para unir casas de galletas de jengibre. Utiliza cualquiera de las dos recetas siguientes. O si lo prefieres, en los comercios existen mezclas preparadas de glasa real: solo tienes que añadir agua a la mezcla en polvo y batir unos minutos.

Receta de glasa real con polvo de merengue

- *50 g de polvo de merengue*
- *2 g de crémor tártaro*
- *160 ml de agua*
- *1,4 kg de azúcar glas tamizado*
- *12,5 g de goma arábiga*

Mezcla el polvo de merengue, el crémor tártaro y el agua en un recipiente hondo y bátelo a alta velocidad hasta formar picos firmes. En otro bol, mezcla bien el azúcar glas y la goma arábiga e incorpóralos al merengue. Bate a baja velocidad hasta incorporar bien los ingredientes, y luego mézclalo todo a alta velocidad unos minutos hasta formar picos firmes. Guarda el glaseado tapado con un paño húmedo.

(Para 1,175 l).

Glasa real perfeccionada

- Tamizar el azúcar glas es importante para evitar que las boquillas se obstruyan. Utiliza un tamiz de malla muy fina.
- La grasa deshace la glasa real: asegúrate de que no haya grasa en ningún utensilio o recipiente. Al verter glasa real sobre crema de mantequilla pueden formarse manchas de grasa.

Receta de glasa real con clara de huevo

- *0,45 kg de azúcar glas*
- *3 claras de huevo grandes a temperatura ambiente*
- *1,5 g de crémor tártaro*

Tamiza el azúcar. Vierte las claras de huevo en un recipiente hondo. Incorpora el crémor tártaro y el azúcar glas. Después de incorporar todos los ingredientes, bate a alta velocidad hasta que se formen picos firmes. Guarda el glaseado en la nevera, tapado con un paño húmedo.

(Para 625 ml)

Conservación de la glasa real

La glasa real se seca y forma una corteza muy rápidamente. Si trabajas con glasa real, mantén el recipiente siempre cubierto con un paño húmedo. La glasa real de clara de huevo debe utilizarse inmediatamente; la de polvo de merengue puede aguantar hasta 2 semanas. Guarda el glaseado en un recipiente hermético a temperatura ambiente. Vuelve a batirla a alta velocidad antes de ponerla en la manga pastelera. Las flores y los detalles hechos con glasa real se pueden guardar en un recipiente hermético algunos meses. Mantén el recipiente alejado de la luz para evitar que el color se debilite.

Recetas de fondant para extender y modelar

El siguiente capítulo trata del fondant para extender y modelar. El fondant extendido sirve para cubrir pasteles y hacer algunas piezas de decoración. La pasta de goma es una pasta de modelado más fuerte que se utiliza solo para decoración. La combinación de pasta de goma y fondant se conoce como pasta 50/50 y es ideal para algunos proyectos de este libro. La plastilina comestible es una alternativa al fondant para hacer detalles de modelado, pero no se utiliza para cubrir pasteles.

Fondant: Los pasteles recubiertos de fondant presentan un aspecto limpio y terso. El fondant se extiende y luego se coloca sobre el pastel. Es muy dulce, de textura correosa. El fondant puede usarse para muchos proyectos: modelado, moldes, volantes, lazos, flores y mucho más. Antes de cubrir un pastel con fondant, el pastel debería tener una capa de glaseado. Glasear primero el pastel con crema de mantequilla proporciona una base lisa para el fondant, aportándole dulzura y preservando la humedad. En Europa a menudo se usa el mazapán como base lisa bajo el fondant. Mezclar el fondant puede ser una tarea larga y difícil. Es más práctico usar las marcas de fondant disponibles en el mercado, cada una con su sabor y sus propiedades particulares. Existe fondant comercial blanco y de diferentes colores.

Receta de fondant

- *120 g de nata*
- *30 g de gelatina sin sabor*
- *175 ml de glucosa*
- *28 g de mantequilla*
- *25 ml de glicerina*
- *10 ml de aroma de vainilla transparente*
- *10 ml de aroma de mantequilla transparente*
- *5 ml de aroma de almendra*
- *1 kg de azúcar glas (aprox.)*

Vierte la nata en una olla pequeña, espolvoréala con la gelatina y ponla a fuego bajo hasta que se haya disuelto. Añade la glucosa, la mantequilla, la glicerina y los aromas y calienta la mezcla hasta fundir la mantequilla. Reserva.

Tamiza el azúcar glas y vierte 770 g del azúcar glas en un recipiente hondo. Vierte la mezcla de nata sobre el azúcar glas y mézclalo lentamente con un gancho de amasar hasta que el azúcar glas esté bien mezclado. Añade los 220 g de azúcar glas restantes. El fondant será muy pegajoso, pero debería mantener su forma. Coloca una hoja de film transparente sobre la superficie de trabajo y cúbrela con una capa fina de manteca vegetal. Envuelve el fondant en el film transparente engrasado y déjalo cuajar durante 24 horas. Después de este tiempo el fondant estará menos pegajoso. De no ser así, añade más azúcar glas.

La pasta de goma, también conocida como pasta de flores o pasta de modelar, posee una consistencia similar al fondant, pero no suele comerse. Se usa para crear delicadas flores y adornos para pasteles. Su elasticidad permite extenderla hasta volverse prácticamente translúcida para crear las flores más delicadas.

Aquí se incluyen dos recetas: la primera es la receta de pasta de goma con Tylose de Nicholas Lodge, un excelente decorador de pasteles y profesor de decoración, famoso por sus intricados trabajos de azúcar. La segunda receta es una receta de pasta de goma fácil que requiere fondant y polvo Tylose. Esta receta no tiene tanta fuerza como la primera, pero te saca del apuro. La pasta de goma también existe lista para usar o como mezcla en polvo a la que se le añade agua. La ventaja de utilizar pasta de goma preparada es que resulta muy práctica y requiere menos horas de trabajo. Sin embargo, los proyectos pueden necesitar varios días para secarse si se emplean los productos comercializados. La receta de pasta de goma que aparece a continuación suele endurecer transcurridas 24 horas.

Receta de pasta de goma de Nicholas Lodge

- *125 g de claras de huevo fresco*
- *700 g de azúcar glas*
- *250 g de azúcar glas*
- *35 g de polvo Tylose de uso alimentario*
- *20 g de manteca vegetal sólida*

Vierte las claras de huevo en un recipiente hondo. Coloca una pala plana en la batidora y hazla girar a velocidad media durante 10 segundos para deshacer las claras. Pon la batidora a la velocidad más baja y añade lentamente los 700 g de azúcar glas. De este modo formarás una glasa real de consistencia blanda. Sube la velocidad al 3 o al 4 unos dos minutos. Asegúrate de que la mezcla está a punto de formar picos blandos. Debería tener un aspecto brillante, como de merengue, y los picos deberían caer. Si la quieres teñir, añade colorante alimentario en pasta o gel en este punto, en un tono más oscuro que el color deseado. Coloca la batidora en el programa lento y espolvorea el polvo Tylose por encima en tandas de 5 segundos. Vuelve a subir a velocidad alta durante algunos segundos para espesar la mezcla. Raspa la mezcla fuera del recipiente y colócala sobre una superficie de trabajo en la que habrás espolvoreado un poco de los 250 g de azúcar glas restantes. Frótate las manos con manteca y amasa la pasta, añadiendo el azúcar glas reservado que haga falta hasta formar una masa blanda que no sea pegajosa. Comprueba la consistencia pellizcando la masa con los dedos: los dedos deberían salir limpios. Coloca la masa acabada en una bolsa con cierre zip, guárdala en otra bolsa y séllala bien. Deja madurar la pasta durante 24 horas antes de usarla, y guárdala en un lugar fresco. Cuando vayas a usar la pasta, corta una pequeña cantidad y amásala añadiendo un poco de manteca vegetal. Si quieres teñir la pasta en esta fase, amasa el colorante con la pasta hasta alcanzar el color deseado. Si no lo utilizas, guarda la pasta en la nevera, siempre en bolsas con cierre zip. La pasta se conservará en la nevera unos 6 meses.

Receta de pasta de goma fácil

- *0,45 kg de fondant*
- *5 g de polvo Tylose*

Incorpora el polvo Tylose al fondant amasándolo. Envuelve la pasta bien apretada y déjala reposar unas horas.

Pasta de goma perfeccionada

- La pasta de goma se seca fácilmente. Añade polvo Tylose si necesitas más tiempo para trabajar y envuélvela bien apretada si no la usas.
- Si la pasta de goma se trabaja en exceso se vuelve firme y resistente. Puedes añadir un toque de manteca vegetal o de clara de huevo para ablandar la pasta.

La pasta 50/50 es una mezcla de fondant y pasta de goma lo bastante fuerte como para usarla en diferentes técnicas para crear adornos, pero lo bastante blanda como para cortarla al servir el pastel. No debería utilizarse para recubrir pasteles.

Receta de pasta 50/50

- *1 parte de pasta de goma*
- *1 parte de fondant*

Amasa y ablanda la pasta de goma y el fondant. Trabaja la pasta de goma y el fondant juntos hasta mezclarlos bien.

COLA ALIMENTARIA

Receta de cola Tylose

- *5 g de polvo Tylose*
- *360 ml de agua*

Hierve el agua, bate el polvo Tylose y remueve hasta que se disuelva. Guárdalo en la nevera.

Esta receta se usa para hacer cola alimentaria para fijar la pasta de goma. Puedes usar clara de huevo en lugar de cola alimentaria si las piezas que se pegan son blandas. Una pequeña cantidad de cola basta. La cola se secará dejando brillo y será visible si se filtra demasiada cola. El Tylose es una goma sintética. Asegúrate de utilizar Tylose para uso alimentario.

Gel para decorar

El gel para decorar es un material comercializado transparente e insípido que sirve como cola alimentaria. La cola alimentaria de Tylose es ideal para piezas pequeñas modeladas a mano y flores de pasta de goma. El gel para decorar es ideal para pegar piezas más grandes. No uses demasiado gel para decorar o la pieza podría resbalar del pastel.

La plastilina comestible (chocolate modelable) es una plastilina de chocolate flexible hecha de chocolate y sirope de maíz. Esta plastilina no se utiliza para recubrir pasteles, sino para modelar y crear adornos. Los adornos de plastilina comestible no son tan detallistas como las piezas de fondant o de pasta de goma, pero constituyen una deliciosa alternativa.

Receta de plastilina comestible

- *0,45 kg de chocolate*
- *160 ml de sirope de maíz*

Funde el chocolate e incorpora el sirope de maíz. La mezcla se volverá espesa, similar al fudge. Viértela sobre una hoja de film transparente y envuélvela bien. Deja cuajar unas horas. Después de eso, la mezcla será muy firme. Amásala para ablandarla antes de darle forma..

Conservación de la plastilina comestible

La plastilina comestible bien envuelta y sin usar puede guardarse algunas semanas a temperatura ambiente. Las piezas hechas de plastilina comestible deberían guardarse en un recipiente hermético y en un lugar fresco.

Algo de refrigeración

Si hace calor y tienes las manos calientes te será difícil manejar esta plastilina. Si se vuelve demasiado blanda, métela en la nevera unos minutos antes de trabajar con ella.

Colorante alimentario

Los colores hacen que un pastel destaque: la combinación de colores puede decidir su éxito o su fracaso. La rueda de colores es una herramienta muy útil para probar diferentes combinaciones de colores. A menudo el tema de una fiesta dictará los colores que deben emplearse. Encontrar el color y el tono adecuados es lo más difícil. La mayoría de frascos de colorante muestran el color en el frasco, pero hay muchos factores que pueden hacer variar el color. Los ingredientes del glaseado pueden afectar al color, y este también puede cambiar con el tiempo. Mezcla una pequeña cantidad de color y de glaseado como prueba antes de añadir el color a todo el glaseado. Compra frascos de los colores primarios: rojo, amarillo y azul, para ajustar los colores cuando intentes obtener una combinación exacta. El tono de cada color puede variar desde pálido hasta fuerte en función de la cantidad de colorante añadida al glaseado. Añade un poco de colorante cada vez hasta alcanzar la tonalidad correcta. La mayoría de colorantes alimentarios no tienen fecha de caducidad, pero el color puede separarse, endurecerse o cambiar con el tiempo. Para obtener los mejores resultados, no guardes el colorante alimentario por más de un año.

El colorante alimentario tiñe las superficies porosas, incluidas encimeras, manos y ropa. Las manchas de las manos se van con agua. Utiliza lejía o un limpiador en polvo para eliminar las manchas de las encimeras. Haz una prueba antes en una zona poco visible de la encimera. Para quitar las manchas de la ropa, salpica la mancha con agua tibia, enjuaga cuidadosamente y deja secar la prenda. Si la mancha aún es visible, utiliza un limpiador comercial.

TIPOS DE COLORANTE

Colorante alimentario en polvo

El colorante alimentario en polvo está muy concentrado. Es mejor disolver los gránulos de polvo antes de mezclar el color en el glaseado. Si el color en polvo se mezcla directamente con el glaseado podrían formarse puntitos de color. Para teñir crema de mantequilla y fondant, mezcla una pequeña cantidad de manteca vegetal con el colorante alimentario en polvo. Para teñir glasa real, mézclalo con agua. En el caso de la ganache, mézclalo con una pequeña cantidad de aceite vegetal líquido.

Colorante alimentario en gel y en pasta

El colorante en gel tiene base acuosa y está muy concentrado. Muchas marcas ofrecen geles en prácticos tubos dispensadores para añadir el colorante al glaseado sin manchar; otras vienen en pequeños frascos. Para sacar el colorante del frasco puedes usar un palillo limpio, pues los residuos de glaseado contaminarían el frasco de colorante. La mayoría de fabricantes de colorantes alimentarios se han pasado de la pasta al gel, pues posee un tiempo de caducidad más largo que la pasta y su aplicación es similar.

Reactivar la pasta

Si un frasco de colorante alimentario en pasta ha espesado, puedes añadir unas cuantas gotas de glicerina para reactivarla.

Colorante alimentario líquido

Los colorantes alimentarios líquidos suelen encontrarse en tiendas de comestibles. Los colorantes líquidos son más indicados para los tonos pastel, pues es difícil obtener colores fuertes con ellos. No están tan concentrados como el colorante en gel, en pasta y en polvo. Un exceso de colorante líquido podría afectar a la consistencia del glaseado. Los colorantes líquidos de base acuosa no deberían utilizarse con la ganache.

Colorante alimentario para aerógrafo

El colorante para aerógrafo es un colorante líquido que puede emplearse para casi todos los glaseados, pero es difícil obtener tonos oscuros con él. Con el aerógrafo solo deberían emplearse colorantes líquidos, puesto que los colorantes en polvo, gel o pasta podrían atascar el aerógrafo.

Colorante alimentario a base de aceite

Los colorantes alimentarios a base de aceite se usan para teñir glaseados de ganache, coberturas y chocolate. Los colorantes líquidos, en gel y en pasta, tienen base acuosa y pueden hacer que el chocolate o la cobertura se endurezcan o se vuelvan demasiado firmes.

Colorante alimentario natural

Existen colorantes elaborados a partir de ingredientes naturales como remolacha, calabaza roja y otros extractos de plantas. Puede que añadan un ligero sabor al glaseado y la tonalidad será menos vibrante que con los colorantes artificiales. Es posible que estos colorantes no aguanten en las recetas en que se cocinan a altas temperaturas.

Colorante en polvo

El colorante en polvo está disponible en acabado mate, perlado y brillante. Estos polvos no están pensados para mezclarse con glaseados o fondant: se usan para dar unas pinceladas de color a los adornos acabados, como por ejemplo, las flores de pasta de goma.

Rotuladores de tinta comestible

Los rotuladores de colorante alimentario son una forma práctica de aplicar color sobre superficies duras y se usan como un rotulador común, solo que la tinta es apta para uso alimentario.

INFORMACIÓN ÚTIL SOBRE COLORANTES ALIMENTARIOS

Colores oscuros

Los colores oscuros como el rojo, el bermellón, el púrpura oscuro, el azul oscuro y el negro precisan mucho colorante. Un exceso de colorante puede amargar el glaseado y teñir la boca al comer el pastel. Para obtener los mejores resultados, utiliza colorantes en gel o en pasta, pues es difícil obtener colores oscuros con colorante líquido. Si añades colorante a la crema de mantequilla, puede que el color se intensifique con el tiempo. Mezcla los colores oscuros con la crema de mantequilla por lo menos una hora antes para darles tiempo a que se intensifiquen. Añade fondant blanco si el color se ha vuelto demasiado oscuro. Utiliza poco colorante para los tonos claros y mucho colorante para los tonos oscuros.

Glaseado marrón

Para obtener glaseado marrón, mezcla cacao en polvo con manteca vegetal hasta obtener una pasta oscura y mézclala con el fondant o la crema de mantequilla. Si el cacao en polvo espesa la crema de mantequilla puedes añadir un poco de agua para diluirla.

Glaseado negro

El glaseado negro es probablemente el color más difícil de conseguir. Sigue las mismas instrucciones que con el glaseado marrón y luego añade colorante negro.

Glaseado rojo

El glaseado rojo es otro de los colores difíciles de conseguir. Cada marca de colorante varía: algunos rojos son anaranjados, mientras que otros parecen rosa oscuro. El «Super red» (véase Recursos, pág. 324) es un rojo vivo muy concentrado. Si añades colorante rojo al glaseado de crema de mantequilla, el rojo podría intensificarse con el tiempo. Añade glaseado blanco si el rojo es demasiado oscuro. Un exceso de colorante rojo puede amargar el glaseado. Existe un colorante rojo insípido y puede utilizarse solo o con otro colorante rojo.

Color desvaído

El color desvaído puede ser muy frustrante. Transcurridas algunas horas, las flores púrpura de un pastel pueden volverse azules. Los rojos y rosas tienden a desvaírse en el glaseado. Los colores que suelen desvaírse son: rojo, rosa, lavanda, púrpura, melocotón, negro y gris. La luz del sol natural y la luz fluorescente son las luces más duras para los pasteles, pero la iluminación doméstica normal también puede hacer que los colores se apaguen. Existen colorantes alimentarios que no pierden viveza, pero puede que no sean los colores que necesitas para tu proyecto. Conserva el pastel en un lugar fresco y oscuro para evitar que los colores pierdan viveza. Guardar los pasteles en una caja cerrada también evita que se descoloren.

Oscurecimiento del color

La crema de mantequilla a menudo se oscurece e intensifica su color transcurridas 1 o 2 horas. Mézclala con el colorante unas horas antes de decorar el pastel para ver cómo se intensifican los colores. Los colores suelen desvaírse con el resto de glaseados, como el fondant o la glasa real.

El color se corre

Los colores pueden correrse si la humedad afecta al glaseado, por ejemplo, si pones crema de mantequilla roja sobre un pastel de crema de mantequilla blanco en el que no se ha formado corteza, el rojo podría mezclarse con el blanco. Para obtener los mejores resultados, deja que la crema de mantequilla cuaje bien hasta formar la corteza antes de añadir un color de contraste. Si añades adornos a un pastel glaseado congelado puede que los colores se corran. Espera a que el pastel esté a temperatura ambiente antes de añadir adornos. A los pasteles servidos en el exterior y en un clima caluroso también se les puede correr el glaseado. Para evitarlo es importante guardar correctamente el pastel. Guardar un pastel glaseado y decorado de crema de mantequilla en el refrigerador añadirá humedad al glaseado y los colores podrían correrse. Para reducir el peligro al mínimo, guarda los pasteles en una caja para pasteles cubierta holgadamente para dejar que el pastel respire. A pesar de seguir todos estos consejos, puede que los colores más intensos se corran. Si eso es un problema, espera a última hora para añadir adornos de colores contrastados.

Ingredientes ácidos en el glaseado

Los ingredientes ácidos, como el zumo de limón, pueden afectar al color. Si la receta contiene zumo de naranja u otros ingredientes con ácido, el color real puede variar.

La controversia del colorante alimentario

Los colorantes alimentarios son rigurosamente estudiados, regulados y controlados por la FDA (Organismo para el Control de Alimentos y Medicamentos) de Estados Unidos. Una teoría muy extendida que surgió en los años 70 sostenía que algunos colorantes alimentarios producen hiperactividad. La FDA y la EFSA (Autoridad Europea de Seguridad Alimentaria) analizaron los datos de forma independiente y ambas entidades concluyeron que el estudio no confirmaba una relación entre los colorantes y los efectos en el comportamiento. Todos los colorantes alimentarios están sometidos regularmente a análisis de seguridad por parte de la FDA y los conocimientos científicos y los métodos de prueba siguen mejorando.

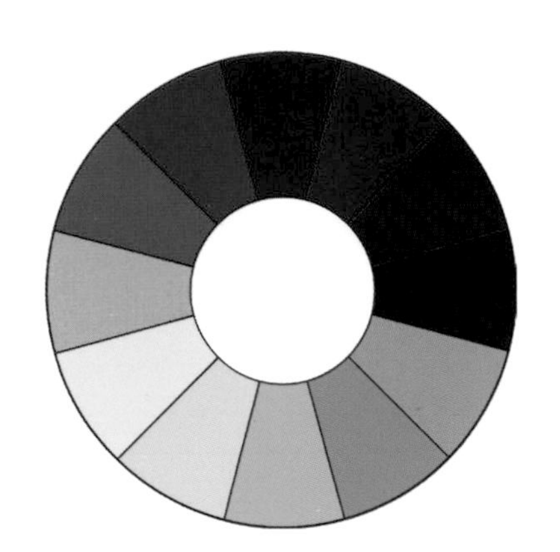

La rueda de colores

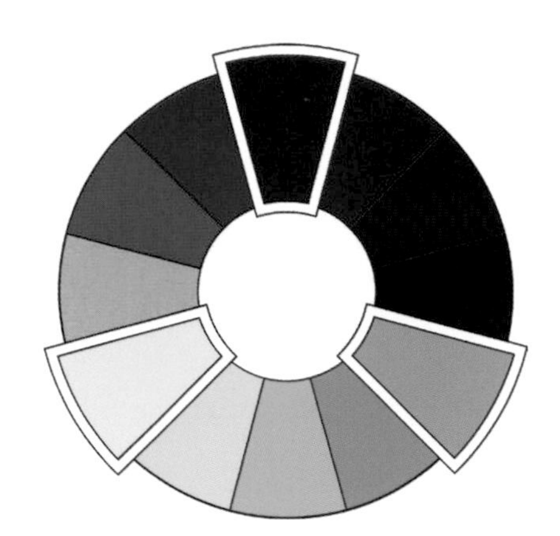

Colores primarios

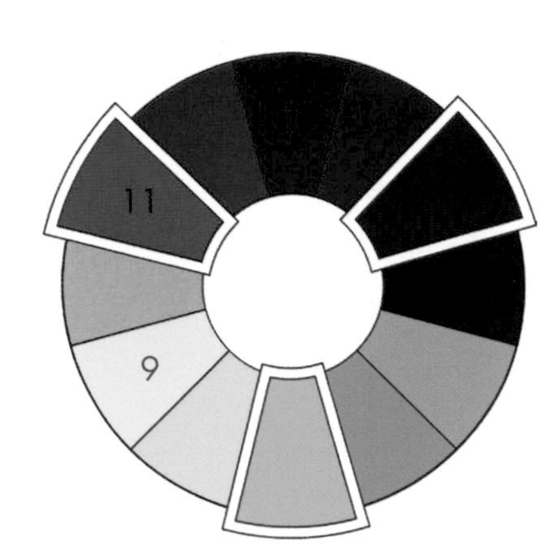

Colores secundarios

LA RUEDA DE COLORES

La rueda de colores es muy útil para teñir glaseados. También puede usarse para crear colores personalizados. Si un tono no es exactamente el deseado, la rueda te ayudará a determinar qué colorante debes añadir. Entender la rueda de colores también le ayudará a decidir qué colores se complementan a la hora de elegir colores para un pastel.

Colores primarios

El rojo, el amarillo y el azul son colores primarios. No pueden crearse: el resto de colores se derivan de estos tres.

Colores secundarios

El naranja, el verde y el púrpura son colores secundarios: se obtienen mezclando dos colores primarios. Por ejemplo, el rojo (1) y el amarillo (9) hacen el naranja (11).

Colores opuestos en la rueda de colores

Los colores opuestos son los que se encuentran en lugares opuestos en la rueda de colores. Crean el máximo contraste y son complementarios entre sí. El color opuesto de cualquier color primario se obtiene mezclando los otros dos colores primarios. El resultado es el color opuesto o complementario del primario. Los opuestos son muy útiles para mezclar tonos exactos. Por ejemplo, si el glaseado marrón se ve «demasiado verde», añade un poco del color opuesto, que sería el rojo.

Colores análogos

Los colores análogos están uno al lado del otro en la rueda de colores y armonizan entre sí.

Colores terciarios

Los colores terciarios son sutiles combinaciones de colores, fruto de mezclar el color primario y el secundario de al lado. Por ejemplo, un verde azulado (6) se obtiene al mezclar azul (5) y verde (7).

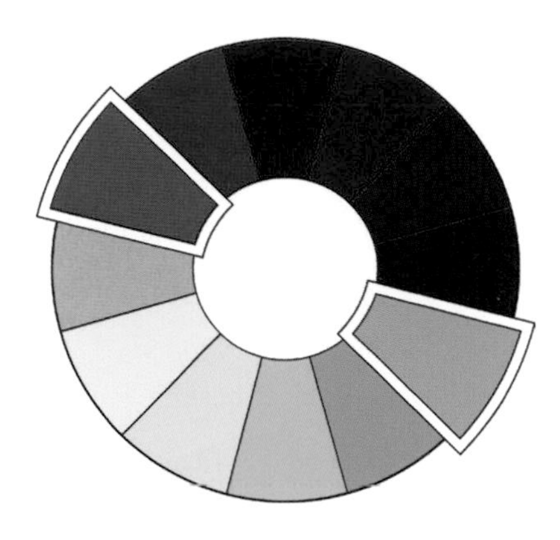

Opuestos en la rueda de colores

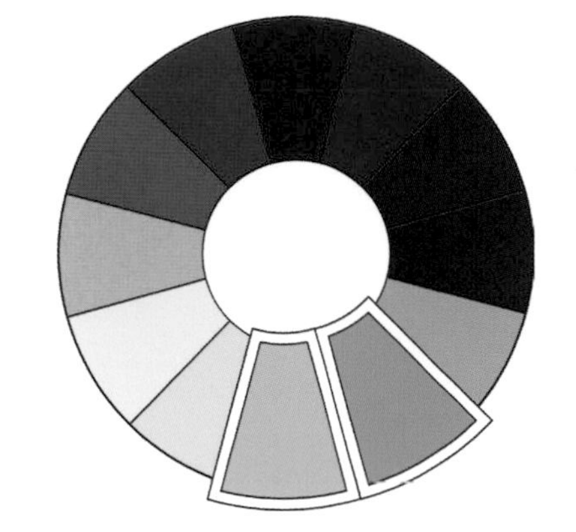

Colores análogos

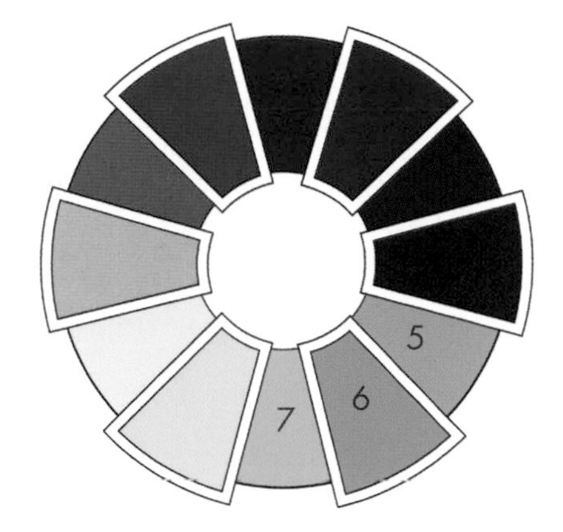

Colores terciarios

No colores

El negro y el blanco no se consideran colores de verdad en la rueda de colores. El negro se puede hacer mezclando rojo, amarillo y azul. Mezclar negro es difícil y requiere gran cantidad de colorante alimentario, así que es mejor comprar colorante alimentario negro.

TEÑIR GLASEADOS

1 Antes de mezclar el colorante, mezcla bien todos los ingredientes del glaseado.

2 Añade un poco de colorante alimentario al glaseado con un palillo de dientes para los colorantes en frasco, o si es colorante en tubo, apriétalo y echa el color sobre el glaseado.

3 Mézclalo hasta incorporar el colorante. No deberían haber vetas de color. Si es demasiado oscuro, añade glaseado blanco, y si es demasiado claro, añade un poco más de colorante.

TEÑIR FONDANT

1 El fondant tiene que estar amasado y suave.

2 Añade el colorante al fondant con un palillo si es colorante en frasco, o si es en tubo, apriétalo y echa el colorante sobre el fondant.

3 Empieza a amasar el color con el fondant y añade más colorante si es preciso para oscurecer el tono.

4 Amasa cuidadosamente hasta que no queden vetas de color.

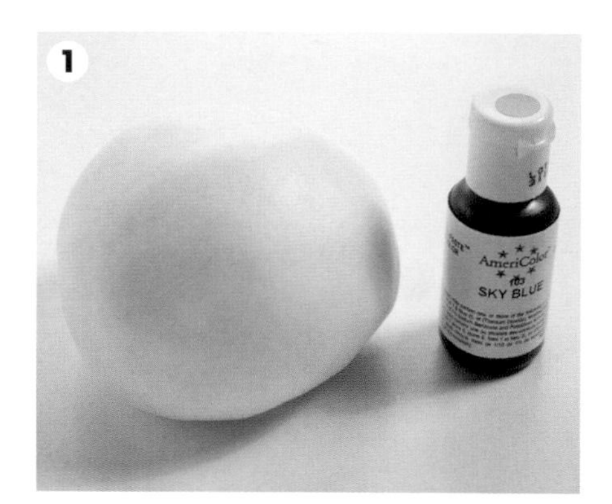

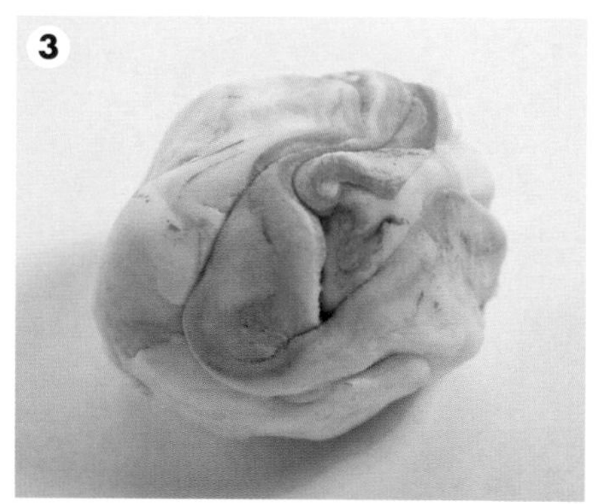

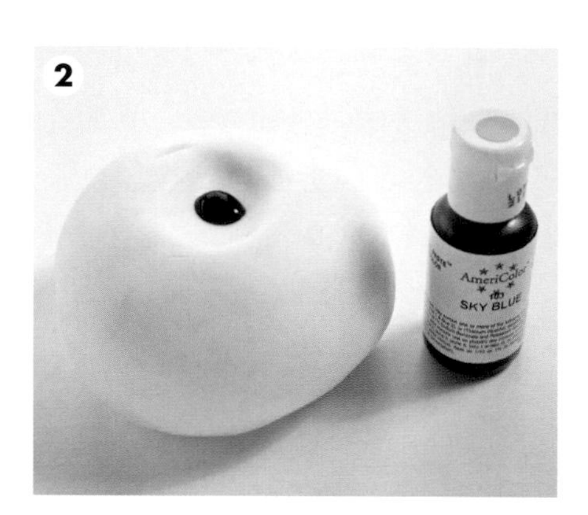

MARMOLADO DE FONDANT, MÉTODO UNO

1 El fondant debe estar blando y flexible. Añade colorante con un palillo para el colorante en frasco, o si es en tubo, apriétalo y echa el colorante sobre el fondant.

2 Amasa poco el fondant para mantener las vetas.

3 Extiende el fondant y cubre el pastel y/o corta figuras.

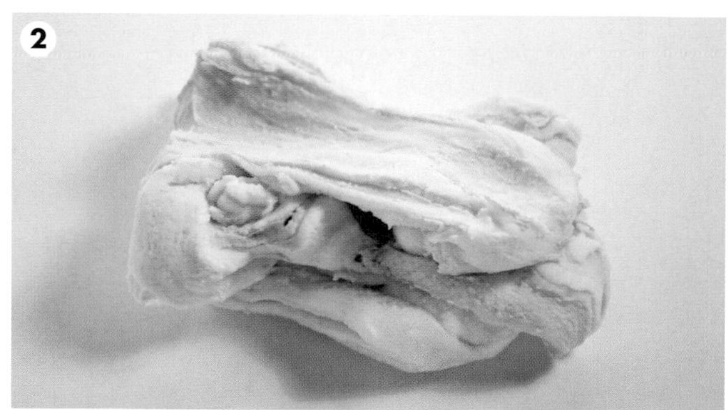

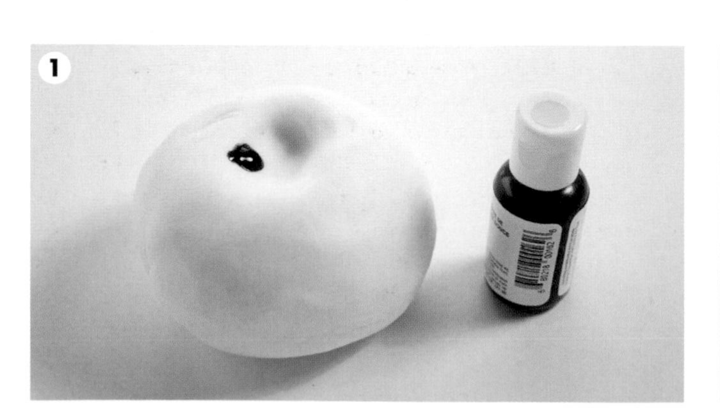

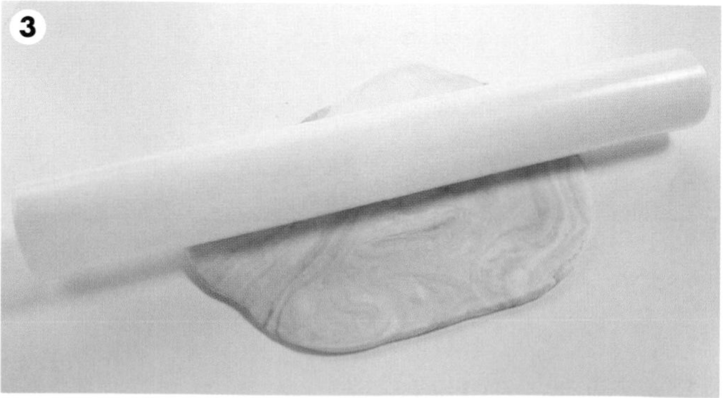

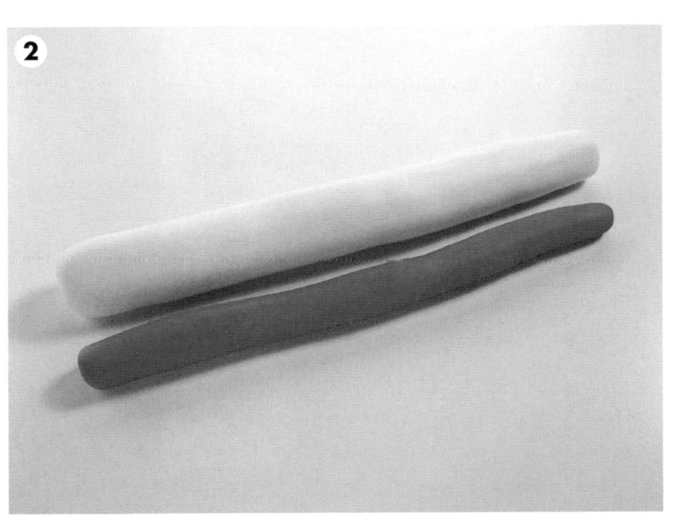

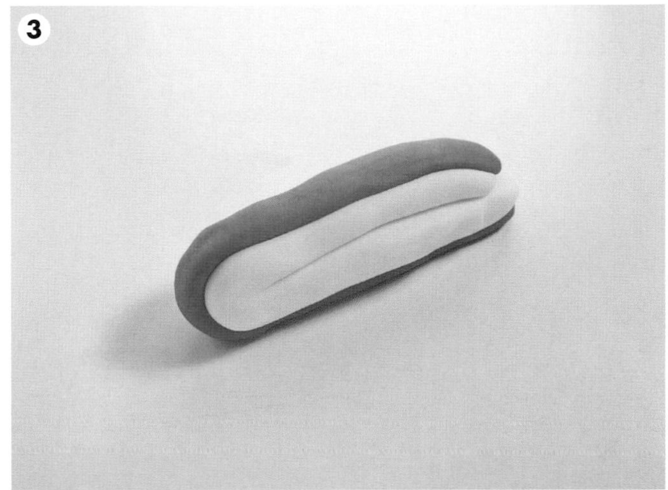

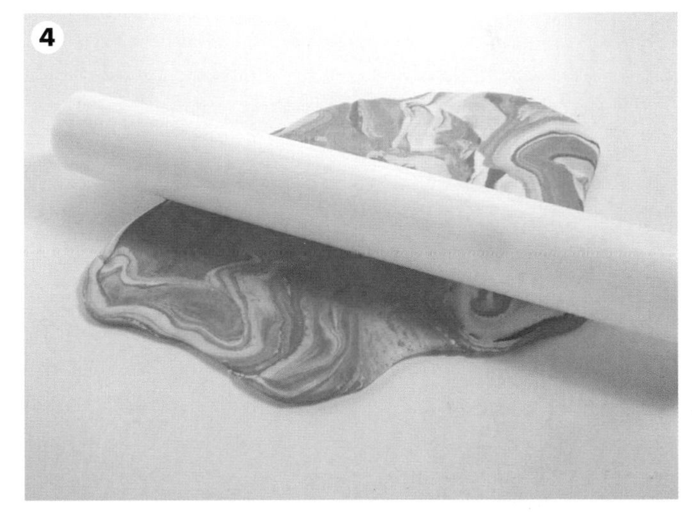

MARMOLADO DEL FONDANT, MÉTODO DOS

1 Amasa y ablanda cada color de fondant. El color más claro debería ser $\frac{2}{3}$ más grande que el color más oscuro.

2 Haz dos cuerdas de fondant de colores y colócalas en paralelo.

3 Dobla el fondant, empieza a amasarlo y doblarlo para crear vetas marmoladas.

4 Extiende el fondant y cubre el pastel y/o corta figuras

Consejos sobre mezclar colores

- Tiñe un poco más de glaseado o fondant del que esperas necesitar, pues es difícil repetir el mismo tono exacto.
- Para que el fondant no se oscurezca demasiado, tiñe una pequeña parte del glaseado y luego añádelo al fondant adicional. Esto también facilitará la mezcla del fondant, dejando pocas vetas.
- Si intentas hacer un color personalizado o un color nuevo, haz pruebas con una pequeña cantidad de fondant y colorante alimentario para no desperdiciar grandes cantidades en un color que no te guste.
- Frota tus manos con un poco de manteca antes de incorporar el color en el fondant para evitar que se te manchen. Puedes usar guantes de plástico para no mancharte las manos.

Glasear un pastel con crema de mantequilla

Glasear un pastel y conseguir un acabado liso e impecable requiere práctica. Si colocas el pastel sobre un plato giratorio podrás presionar el pastel de forma constante al glasear los lados. Es difícil extender el glaseado sobre un pastel sin que las migas se mezclen. Hay dos métodos para evitar al máximo las migas al aplicar el glaseado. El método de glaseado rápido presiona bandas de glaseado contra el pastel. El método del sellado de migas le da al pastel una capa de glaseado y las migas se «pegan» entre sí y forman una corteza para evitar que se mezclen con el glaseado.

MÉTODO DE GLASEADO RÁPIDO

1 Coloca el pastel sobre una base de cartón del mismo tamaño que el pastel para mantener la superficie de trabajo limpia y libre de migas mientras decoras. Glasea también la base como si formara parte del pastel. Utiliza un pincel de repostería para retirar el exceso de migas antes de glasearlo.

2 Coloca la boquilla de glaseado rápido 789 en una bolsa de manga pastelera grande. Puede que sea necesario recortar la bolsa para que se vea un cuarto de la boquilla. Llena dos tercios de la bolsa con glaseado. Sujeta la bolsa en un ángulo de 45° y toca la superficie del pastel.

3 Dispensa con la boquilla una banda de glaseado alrededor de la base del pastel presionándolo suavemente.

4 Haz otra fila de glaseado en el lateral del pastel superpuesta a la banda inferior y presiona ligeramente contra la superficie del pastel para evitar que el glaseado caiga. Si es necesario, añade más filas de glaseado hasta la parte superior del pastel.

5 Extiende bandas de glaseado sobre la parte superior del pastel, superponiendo cada banda, hasta cubrir todo el pastel.

6 Utiliza una espátula larga para extender el glaseado. Alisa la parte superior del pastel con pasadas largas.

7 Suaviza los lados del pastel. Coloca la espátula perpendicular al plato giratorio cuando glasees los lados. Utiliza una de las técnicas de alisado de este capítulo para alisar la crema de mantequilla.

Para que el glaseado no rebose

Las bolsas de manga pastelera grandes pueden ser más difíciles de manejar. Fija el extremo de la bolsa con un lazo o una cinta de goma para que el glaseado no rebose por el extremo.

MÉTODO DE SELLADO DE MIGAS

1 Coloca el pastel sobre una base de cartón del mismo tamaño que el pastel para mantener la superficie de trabajo limpia y libre de migas mientras decoras. Glasea también la base como si formara parte del pastel. Mezcla un poco de glaseado con agua para diluir la crema de mantequilla. La cantidad de agua necesaria variará según la consistencia del glaseado. En general, para un pastel de 20 cm, mezcla aproximadamente 1 taza de glaseado con 1 cucharadita de agua. Extiende el glaseado diluido sobre el pastel para sellar las migas. Deja que el sellado de migas forme una corteza (normalmente entre 20 y 45 minutos).

2 Una vez el sellado de migas se haya asentado, coloca una gran cantidad de glaseado sobre la parte superior del pastel.

3 Con una espátula larga, extiende el fondant sobre la parte superior con movimientos largos y deslizándola hacia el borde.

4 Extiende el glaseado en el lateral del pastel. Coloca la espátula perpendicular al plato giratorio al extender el glaseado por los lados. Une el glaseado superior con el lateral.

5 Desliza la espátula por la parte superior y los lados del pastel para alisarlo. Utiliza una de las técnicas de alisado (página opuesta) para alisar la crema de mantequilla.

Control de las migas

Cuando realices el sellado de las migas, reserva dos recipientes hondos para el glaseado: uno deberá llenarse de glaseado sin migas. Utiliza el otro recipiente para raspar la espátula y retirar el exceso de glaseado con migas después de glasear.

ALISAR EL GLASEADO

Utiliza cualquiera de las siguientes técnicas o una combinación de ellas para convertir la crema de mantequilla en una cobertura lisa y satinada. El método de la espátula caliente se utiliza durante el proceso de glaseado. El método del rodillo de repostería y el del papel de cocina se utilizan una vez el glaseado ya ha formado una corteza.

1 El glaseado puede alisarse sumergiendo una espátula en agua caliente y secando completamente la hoja. La hoja de metal caliente derretirá ligeramente el glaseado para darle un acabado suave.

2 También puede emplearse un rodillo de repostería para alisar el glaseado. Una vez el glaseado ya ha formado una corteza (45 minutos aproximadamente), aplana suavemente las áreas que no estén lisas con un rodillo de repostería.

3 El papel de cocina también sirve para alisar. Elige papel de cocina sin textura. Deja que el glaseado de crema de mantequilla forme una corteza y presiona suavemente el papel de cocina sobre el glaseado.

Pasteles glaseados con crema de mantequilla con textura

Un pastel puede decorarse de forma muy sencilla aplicando textura al glaseado. El tiempo es muy importante para aplicar bien la textura a los pasteles glaseados con crema de mantequilla.

PEINES DE REPOSTERÍA

Los peines de repostería se encuentran en las tiendas de decoración de pasteles: los hay muy variados y aportan rugosidades decorativas a los pasteles. Deben usarse después de alisar el glaseado de crema de mantequilla, antes de que forme una corteza.

1 Coloca el peine de repostería perpendicular al plato giratorio y presiona suavemente después de haber alisado el glaseado. Haz girar el plato con una mano mientras deslizas el peine por el lateral con la otra mano. Mueve la mano arriba y abajo para dibujar una ola como muestra la foto.

HOJAS CON TEXTURA

Existen hojas con textura de multitud de diseños y materiales. Las hojas con textura de plástico ligero son ideales, ya que se curvan bien sobre los lados de un pastel. El tiempo es crucial al añadir textura con este método, pues si no se ha dejado que se forme una corteza, se pegará a la estera, pero si ha transcurrido demasiado tiempo, se romperá.

1 Glasea el pastel con crema de mantequilla siguiendo uno de los métodos de las páginas 44-47. Deja que el glaseado forme una corteza (normalmente unos 45 minutos). Coloca la hoja con textura encima del pastel y presionando con firmeza, pasa el rodillo de repostería sobre la hoja. Pasa el rodillo una vez sobre cada área, sin repetir el movimiento, o se formarán líneas dobles. Retira la hoja.

2 Para dar textura a los lados, coloca la hoja con textura contra el pastel y presiónala firmemente para que se marque la textura. Retira la hoja.

Recubrir un pastel con ganache

La ganache es un glaseado muy rico y sabroso que complementa pasteles de muchos sabores. Trabaja con rapidez al verter y extender la ganache, pues se asienta muy rápidamente.

1 Hornea y enfría el pastel. Prepara el glaseado de ganache. Añade un poco de ganache en el centro de una base de cartón del mismo tamaño del pastel para que no se mueva de su sitio y coloca el pastel encima. Coloca una rejilla de enfriamiento encima de una hoja de papel de hornear y coloca el pastel con la base de cartón encima de la rejilla.

2 Si el pastel tiene capas y hay mucho espacio entre ellas, rellena el hueco con glaseado de crema de mantequilla o de chocolate como muestra la foto.

3 Extiende el glaseado con una espátula recta para cerrar el hueco y alisa el lateral.

4 Vierte la ganache aún caliente sobre el centro del pastel y deja que resbale por los lados. Vierte más ganache por el borde si aún no ha goteado por los lados.

5 Alisa la ganache con la espátula.

6 Levanta la rejilla y golpea suavemente la superficie de trabajo para alisar aún más la ganache. Deja que el pastel se asiente completamente antes de decorarlo a tu gusto.

Ganache blanca

Si cubres el pastel con ganache de chocolate blanco puede que necesites dos capas para que no se vea el pastel. Deja asentar la primera capa una o dos horas y luego recubre el pastel con la segunda capa de ganache.

Recubrir un pastel con fondant

El fondant proporciona un acabado liso e impecable que es incomparable al resto de glaseados. El pastel debería cubrirse con otro glaseado antes de recubrirlo de fondant. El glaseado interno proporciona al fondant una base lisa y pulcra y añade dulzor al pastel, que deberá colocarse sobre una base de cartón de su mismo tamaño (no más grande) para facilitar el manejo del pastel y mantener la superficie de trabajo limpia y sin migas. Las instrucciones son para un pastel con un glaseado de crema de mantequilla debajo, pero pueden usarse otros glaseados. Una vez el glaseado interno haya formado una corteza, se pincela gel para decorar sobre la superficie para que el fondant se adhiera al pastel.

INSTRUCCIONES GENERALES PARA RECUBRIR PASTELES

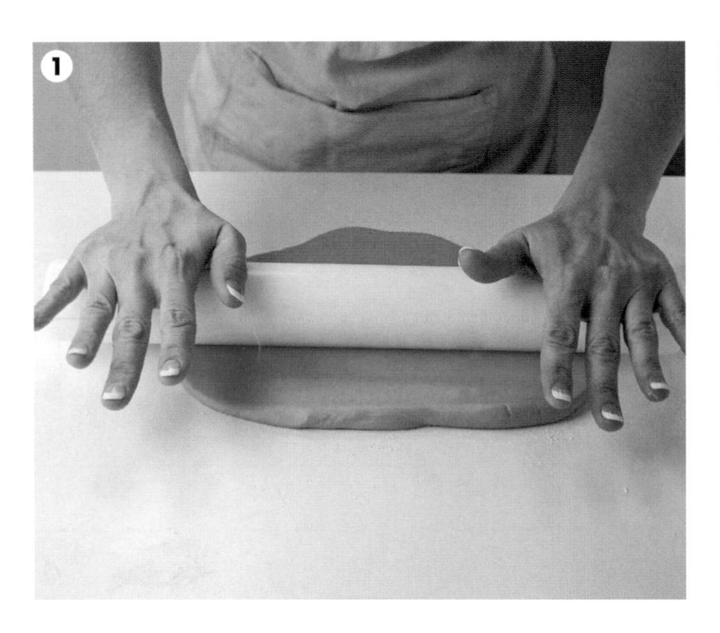

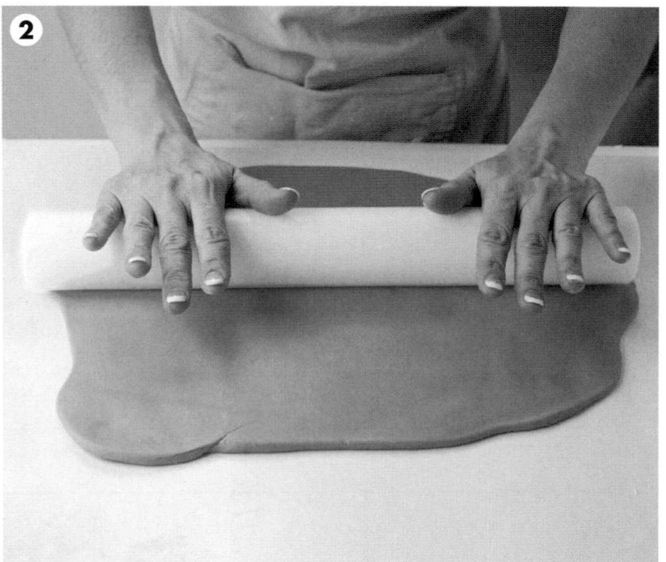

1 Calcula la cantidad de fondant necesaria. Un círculo de fondant debería tener el diámetro más la altura del pastel multiplicada por dos, y unos 2,5 cm más para la colocación si el fondant no está perfectamente centrado. Por ejemplo, un pastel de 20 cm y 7,5 cm de altura necesitará un círculo o un cuadrado de 38 cm (20 + 7,5 + 7,5 + 3 = 38). Deja enfriar el pastel y colócalo sobre una base de cartón de su tamaño. Glaséalo con crema de mantequilla y deja que forme una corteza homogénea. Pinta la corteza con gel para decorar. Amasa y ablanda el fondant. Espolvorea la superficie de trabajo con maicena, pero con moderación: un exceso de maicena secaría el fondant. Aplana el fondant hasta unos 5 cm de grosor: extender el fondant será más fácil que partiendo de una gran bola de fondant. Extiende el fondant aplanado.

2 Extiende el fondant 2 veces presionando fuerte y luego levántalo y gíralo un cuarto de vuelta, procurando que no se pegue a la superficie. Si se pega, espolvorea más maicena. No des la vuelta al fondant.

3 Sigue extendiendo y dando cuartos de vuelta al fondant para mantener una forma regular, hasta alcanzar unos 3 mm de grosor. Comprueba si es suficiente para cubrir el pastel. Este pastel de 20 x 7,5 cm requiere un fondant de 38 cm de diámetro. Levanta el fondant enrollándolo en un rodillo de amasar largo.

4 Empieza a desenrollar el fondant sobre el pastel empezando desde la base.

5 Levanta y mueve los lados para eliminar los pliegues. Procura no estirar el fondant.

6 Afianza los bordes presionando las palmas contra los lados del pastel.

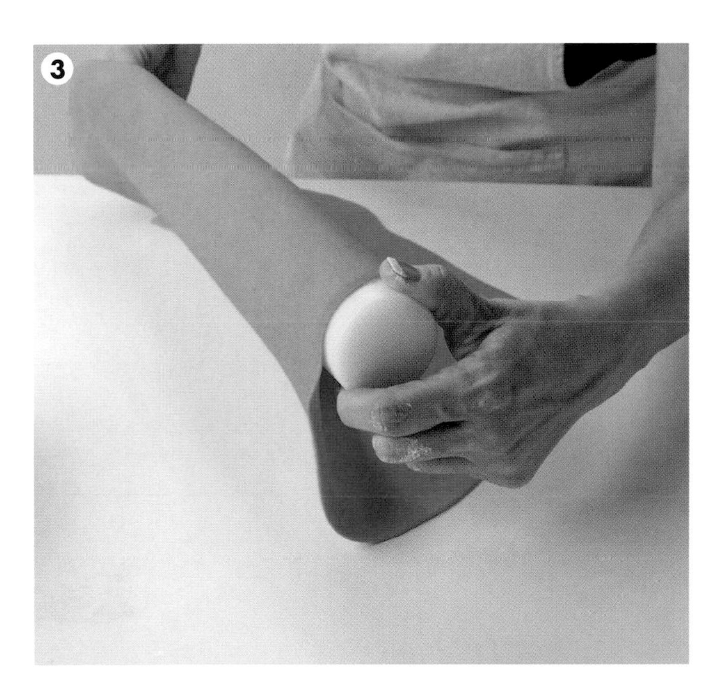

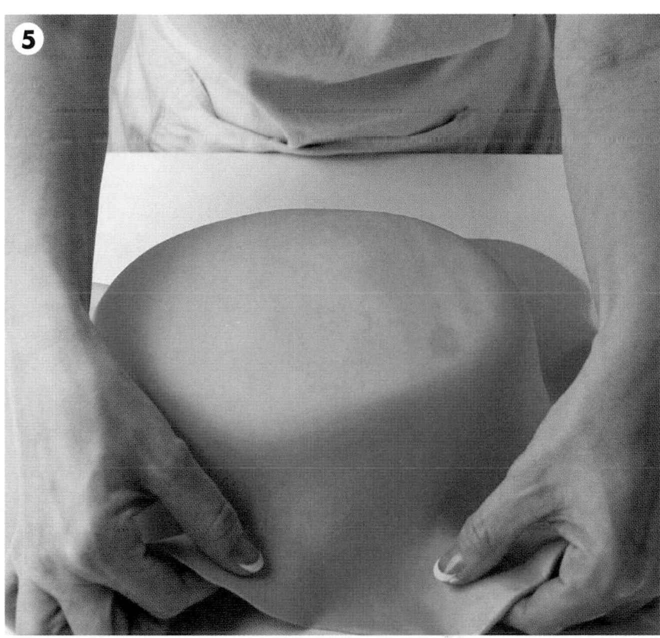

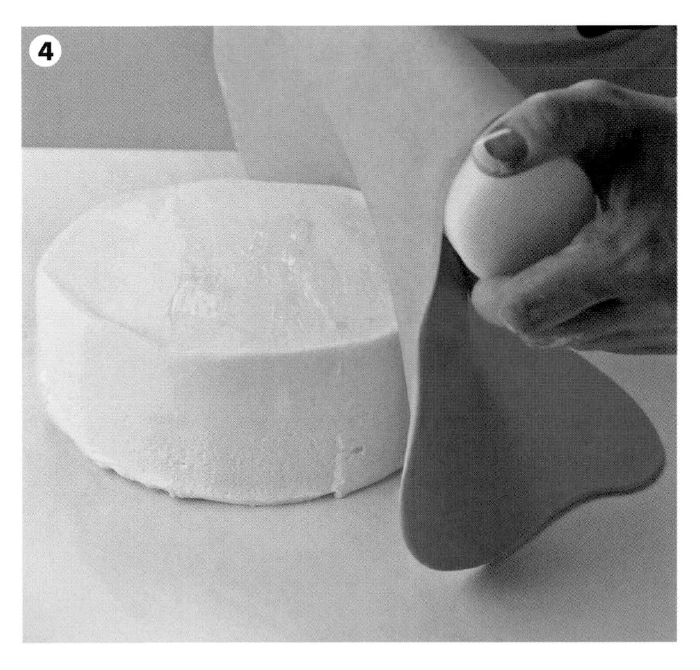

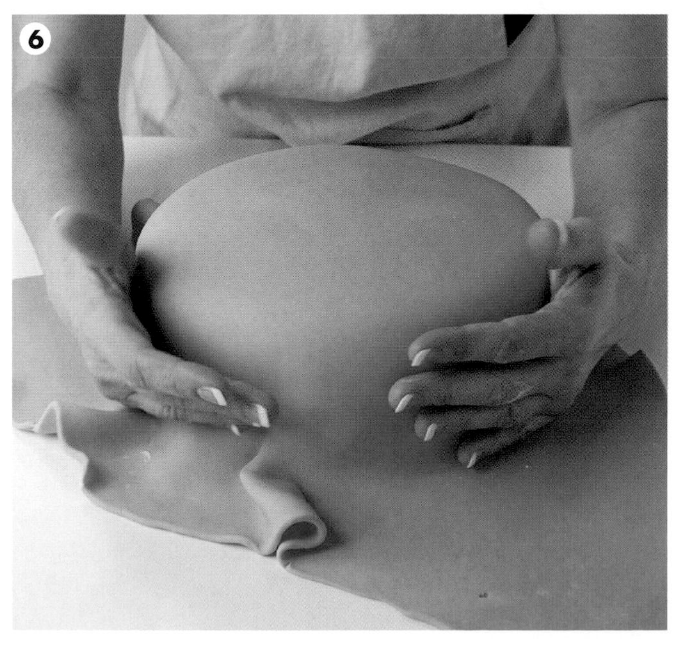

(sigue)

7 Corta el fondant sobrante de la base con un cortador de pizza pequeño y deja unos 2,5 cm.

8 Coloca el pastel sobre un cubo o un bol de diámetro algo inferior al del pastel. Con tu mano no dominante coloca un alisador de fondant sobre el pastel para sujetarlo. No presiones la parte superior del pastel o el alisador dejará marcas. Si se han formado marcas, utiliza los alisadores para eliminarlas. Alisa los lados con otro alisador de fondant.

9 Con el alisador de fondant aún sobre el pastel, sujeta con la otra mano un cuchillo de mondar perpendicular al pastel y recorta el fondant sobrante.

10 Extiende crema de mantequilla u otro glaseado sobre una base para pastel (pág. 69).

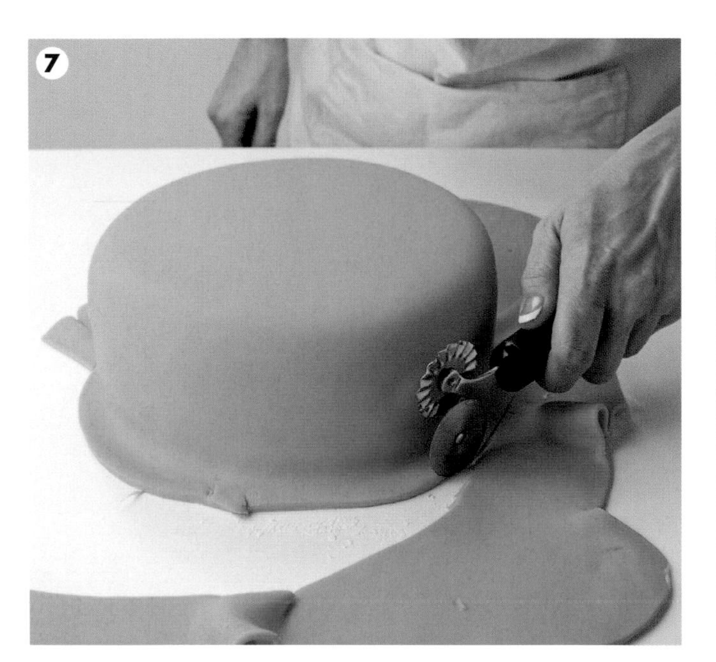

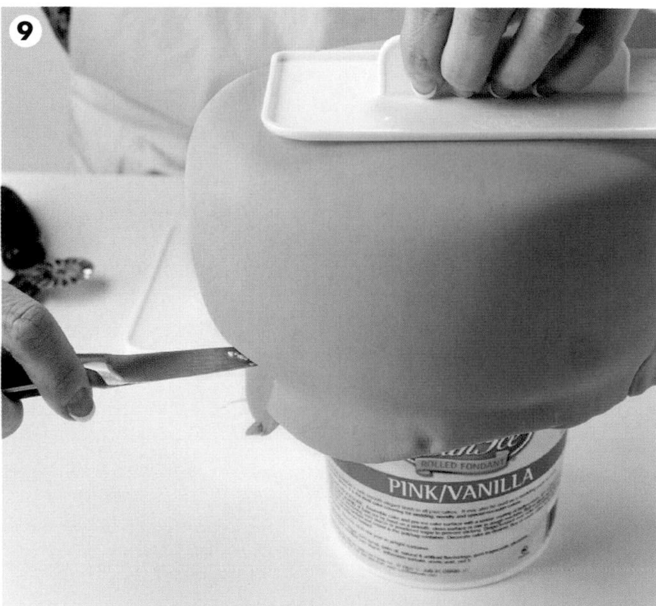

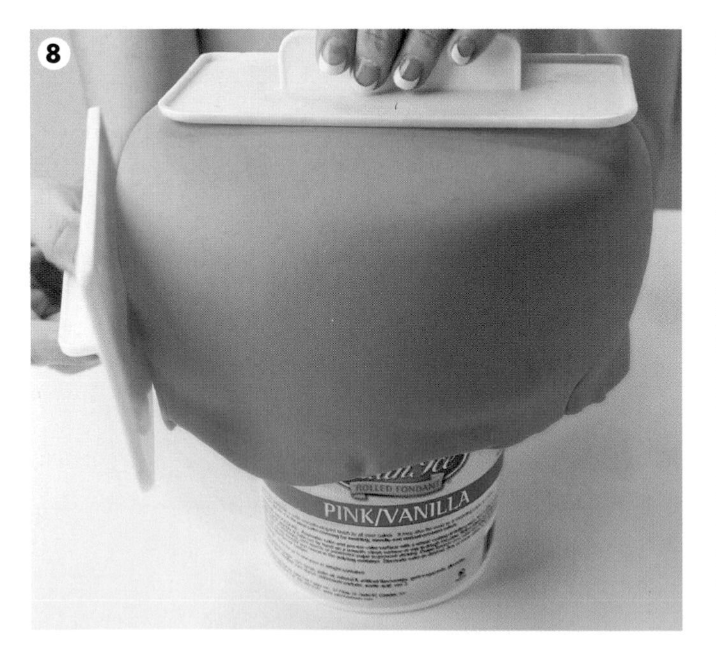

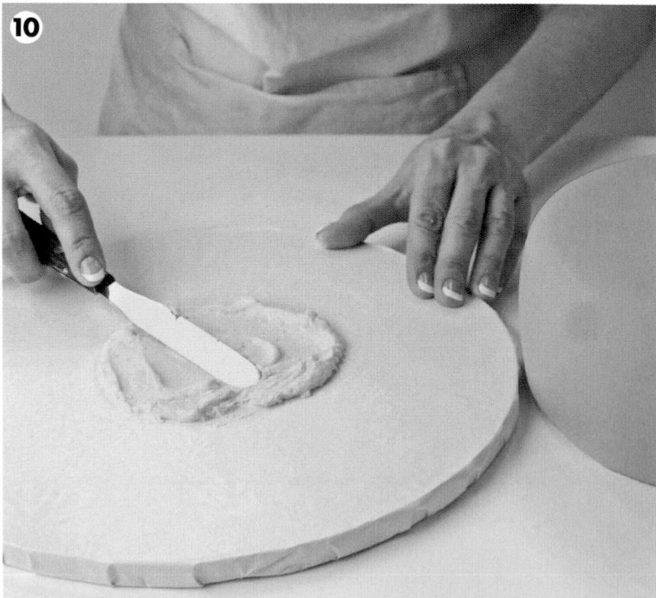

11 Con una paleta levanta pasteles o una espátula para galletas grande, traslada el pastel a la base.

12 Alisa la superficie y los lados del pastel con los alisadores. También puedes usar las manos, pero podrían quedar marcas de dedos y palmas.

Fondant perfeccionado

- La superficie de trabajo debe estar limpia y libre de restos o migas. No lleves suéteres ni prendas con pelusas, ni tampoco joyas.
- La maicena sirve para espolvorear la encimera. También puedes usar azúcar glas o una combinación de ambas. El azúcar glas suele disolverse con el fondant y volverlo más pegajoso que la maicena.
- Las manos húmedas, el exceso de colorante alimentario y la humedad pueden afectar a la consistencia del fondant. Si está pegajoso, puedes amasarlo con azúcar glas, y si está seco, puedes añadir un poco de manteca vegetal sólida.
- Si hay burbujas de aire, pínchalas con un alfiler y presiona suavemente con un dedo limpio y seco para que salga el aire. Elimina el agujero con el alisador.
- Trabaja con rapidez durante todo el proceso: si pasa mucho tiempo pueden formarse pequeñas grietas o «piel de elefante» en el fondant. Intenta realizar todos los pasos en unos 5-7 minutos.
- El fondant debe estar bien envuelto en film transparente mientras no se usa, o formará una corteza que lo volverá inutilizable. Si se ha formado corteza en alguna parte del fondant, córtala y deséchala antes de amasarlo.
- Si compras fondant preparado, asegúrate de que sea fondant para decoración de pasteles. Existen diferentes tipos de fondant: por ejemplo, el fondant seco y el fondant de caramelo se utilizan para hacer golosinas.

RECUBRIR UN PASTEL CON FONDANT CON TEXTURA

Un pastel recubierto con fondant con textura no precisa mucha más decoración. Requiere un poco de práctica recubrir perfectamente un pastel con textura, pero el resultado es realmente espectacular, y la variedad de diseños y materiales es enorme. Las hojas de plástico ligero y transparente son baratas y de doble cara: una marca el dibujo en relieve y la otra en relieve hundido. Con el dibujo en relieve, parece que los detalles se han aplicado con manga pastelera. Puedes usar hojas con textura de silicona, pero lávalas bien antes, ya que la silicona atrae las pelusas y el polvo. El fondant debería extenderse a un grosor algo mayor que el especificado en las instrucciones generales: extiéndelo a un grosor de 6 mm antes de texturizarlo.

Método 1

Con este método puedes texturizar todo el pastel, pero el dibujo se estirará un poco. Los dibujos con estampados geométricos, como círculos o cuadrados, se deformarán. Utiliza el método 2 si crees que el estampado no quedará bonito ligeramente estirado. En los dibujos con motivos florales o adoquines no se nota demasiado si la textura del fondant se ha estirado un poco.

1 Sigue los pasos 1-3 de las instrucciones generales para recubrir pasteles (pág. 50). Voltea el lado limpio y extendido del fondant sobre la hoja con textura. Como el fondant es más ancho que el rodillo, deberás texturizar el fondant por partes. Empieza por un lado del fondant. Extiende el fondant hacia una dirección presionando fuerte. No repitas el movimiento o se formarán líneas dobles.

2 Levanta el rodillo y extiende el fondant en la dirección opuesta. Repite el proceso hasta texturizar todo el fondant.

3 Levanta la hoja con textura y ponla sobre el pastel.

4 Retira la hoja y deja que el fondant cuelgue por los lados. Levanta y mueve los lados para eliminar los pliegues. Procura no estirar el fondant.

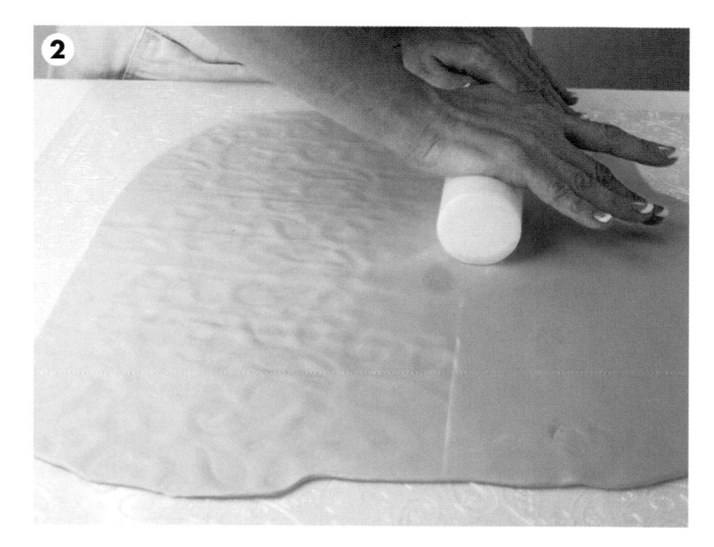

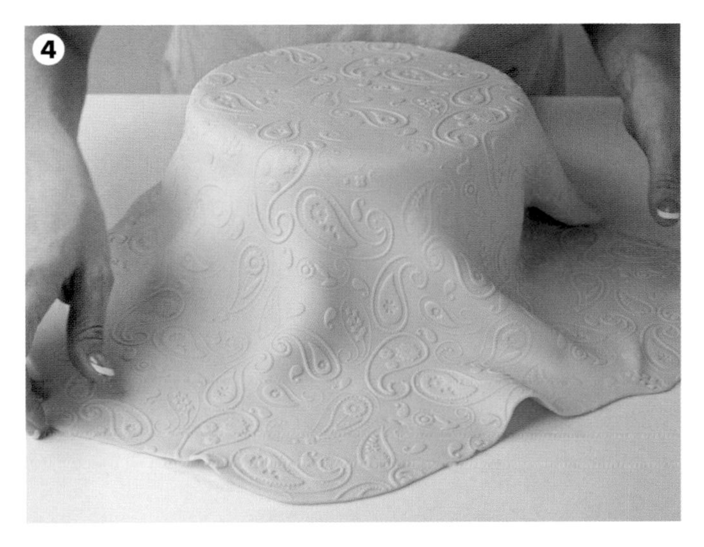

5 Afianza los bordes presionando las palmas contra los lados del pastel.

6 Corta el fondant sobrante de la base con un cortador de pizza pequeño, dejando unos 2,5 cm.

7 Coloca el pastel sobre un cubo o un bol con un diámetro algo inferior al del pastel. Sujeta un cuchillo de mondar perpendicular al pastel y recorta el fondant sobrante. Extiende crema de mantequilla u otro glaseado sobre una base para pastel. Traslada el pastel recubierto de fondant a la base.

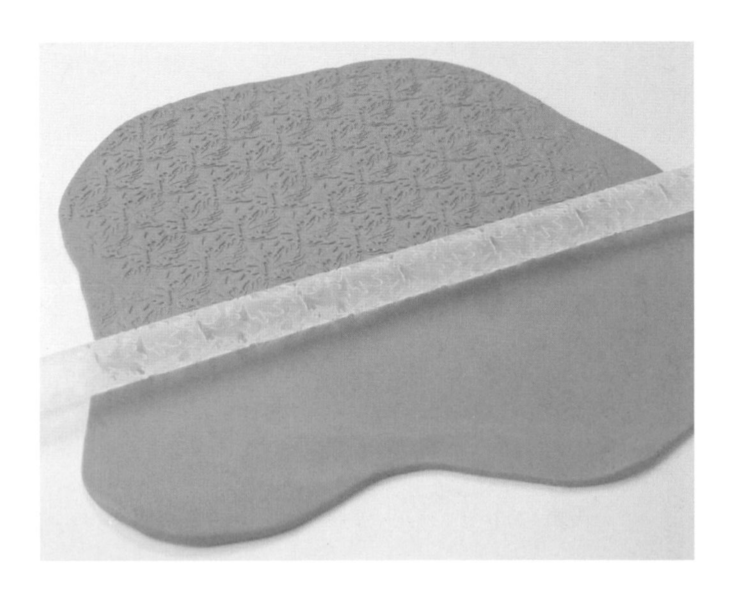

También puede usarse un rodillo de amasar para texturizar el fondant. Las instrucciones son las mismas que con la hoja con textura, salvo que el fondant se deja sobre la encimera con un rodillo de amasar con dibujos grabados.

Método 2

Este método para texturizar el fondant proporciona una textura más precisa y el dibujo no se estira tanto como en el método 1, pero hay que hacer un borde entre la parte superior y el lateral del pastel para darle un acabado perfecto.

1. Deja enfriar el pastel. Coloca el pastel sobre una base de cartón de su mismo tamaño. Glasea el pastel con crema de mantequilla y deja que forme una corteza homogénea. Pinta la corteza con gel para decorar y mide la altura del pastel.

2. Amasa y ablanda el fondant. Espolvorea la superficie de trabajo con maicena, pero con moderación: un exceso de maicena secaría el fondant. Extiende el fondant presionando fuerte y forma una tira larga, con la longitud de la circunferencia del pastel y la altura del lateral. Para este pastel de 20 x 10 cm se necesita una tira de fondant de unos 66 x 10 cm. Asegúrate de que el fondant no se pega a la superficie. Si el fondant se pega, espolvorea más maicena. No des la vuelta al fondant. Sigue extendiéndolo hasta unos 6 mm de grosor.

3. Coloca la tira extendida sobre la estera con textura. Empieza por un extremo y pasa el rodillo sobre la tira presionando fuerte. No repitas el movimiento o se formarán líneas dobles. Deja de presionar justo antes de alcanzar el otro extremo de la estera. No pases el rodillo hasta el final de la estera o se marcará una línea.

4. La tira debe ser de 66 cm. Como esta estera es solo de 58,5 cm, la tira necesita 7,5 cm más de textura. Da la vuelta a la estera y la tira juntas con cuidado y retira la estera.

1

2

3

4

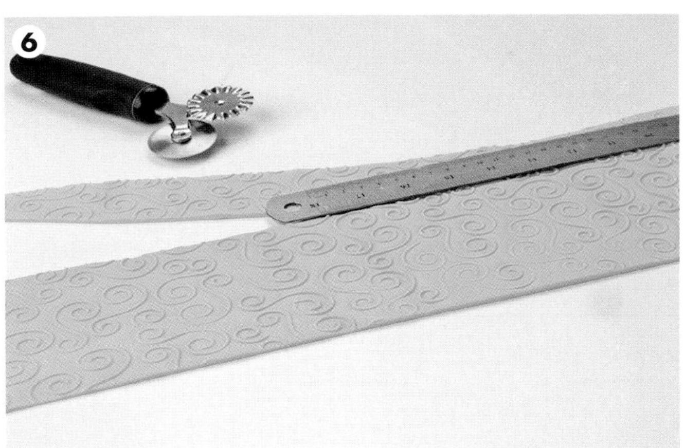

5 Coloca la estera unos 5 cm por encima del diseño grabado anteriormente y empieza a pasar el rodillo unos 5 cm desde el final. Sigue hasta texturizar toda la tira. Puede que el estampado se haya superpuesto un poco. En algunos estampados no se nota mucho la superposición; en otros es más perceptible. El estampado superpuesto puede colocarse en la parte trasera del pastel.

6 Corta la tira a la medida exacta de altura y circunferencia del pastel.

7 Rodea el pastel con la tira de fondant procurando no estirarla.

8 Extiende otro trozo de fondant hasta 6 cm de grosor para cubrir la parte superior del pastel. Para este pastel de 20 x 10 cm necesitas un círculo de 20 cm. Levanta el fondant para comprobar que no se pegue, y de no ser así, espolvorea la superficie de trabajo con maicena. Coloca el lado liso y extendido del fondant sobre la estera con textura. Pasa el rodillo sobre el fondant extendido para texturizarlo.

9 Voltea la estera con el fondant y retira la estera. Con un cortador de pizza y una base de cartón del tamaño del pastel, recorta el círculo siguiendo la silueta de la base.

(sigue)

10 Coloca el círculo texturizado sobre el pastel.

11 Presiona suavemente las junturas de la pieza lateral y la pieza superior para unirlas y cubrir el glaseado interior.

12 Añade un borde de acabado.

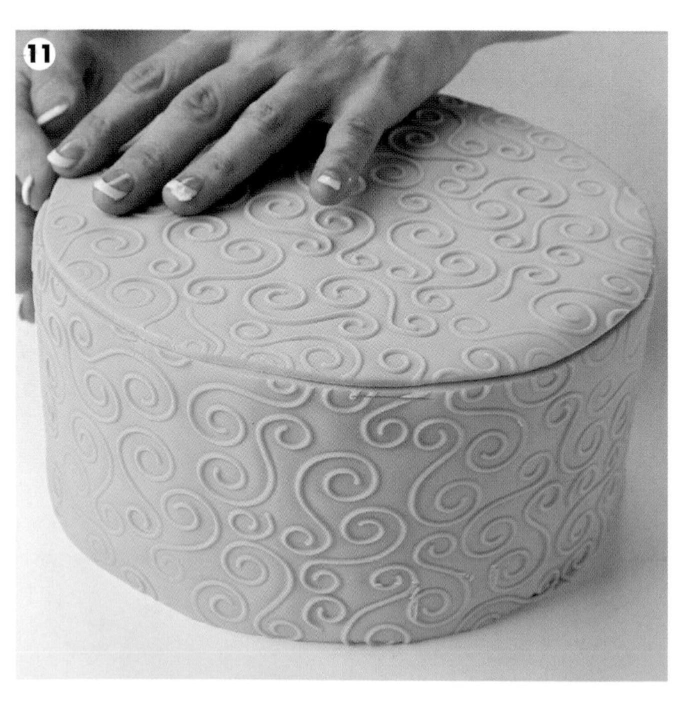

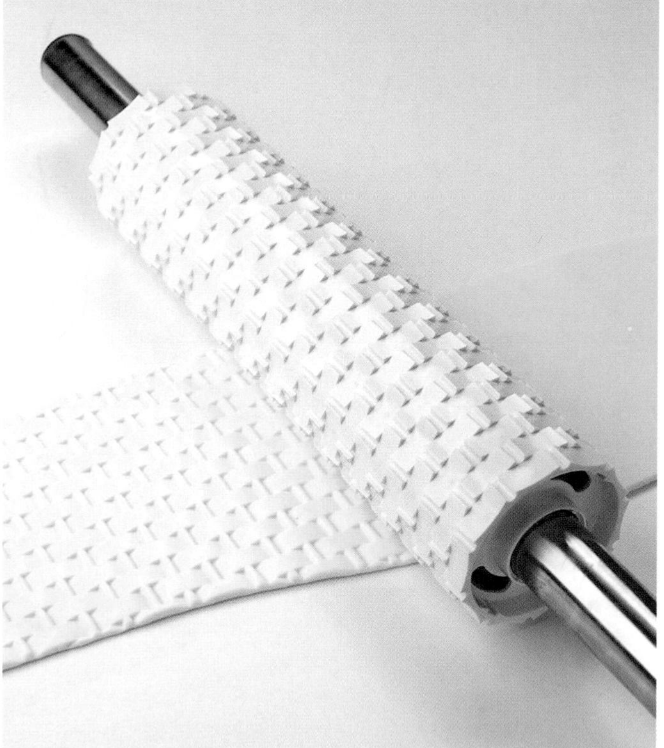

También puedes usar un rodillo de amasar para texturizar el fondant siguiendo las mismas instrucciones de las hojas con textura, salvo que el fondant se deja sobre la encimera y se extiende con un rodillo con motivos grabados.

OTROS DISEÑOS DE GRABADO

Marcación

La marcación *(crimping)* se realiza con una herramienta similar a unas pinzas. Solo tienes que presionar el diseño contra el pastel y presionar un poco para que se grabe. Algunas pinzas marcadoras llevan arandelas para cambiar el dibujo ajustando la herramienta en diferentes posiciones y permitir una marcación regular. Si la pinza marcadora no lleva arandelas puedes usar una goma elástica.

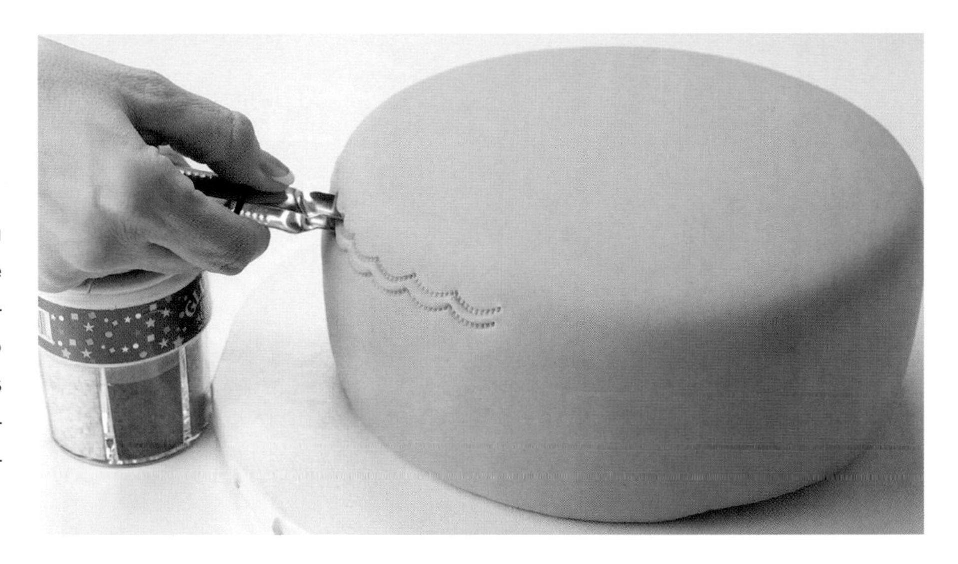

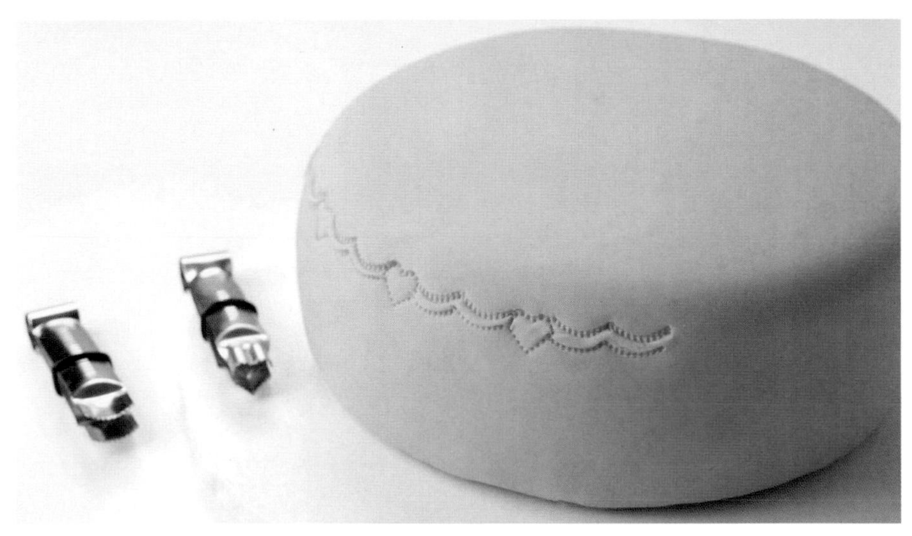

Cortadores

Los cortadores de borde afilado se presionan sobre los pasteles recién recubiertos de fondant para grabar dibujos.

RECUBRIR PASTELES CON FORMAS ORIGINALES

Los pasteles con formas originales deben recubrirse con fondant en dos pasos. Primero hay que cubrir el pastel con crema de mantequilla y luego con fondant, siguiendo las instrucciones generales para recubrir pasteles. Si quieres añadir más detalles al fondant, sigue las instrucciones siguientes.

1 Deja enfriar el pastel horneado. Limpia y seca cuidadosamente el molde. Glasea el pastel con crema de mantequilla y deja que forme una corteza. Pon un poco de crema de mantequilla en una base para pastel y coloca encima el pastel glaseado. Cubre el pastel con fondant si lo deseas. Reserva el pastel glaseado. Extiende el fondant hasta un grosor de unos 3 mm. Asegúrate de extenderlo lo bastante para que se ajuste a la parte superior del pastel.

2 Coloca el molde sobre el fondant extendido para usarlo como plantilla y recórtalo siguiendo la silueta del molde.

3 Coloca la pieza cortada dentro del molde con la parte lisa hacia abajo. Empieza a presionar con firmeza un lado del molde para grabar los detalles.

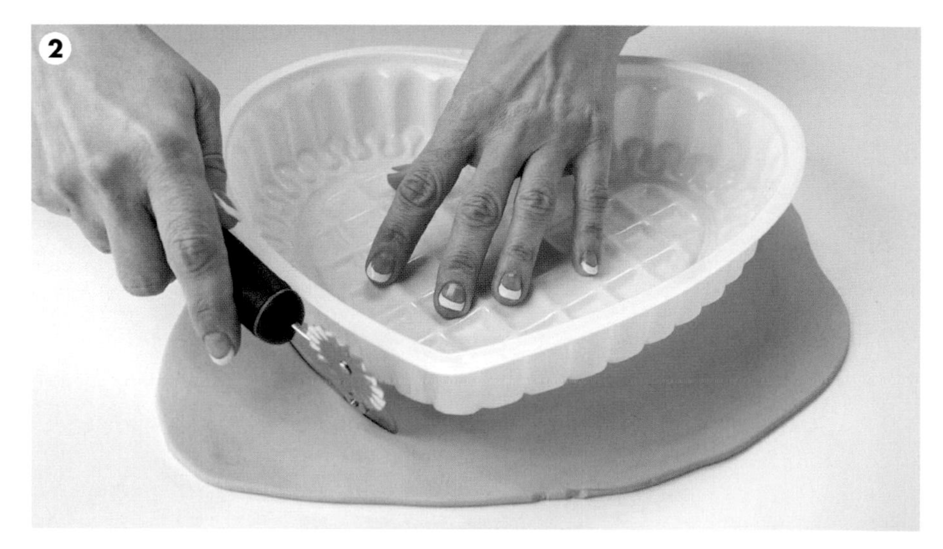

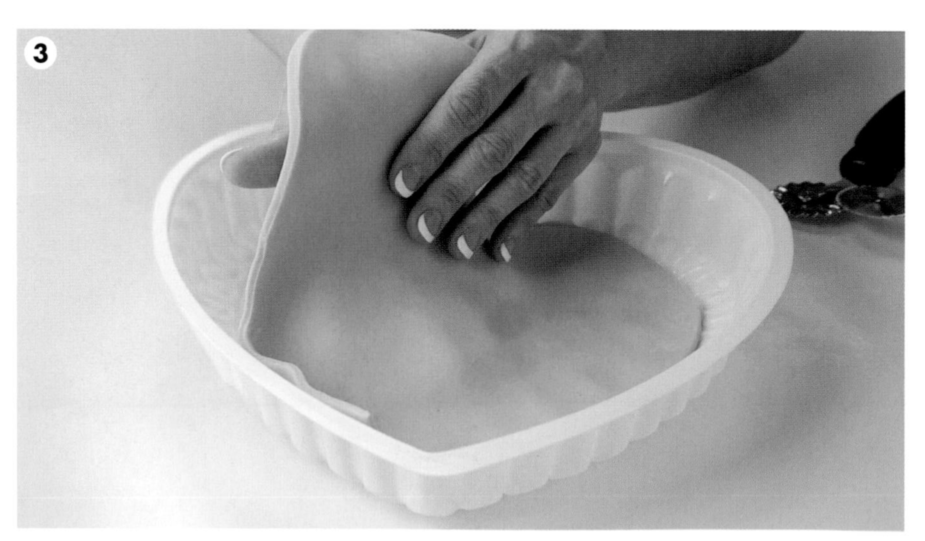

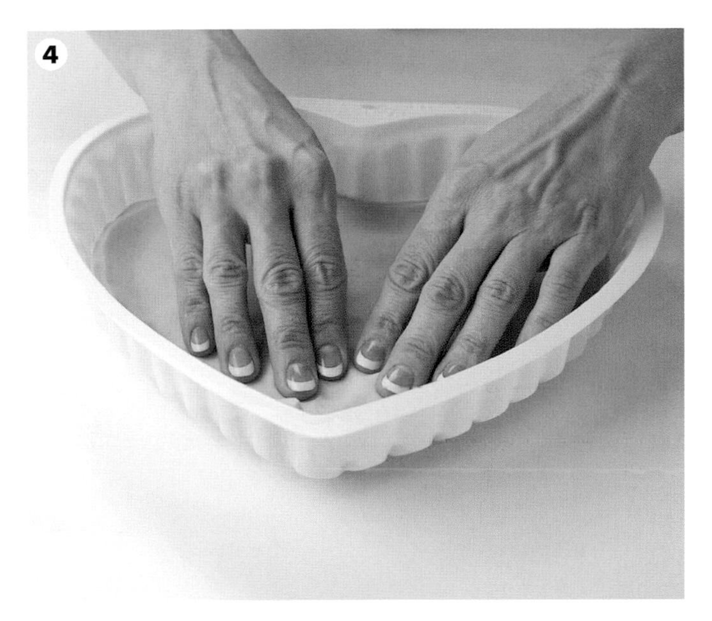

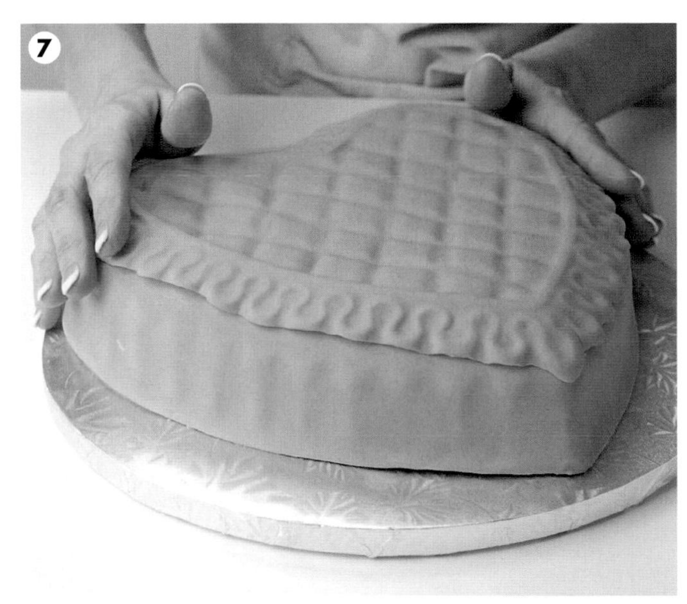

4 Sigue presionando hasta que se hayan grabado todos los detalles. Cubre el fondant con film transparente para evitar que se seque mientras preparas el pastel.

5 Pinta la parte superior del pastel recubierto de fondant con gel para decorar, pero no los lados.

6 Gira el molde para extraer el fondant.

7 Coloca la pieza de fondant sobre el pastel glaseado y añade adornos si lo deseas.

Argamasa de repostería

Después de recubrir el pastel con fondant, puedes añadir argamasa de repostería entre los pisos para tapar zonas oscuras. Incluso en un borde decorativo puede verse el cambio de tonalidad entre los huecos. Para rellenar estos huecos, sigue cuidadosamente las instrucciones para hacer argamasa de repostería, de lo contrario, el pastel podría tener mal aspecto.

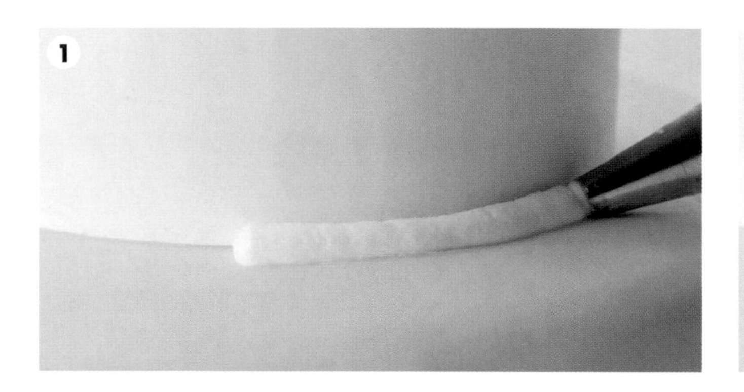

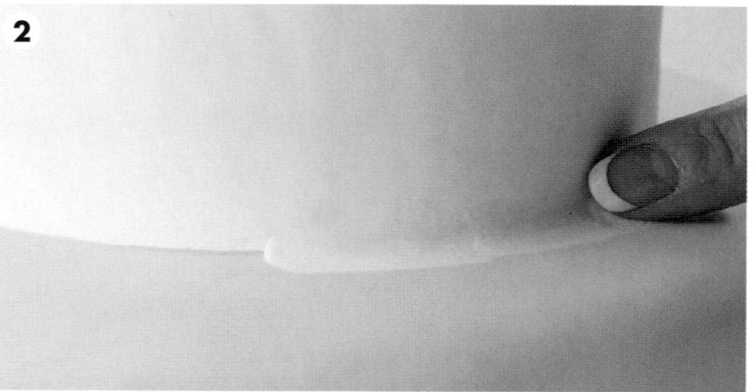

1 Ajusta una bolsa de manga pastelera a una boquilla redonda 8 y llénala con glasa real del mismo color que el fondant. Coloca un tubo de glasa a lo largo del borde del pastel.

2 Desliza el dedo por el borde del pastel para alisar la glasa real.

3 Utiliza un pincel limpio y seco para limpiar las manchas de glasa real de alrededor. No utilices agua ni un pincel mojado, o se formarán manchas de agua en el fondant.

Glasear un cupcake

Las siguientes instrucciones son para glasear cupcakes utilizando glaseados más espesos, como por ejemplo, glaseado de crema de mantequilla, de crema batida, de ganache batida o de queso crema. Consulta las tablas de cantidades para cupcakes de la página 75.

EXTENDER EL GLASEADO

1 Hornea y deja enfriar los cupcakes. Coloca una bola de glaseado en el centro del cupcake.

2 Extiende el glaseado hacia los bordes mientras giras el cupcake.

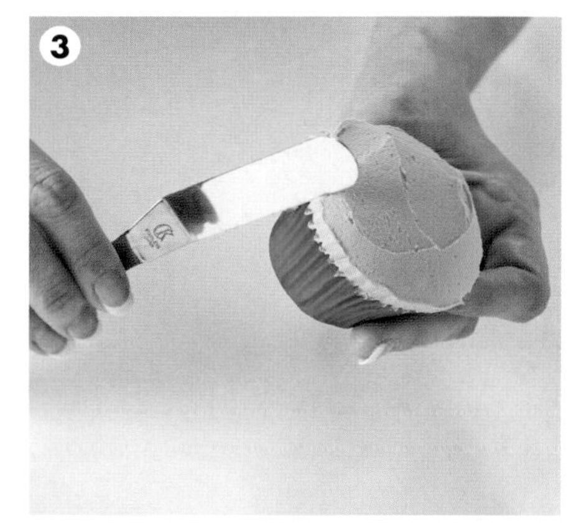

3 Retira el glaseado sobrante con la espátula. Coloca la espátula en un ángulo de 45° y raspa el borde del cupcake para limpiarlo.

GLASEADO CON MANGA PASTELERA

Puedes extender el glaseado más rápidamente con la manga pastelera.

1 Introduce una boquilla de estrella 1M o una boquilla redonda 2A (véase foto) en una manga pastelera con el extremo más pequeño delante. Estira suavemente el extremo de la boquilla para fijarla, de modo que el tercio final de la boquilla quede visible (con boquillas más largas hay que cortar la manga) y llénala de glaseado.

2 Haz un anillo de glaseado sobre el borde exterior del cupcake, deja de presionar y levanta la manga.

3 Haz otro anillo de glaseado enrollándolo hacia el centro. Deja de presionar y levanta la manga. El cupcake puede dejarse así, o bien alisarse con una espátula.

GLASEADO ESTILO PANADERÍA

1 Introduce una boquilla de estrella 1M o una boquilla redonda 2A (véase foto) en una manga pastelera con el extremo más pequeño delante. Estira suavemente el extremo de la boquilla para fijarla, de modo que el tercio final de la boquilla quede visible (con boquillas más largas hay que cortar la manga) y llénala de glaseado.

2 Haz un cono de glaseado en el centro del cupcake.

3 Haz un anillo de glaseado rodeando el centro.

4 Sigue vertiendo el glaseado alrededor del cono sin levantar la manga ni dejar de presionar alrededor del cono. Deja de presionar y levanta la manga.

Una boquilla redonda 2B es excelente para un acabado limpio y suave (izquierda), mientras que una boquilla de estrella 1M sirve para crear atractivas ondas (derecha).

Envoltorios para cupcakes

Los envoltorios para cupcakes se colocan alrededor de los cupcakes ya horneados. Algunos envoltorios no son antigrasa: si cubres un cupcake con glaseado de crema de mantequilla o ganache, podrían formarse manchas de grasa en los envoltorios. Para evitarlo, mete el cupcake en el envoltorio justo antes de servir. Los cupcakes recubiertos con fondant no forman manchas de grasa.

Recubrir cupcakes con ganache

La ganache es un glaseado rápido y práctico para los cupcakes. Con una receta podrás cubrir varias docenas de cupcakes con un precioso acabado liso y brillante. Puedes usar chocolate con leche, negro o blanco. Si quieres hacerlos de un color concreto, añade colorante a base de aceite al chocolate blanco. Los colorantes en gel o líquidos harían espesar la ganache. Con el siguiente método, la ganache goteará por los bordes del cupcake. Si eso no te gusta, puedes extenderla cuidadosamente sobre el cupcake.

1 Hornea y deja enfriar los cupcakes. Mezcla la ganache según la receta. Coloca el cupcake al revés, sujetándolo por el envoltorio.

2 Moja el cupcake en la ganache haciendo un movimiento giratorio para que quede bien cubierto.

3 Levanta el cupcake y mueve la mano con un movimiento circular par alisar el glaseado.

4 Deja secar el glaseado y pega los adornos con gel para decorar.

Demasiado frío

Si la ganache se enfría rápidamente y se espesa antes de que hayas glaseado todos los cupcakes, mete el recipiente de ganache en el microondas 4-5 segundos o hasta alcanzar la consistencia deseada.

Recubrir cupcakes con fondant

Los cupcakes recubiertos de fondant poseen un acabado hermoso e impecable. El fondant es un poco pesado para un pastel pequeño, así que procura cubrirlos con una capa fina. Un delicioso glaseado como la crema de mantequilla o la ganache añaden sabor y dulzura bajo el fondant.

ALISAR FONDANT

1 Hornea y deja enfriar los cupcakes. Glaséalos con crema de mantequilla u otro glaseado. Si el glaseado ha formado una corteza, píntala con gel para decorar.

2 Espolvorea la superficie de trabajo con maicena y extiende el fondant a unos 3 mm.

3 Corta el fondant con un cortador de galletas de 7,5 cm.

4 Coloca el disco de fondant sobre el cupcake glaseado. Cubre los discos de fondant con film transparente hasta su uso.

5 Alisa el disco de fondant con la mano o con un alisador de fondant.

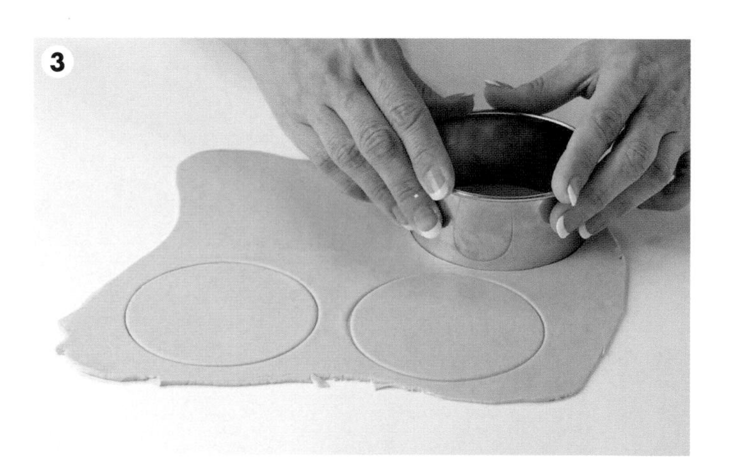
3

1

4

2

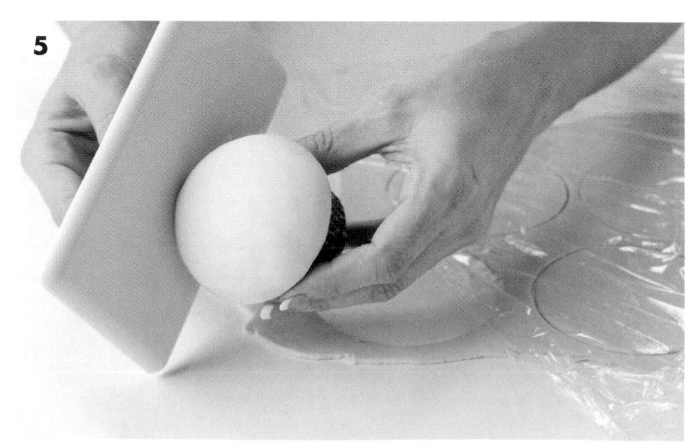
5

1

3

2

4

FONDANT TEXTURIZADO

Gracias a una gran variedad de hojas con textura puedes decorar cupcakes de un modo rápido y fácil. También hay hojas con texturas solo para cupcakes, como el juego de pelotas de la página 262. Un cortador de galletas redondo de 7,5 cm servirá para los cupcakes normales ligeramente abovedados. Los cupcakes más altos o más bajos requerirán un disco de fondant más grande o más pequeño respectivamente, por lo que no es mala idea disponer de cortadores de diferentes tamaños.

1 Hornea los cupcakes y déjalos enfriar. Glaséalos con crema de mantequilla u otro glaseado. Si el glaseado ha formado una corteza, píntala con gel para decorar.

2 Espolvorea la superficie de trabajo con maicena y extiende el fondant a unos 3 mm. Coloca el lado liso del fondant sobre la estera y extiéndelo con el rodillo para marcar la textura.

3 Gira la estera con el fondant, retira la estera y corta el fondant con un cortador de galletas redondo de 7,5 cm.

4 Coloca el disco de fondant texturizado sobre el cupcake. Cubre los discos hasta su uso.

Figuras de delicias de arroz inflado

A lo mejor tienes un pastel que necesita adornos que piden mucho tiempo o son muy difíciles de hacer con masa de pastel. Puedes usar delicias de arroz inflado para hacer adornos, pues son fáciles de esculpir a mano o se pueden prensar en un molde forrado de film transparente.

1 Mezcla una remesa de delicias de arroz inflado (encontrarás la receta en la mayoría de cajas de cereales a base de trigo inflado) y deja asentar la mezcla.

Mete la mezcla en un molde forrado de film transparente, o bien moldea el adorno a mano.

2 Glasea con crema de mantequilla o glasa real la delicia moldeada para darle una base suave y déjala cuajar.

3 Si la delicia de arroz inflado irá cubierta de fondant, pinta con gel para decorar la glasa real endurecida o la corteza de crema de mantequilla. Cúbrela con fondant y decórala como desees. Si la delicia lleva decoraciones con manga pastelera, hazlas directamente sobre la glasa real seca (no será necesario el gel para decorar).

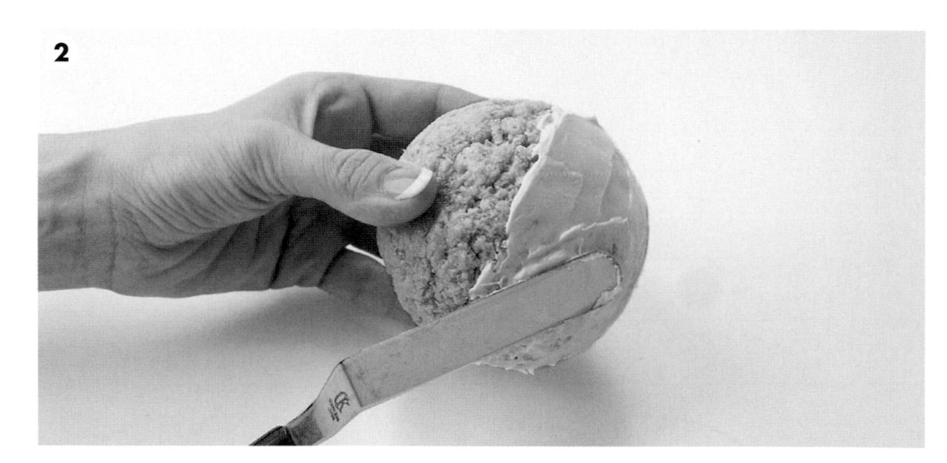

Bases para pasteles

La base o plato donde se coloca un pastel debe ser bonito, sin restar mérito al pastel. Por ejemplo, si has glaseado y decorado un pastel en blanco y lo colocas sobre una base roja, la vista irá directa a la base roja en lugar del pastel. Una base blanca es lo más adecuado para un pastel totalmente blanco. Hay multitud de bases para pasteles de diversos materiales y grosores. La base debe ser lo suficientemente robusta como para soportar el peso del pastel: si es demasiado ligera, el pastel podría agrietarse. Para un pastel con un glaseado y una decoración sencilla, bastará con una base ligeramente superior al pastel. A menudo, por motivos estéticos o de diseño, no hay espacio para escribir en el pastel. La base puede servir como superficie decorativa adicional. Primero diseña el pastel y luego elige una base del tamaño adecuado.

BASES DE TAMBOR

Las bases de tambor son unas bases gruesas de cartón ondulado, normalmente de 6 a 13 mm de grosor y recubiertas de aluminio decorativo. Estos tambores son lo suficientemente robustos para servir de base para un pastel de cumpleaños o un pastel de boda de varios pisos.

BASES DE CARTÓN

Hay bases de cartón precortadas de muchas formas y tamaños para pasteles pequeños y ligeros. Hay que recubrirlas de aluminio para que la humedad del pastel y el glaseado no deforme o debilite el cartón. Algunas ya van cubiertas de papel de aluminio, o pueden forrarse con aluminio de uso alimentario. Otras son de cartón encerado y no es necesario envolverlas, pero no son tan bonitas como las recubiertas. También resultan útiles para decoración, pues muchas veces es útil poner un pastel horneado ya frío sobre una base de cartón encerada del mismo tamaño que el pastel y al glasearlo, la base se glasea como si fuera parte del pastel. Así la superficie de trabajo queda libre de migas después del glaseado. Desliza una espátula grande o una lámina para hornear galletas sin lados bajo la base de cartón para mover el pastel.

BASES DE MASONITA

Las bases de masonita son mucho más duraderas que las bases de cartón tradicionales o las bases de tambor. Están hechas de fibras comprimidas y pueden usarse varias veces. Resultan ideales para los pasteles de pisos y pueden recubrirse de aluminio decorativo.

BASES Y BANDEJAS DECORATIVAS

Los pasteles sobre expositores de pasteles y bandejas tienen un aspecto estupendo. Antes de glasear o decorar el pastel, colócalo sobre una base de cartón encerado del mismo tamaño que el pastel y glaséalo como si la base formara parte del mismo. Pon un poco de glaseado sobre la bandeja decorativa y coloca el pastel encima. Añade el resto de adornos y el borde después de colocarlo sobre la bandeja. Despega la base de cartón de la bandeja antes de cortar y servir para proteger la bandeja.

CUBRIR LA BASE DEL PASTEL CON ALUMINIO PARA REPOSTERÍA

1

2

Si cubres la base con papel de aluminio para repostería añadirás un toque de color y protegerás la base de la humedad. El papel de aluminio no es muy atractivo para cubrir la base, ya que se arruga y se rasga fácilmente, pero las tiendas de decoración de pasteles ofrecen un aluminio especial para repostería. El aprobado por la FDA es el mejor, pero también se puede emplear el que no lo es. Si usas un aluminio no aprobado por la FDA, corta una hoja de papel de hornear del tamaño del pastel y pégala a la base cubierta de aluminio con un poco de glaseado. Luego coloca el pastel sobre el papel de hornear.

1 Coloca la base sobre el aluminio. Resigue la silueta alrededor de la base dejando 3,8 cm de más. El trozo cortado deberá tener la misma forma que la base, pero algo más grande. No cortes un cuadrado para forrar una base redonda, pues se harán pliegues en el aluminio y se inflará. Corta el aluminio.

2 Imagina que la base es un reloj. Dobla el aluminio y pégalo con cinta adhesiva a las 12, las 3, las 6 y las 9. Después de los cuatro primeros pliegues, haz pliegues entre estos cuatro.

Espacio para los dedos

Pega «pies» en la parte posterior de una base plana para que los dedos puedan pasar por debajo de la base para facilitar el traslado del pastel. Los pies pueden ser cuatro trozos de madera u otro material de unos 2,5 x 2,5 x 1,3 cm. Los pies de unos 1,3 cm deberían dejar el espacio suficiente para que lo dedos se deslicen por debajo de la base sin afectar a la apariencia del pastel. Pega los trozos a la base del pastel con adhesivo instantáneo. Si utilizas una base grande, deberás pegar un pie adicional en el centro.

CUBRIR LA BASE DEL PASTEL CON FONDANT

Una base recubierta de fondant armoniza el diseño del pastel de la cabeza a los pies. Recubre la base unos días antes para dejar que el fondant se endurezca, así no se dañará cuando coloques el pastel sobre la base.

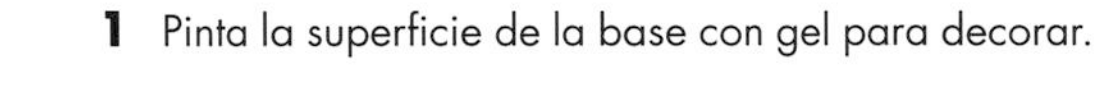

1 Pinta la superficie de la base con gel para decorar.

2 Amasa y ablanda el fondant. Espolvorea maicena sobre la superficie de trabajo. Extiende el fondant hasta los 3 mm de grosor, ajustándolo al diámetro de la base. Texturiza el fondant si lo deseas.

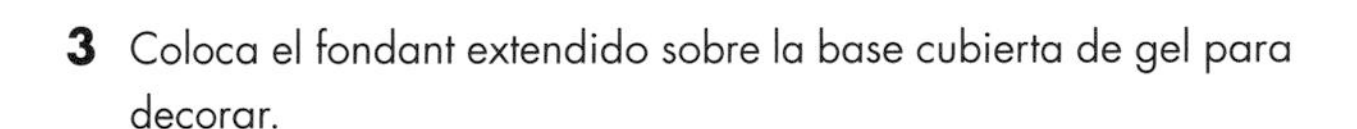

3 Coloca el fondant extendido sobre la base cubierta de gel para decorar.

4 Sujeta un cuchillo de mondar perpendicular a la base y recorta el fondant sobrante.

5 Puedes pegar una cinta en el borde de la base con pegamento textil.

1

2

3

4

5

Pasteles de pisos

Puedes convertir un sencillo pastel en un pastel de cumpleaños muy especial añadiéndole pisos. Es importante apilarlos correctamente para que no se caigan. Los pasteles no deberían apilarse sin soporte; se necesitan bandejas y clavijas entre cada piso. Algunas empresas poseen sistemas de soporte muy sofisticados; la inversión vale la pena si se hacen muchos pasteles de pisos al año.

La siguiente es una técnica sencilla para hacer pasteles de pisos puntualmente. Las bandejas son bandejas de plástico delgadas pero robustas. Elige bandejas de plástico o bases de pastel antigrasa. Las bases de cartón no recubiertas absorberán la grasa y podrían volverse inestables. Las clavijas utilizadas son tubos de 2 cm de diámetro (véase Recursos, pág. 324). Corta las clavijas a la altura del glaseado, sin sobrepasarlo. Si son un poco más altas, habría un espacio entre los pisos del pastel. El Smart Marker es una herramienta opcional muy útil para garantizar que los pisos quedan bien centrados..

1 Extiende un poco de glaseado sobre una bandeja robusta. Coloca el primer piso encima de la bandeja de base. Los pisos restantes deberán colocarse sobre una bandeja de plástico o una bandeja antigrasa del mismo tamaño que el pastel.

2 Coloca el Smart Marker en el primer piso. El de la imagen es de 20 cm. El piso que se coloca encima es de 15 cm. Alinea el anillo con el tamaño del pastel (20 cm). Busca el anillo del mismo tamaño que el piso que debes apilar (15 cm) y márcalo sobre el pastel del primer piso empujando un palillo u otro objeto puntiagudo a través de las aberturas del anillo.

3 Inserta una clavija en el pastel aproximadamente 1 cm en los puntos marcados, de modo que la clavija descanse sobre la base. Marca la altura del pastel y saca la clavija.

4 Corta con una sierra cuatro clavijas de la misma altura que las clavijas marcadas. Colócalas de nuevo dentro del pastel, en los puntos marcados, después de cortarlas.

5 Extiende una capa de glaseado en el centro del pastel.

6 Coloca el piso superior usando como referencia los puntos marcados por el Smart Marker. Añade un borde si quieres.

Más soporte

Los pasteles grandes requieren más de cuatro clavijas insertadas por toda la base. Inserta clavijas adicionales alrededor del borde y por lo menos una en el centro de los pasteles de 35,5 cm o más. Al insertar las clavijas se pierde un trozo de pastel, pero es mejor tener el pastel y perder un trozo que perder un pastel entero al caerse.

Caducidad, conservación y transporte de los pasteles

La caducidad y la conservación de los pasteles varían en función de la receta empleada, así que deberás consultarla para averiguarlo. Aquí tienes unas directrices generales para la conservación de pasteles.

CONSERVACIÓN

El glaseado y el relleno empleados determinan la conservación de los pasteles. La mayoría de pasteles se conservan bien a temperatura ambiente. Protege de la luz solar los pasteles decorados, o los colores desteñirían. El calor puede derretir los glaseados. Protege el pastel guardándolo en una caja para pasteles o una caja de cartón. La caja servirá como un oscuro refugio para el pastel hasta que esté listo para servirse. Los pasteles tienen mejor sabor si se comen en 3 días. Si el pastel no va a comerse en 3 días, plantéate congelarlo. Los pasteles con rellenos de crema de leche y fruta fresca deberían guardarse en la nevera y comerse en 1 o 2 días.

CONGELACIÓN

Un pastel se puede congelar con o sin glaseado. Un pastel no glaseado debe envolverse con film transparente antes de congelarlo. Un pastel decorado y glaseado con crema de mantequilla se puede congelar en la mayoría de casos, pero es posible que los colores destiñan al descongelarse. Plantéate añadir el color después de descongelar por completo el pastel. El fondant no se congela bien, pues la condensación puede producir manchitas. La popular tradición de guardar el piso de arriba del pastel para comerlo en el primer aniversario de bodas es divertida, pero probablemente el pastel tendrá un sabor bastante rancio. En lugar de eso puedes hacer un piso duplicado, recién hecho.

Si el pastel debe guardarse, coloca el pastel en un congelador que no se use a menudo. Si quieres que conserven su frescura, no congeles los pasteles más de un mes.

1. Mete el pastel en la caja.
2. Envuelve bien el pastel con tres capas de film transparente.
3. Añade una capa de papel de aluminio y mételo en el congelador. Cúbrelo con una fina capa de film transparente.
4. Al sacar el pastel del congelador, colócalo sobre la superficie de trabajo y no lo desenvuelvas hasta que el pastel esté a temperatura ambiente.

TRANSPORTE DE PASTELES

Un pastel debería meterse en una caja de su mismo tamaño para evitar que se mueva. Coloca la caja en una superficie recta. No coloques el pastel en su caja sobre el asiento de un coche, pues con la inclinación, es probable que los adornos se caigan o que el pastel resbale del asiento. Colocar una hoja grande de gomaespuma o una estera antideslizante sirve para evitar que la caja del pastel resbale. No dejes que la luz del sol toque el pastel o los adornos se desharán o se desteñirán.

Tabla de cupcakes

Esta tabla se basa en cupcakes hechos a partir de una mezcla para pastel estándar que contiene entre 960 ml y 1,4 l de masa, con la que se obtendrían unos 96 mini cupcakes, 24 cupcakes estándar o 7 cupcakes grandes. Los cupcakes precisan menos glaseado si lo extiendes sobre el cupcake que dispensándolo con boquilla. Para hacer más detalles con la manga, multiplica por dos el glaseado necesario. Todas las cantidades son aproximadas.

CUPCAKES (EN BASE A UNA MEZCLA PARA PASTEL)	RELLENO NECESARIO	GLASEADO NECESARIO: EXTENDIDO	GLASEADO NECESARIO: MANGA	TEMPERATURA DEL HORNO	TIEMPO DE HORNEADO
96 mini cupcakes	250 ml	1 l 10 ml por cupcake	1,5 l 15 ml por cupcake	175 °C	8-10 min.
24 cupcakes estándar	250 ml	750 ml 25 ml por cupcake	1,125 l 50 ml por cupcake	175 °C	18-24 min.
7 cupcakes grandes	175 ml	375 ml 50 ml por cupcake	2 cups (500 mL) 4 Tb. (59 mL) per cupcake	175 °C	20-25 min.

Descifrar la circunferencia y el diámetro

A menudo es necesario determinar la circunferencia o el diámetro de los pasteles redondos. Lo mejor es medirlos después de glasearlos o cubrirlos con fondant, puesto que las medidas aumentarán. Por ejemplo, después de cubrir con fondant un pastel de 20 cm, puede que tenga un diámetro de 21 cm.

DIÁMETRO

El diámetro es la línea que pasa por el centro de un círculo. La mayoría de moldes redondos se miden en función del diámetro. Un pastel de 20 cm tendrá un diámetro de 20 cm.

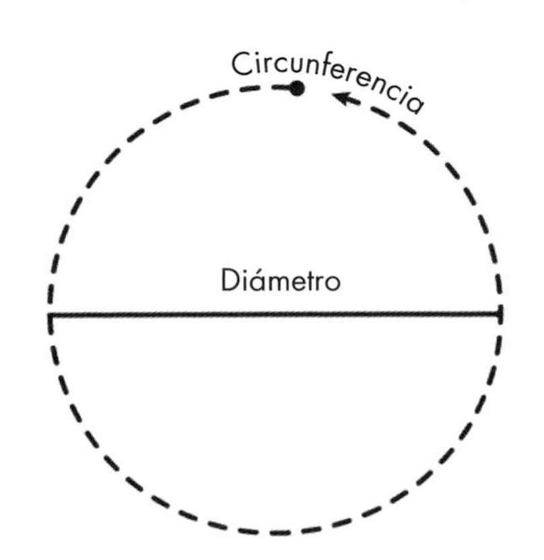

CIRCUNFERENCIA

La circunferencia es la medida del contorno del pastel. Es importante saber esta cifra para envolverlo con cintas de fondant o añadir una cinta decorativa alrededor de la base del pastel. La circunferencia se obtiene tomando el diámetro del molde (o la base) y multiplicándolo por 3,14 o π. Un pastel de 20 cm tiene una circunferencia de 64 cm. Si envuelves un pastel con una cinta de fondant, necesitarás 64 cm de cinta.

Tabla de pasteles

Los números y cantidades de la siguiente tabla son una estimación y deben usarse como guía general, pues los requisitos y los resultados variarán según el usuario.

PASTELES DE BANDEJA DE HORNO	PORCIONES	MASA NECESARIA	RELLENO NECESARIO	GLASEADO NECESARIO	FONDANT NECESARIO
23 x 33 cm (¼ de bandeja)	20	1,5 l	375 ml	1,5 l	1 kg
28x38 cm	25	2,3 l	625 ml	2 l	1,7 kg
30 x 46 cm (½ bandeja)	36	3 l	875 ml	2,3 l	2,2 kg
PASTELES DE BANDEJA DE HORNO	**PORCIONES**	**MASA NECESARIA**	**RELLENO NECESARIO**	**GLASEADO NECESARIO**	**FONDANT NECESARIO**
15 cm	8	300 ml	75 ml	750 ml	0,5 kg
18 cm	10	425 ml	150 ml	875 ml	0,6 kg
20 cm	18	625 ml	175 ml	1,125 l	0,7 kg
23 cm	24	675 ml	250 ml	1,25 l	0,9 kg
25 cm	28	1 l	300 ml	1,375 l	1 kg
30 cm	40	1,4 l	425 ml	1,6 l	1,3 kg
36 cm	64	1,8 l	625 ml	1,9 l	2 kg
40 cm	80	2,6 l	900 ml	2,3 l	3 kg
46 cm	110	3,5 l	1,4 l	2,6 l	3,9 kg
PASTELES DE BANDEJA DE HORNO	**PORCIONES**	**MASA NECESARIA**	**RELLENO NECESARIO**	**GLASEADO NECESARIO**	**FONDANT NECESARIO**
15 cm	12	550 ml	175 ml	1 l	0,7 kg
18 cm	16	875 ml	150 ml	1,2 l	0,9 kg
20 cm	22	1 l	250 ml	1,25 l	1 kg
23 cm	25	1,375 l	300 ml	1,4 l	1,1 kg
25 cm	35	1,75 l	375 ml	1,6 l	1,3 kg
30 cm	50	2,3 l	500 ml	2 l	2 kg
36 cm	75	3,5 l	750 ml	2,5 l	2,7 kg
46 cm	100	4,2 l	1.125 l	2,9 l	3,4 kg

TEMP. HORNO	TIEMPO HORNO
175 °C	35-40 min
160 °C	35-40 min
160 °C	45-50 min

TEMP. HORNO	TIEMPO HORNO
175 °C	25-30 min
175 °C	23-32 min
175 °C	30-35 min
175 °C	30-35 min
175 °C	35-40 min
175 °C	35-40 min
160 °C	50-55 min
160 °C	55-60 min
160 °C	60-65 min

TEMP. HORNO	TIEMPO HORNO
175 °C	25-30 min
175 °C	25-32 min
175 °C	35-40 min
175 °C	35-40 min
175 °C	35-40 min
175 °C	40-45 min
175 °C	45-50 min
160 °C	45-50 min

PORCIONES

El número de porciones dependerá del modo de cortarlas. Por ejemplo, un pastel de bandeja de horno de 30 x 46 cm tendrá 54 porciones si se corta en cuadrados de 5 x 5 cm, o 36 si se corta en rectángulos de 5 x 7,5 cm. Las porciones del pastel de bandeja de horno se basan en un pastel de una capa, y las de los pasteles redondos y cuadrados, en un pastel de dos capas. Para calcular el tamaño del pastel que vas a hacer, cuanto más grande, mejor. Siempre es mejor equivocarse de más que de menos.

MASA

Una mezcla estándar de pastel contiene de 1 a 1,5 litros de masa. Las cantidades necesarias de masa de la tabla se basan en llenar un molde de 5 cm de alto lleno hasta los ⅔ de masa de pastel. Si llenas el molde con menos de ⅔ de masa, el pastel podría ser demasiado fino.

RELLENOS

La cantidad de relleno necesaria puede variar en función del tipo de relleno empleado. La tabla se basa en una capa fina de relleno de crema pastelera. Si se utiliza un relleno más espeso y esponjoso, como la crema de mantequilla, deberá doblarse la cantidad de relleno.

GLASEADO

La cantidad de glaseado necesaria se basa en un glaseado según la receta de crema de mantequilla de este libro. La cantidad de glaseado necesaria variará según la consistencia, el grosor de la capa, o el uso de otras recetas. Las cantidades de glaseado necesarias incluyen suficiente glaseado para hacer un borde o aplicar adornos sencillos con la manga pastelera. La cantidad necesaria para el pastel de bandeja de horno se basa en un pastel de una capa, mientras que en el pastel redondo y cuadrado se basa en un pastel de dos capas.

FONDANT

La cantidad de fondant necesaria incluye la cantidad justa para recubrir el pastel, sin decoración adicional, y puede variar significativamente en función del grosor del fondant.

TÉCNICAS CON LA MANGA PASTELERA

Aprender cómo rellenar y sostener las bolsas de manga pastelera y hacer formas sencillas son algunas de las técnicas básicas en decoración de pasteles. Esta sección abarca multitud de técnicas básicas que incluyen flores, bordes y escritura, así como las técnicas de decoración más sofisticadas para ocasiones muy especiales. Las técnicas avanzadas incluyen bordado con glasa real, dibujos de azúcar fluido, lazos y extensiones.

Uso de bolsas, boquillas y acopladores

Las boquillas pueden meterse solas en la bolsa, o con un acoplador para cambiar de boquilla sin necesidad de llenar otra bolsa.

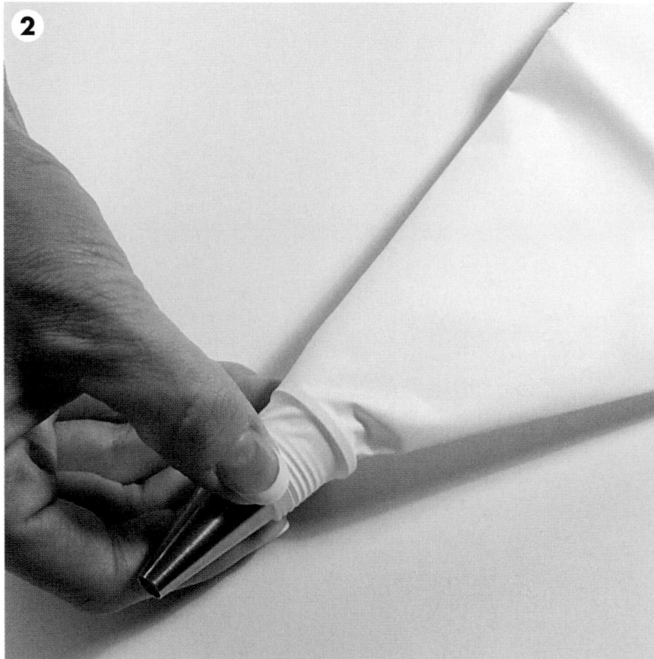

AJUSTAR UNA BOLSA CON UN ACOPLADOR

1 Corta la bolsa de repostería reutilizable o desechable de modo que se vean una o dos muescas en la base del acoplador al meterlo en la bolsa. Tira con fuerza del acoplador para fijarlo.

2 Coloca la boquilla sobre la base del acoplador.

3 Gira la rosca del acoplador hacia arriba para apretar bien la boquilla.

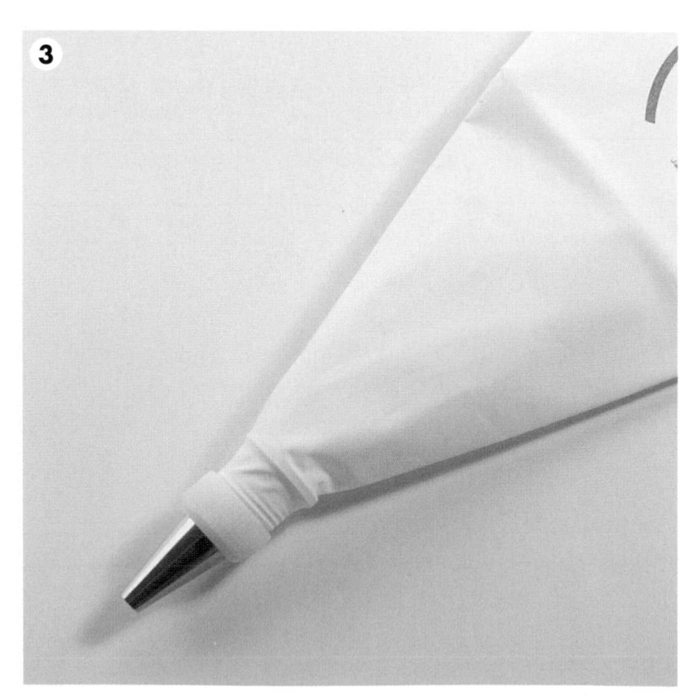

LLENAR BOLSAS REUTILIZABLES Y DESECHABLES

1 Introduce la boquilla dentro de la bolsa y tira del extremo para fijarla. Puedes ajustar la bolsa con un acoplador como se indica en la página anterior. Dobla la bolsa sobre tus manos formando un puño de entre 5 y 7,5 cm.

2 Introduce el glaseado en la bolsa hasta alcanzar el borde del puño y llénala de glaseado hasta más o menos la mitad. Cuanto más llena esté, más difícil será manejarla.

3 Desdobla el puño. Aprieta la bolsa entre el pulgar y los otros dedos y empuja el glaseado hacia el final de la bolsa.

Rellenar la bolsa

Cada vez que vuelves a llenar una bolsa se forma aire dentro. Antes de empezar a usarla de nuevo, aprieta la bolsa para liberar el aire del interior, o una gran burbuja de aire interrumpirá el proceso.

4 Retuerce la bolsa hasta donde empieza el glaseado. Para evitar que el glaseado salga despedido por la parte superior de la bolsa, fíjala con una goma o una arandela para bolsas de manga pastelera.

1

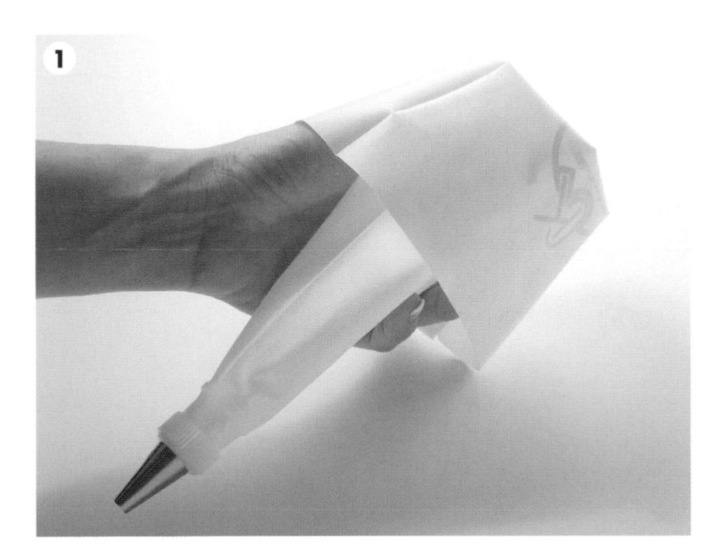

3

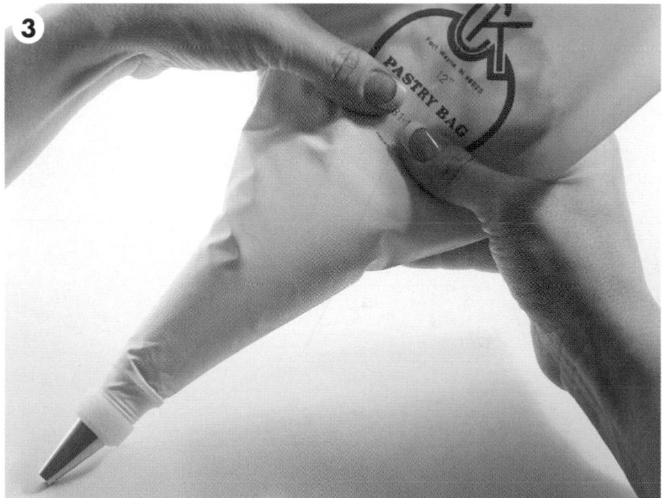

2

4

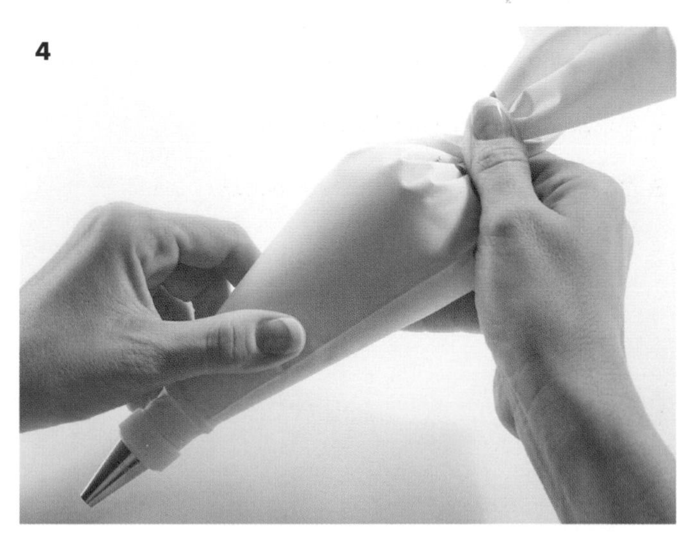

HACER UN CONO DE PAPEL DE HORNEAR

También hay papel de hornear en triángulos precortados para crear bolsas de manga pastelera ligeras, baratas y desechables. Si el cono está bien hecho, no necesitas boquilla si quieres una abertura redonda: basta con cortar el extremo más estrecho a la medida deseada.

1 El triángulo está marcado con A, B y C.

2 Pliega la esquina A hasta la esquina B, girándola para formar un cono.

3 Pliega la esquina C hasta la esquina B manteniendo la forma cónica con un punto de presión. Une los tres puntos.

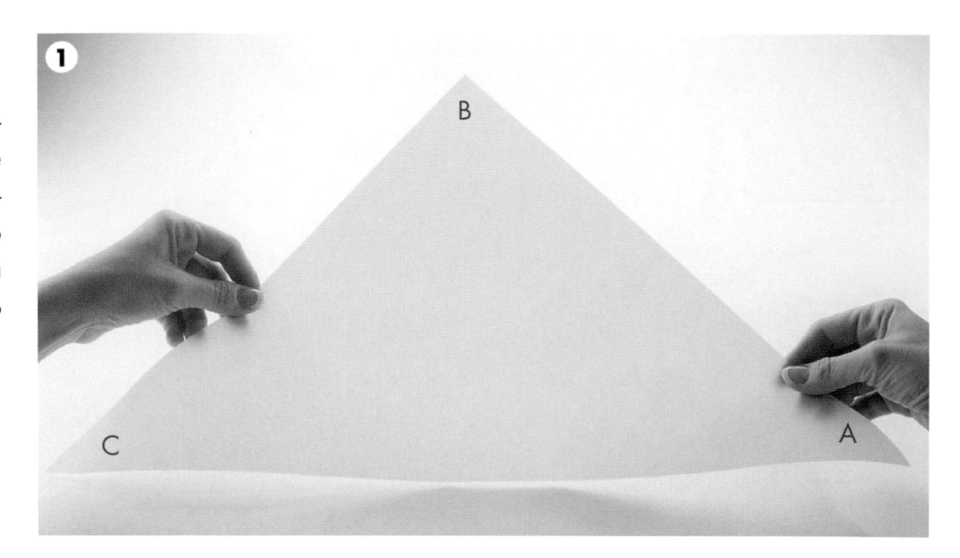

4

6

5

7

4 Entrecruza las esquinas A y C formando una «W» para asegurar las uniones del cono. Mantén siempre tenso el punto de la base. Desplaza A y C arriba y abajo para asegurar que hay un punto de presión.

5 Pliega las esquinas de la bolsa para afianzarla.

6 Corta la bolsa en un punto lo suficientemente grande para que un tercio de la boquilla sobresalga de la bolsa.

7 Introduce la boquilla con el extremo más estrecho delante. Si sobresale más de un tercio de la boquilla, puede que se caiga cuando la utilices.

Cinta adhesiva

Puedes pegar la unión de la bolsa con cinta adhesiva si te cuesta mantener una punta fina al llenar la bolsa.

LLENAR CONOS DE PAPEL DE HORNEAR

1 Sujeta la bolsa y llénala de glaseado hasta la mitad.

2 Aprieta la bolsa entre el pulgar y los otros dedos para llenar el final de la bolsa.

3 Dobla el lado izquierdo y luego el derecho. Dobla el centro y sigue doblando hasta encima del fondant.

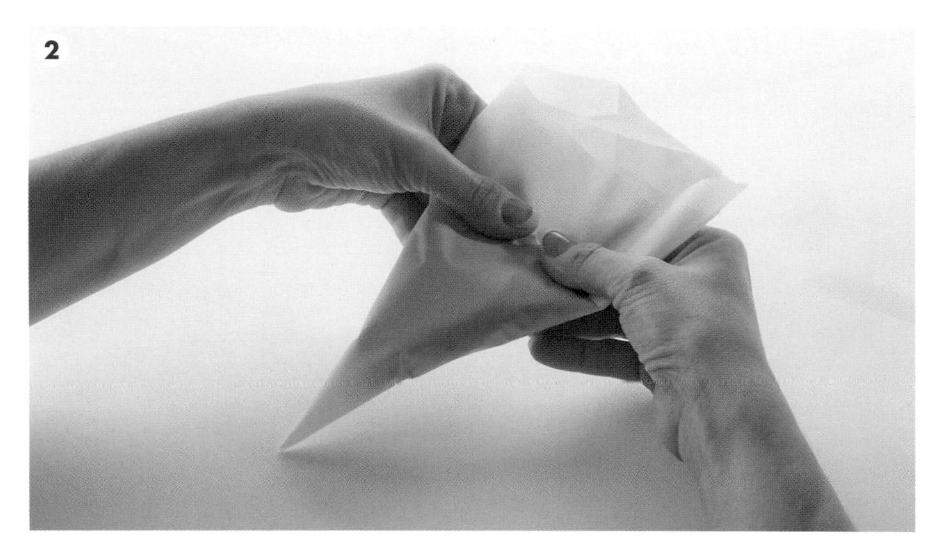

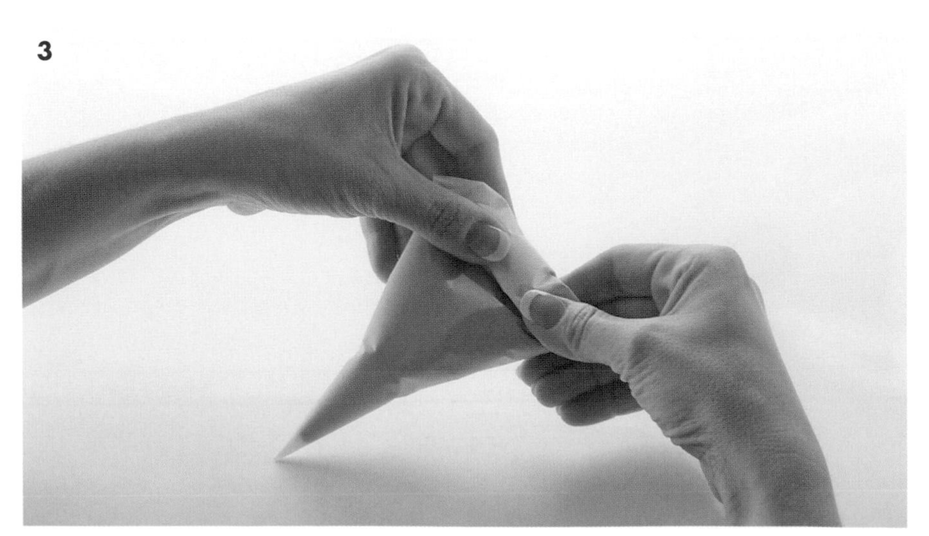

Evitar el secado

El glaseado de la boquilla puede endurecerse y formar una crosta si no se utiliza. Cubre las mangas pasteleras rellenas con un paño húmedo o pon un tapón en las boquillas mientras no las utilizas.

Para formar un ángulo de 45° con la bolsa, esta debe estar a medio camino entre el reposo sobre la superficie y la posición vertical. El ángulo de 45° suele usarse para bordes, letras, algunas flores y dibujos laterales.

El ángulo de 90° suele usarse para estrellas, bolas, algunas flores y figuras.

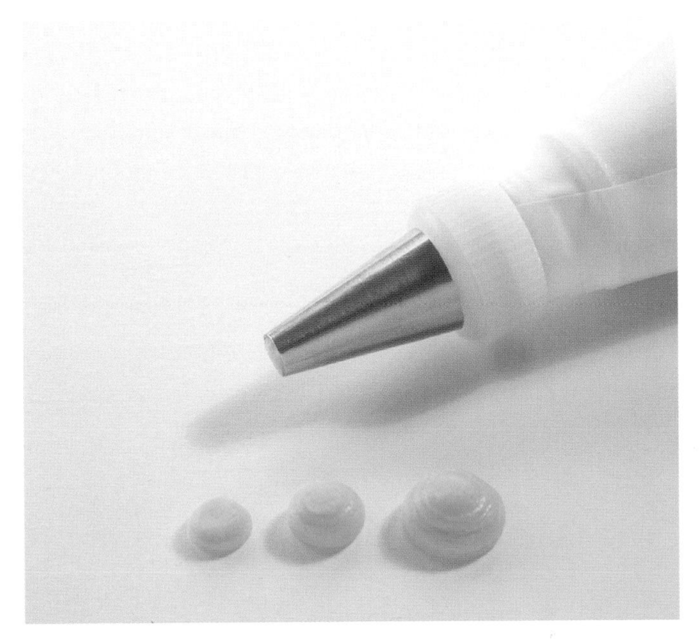

La cantidad de presión aplicada es un factor clave para utilizar bien la manga, y puede variar en función del contenido, pero en la mayoría de los casos es importante que la presión sea constante. En la imagen se muestran puntos de una boquilla 10 hechos con poca, media y mucha presión.

SUJETAR LA BOLSA

En este libro hallarás instrucciones sobre cómo sujetar la bolsa desde varios ángulos. Los más habituales son el de 45° y el de 90°. Para controlar el glaseado, sujeta la bolsa con tu mano dominante. Utiliza la punta del dedo índice de la otra mano para guiar la bolsa mientras aprietas el glaseado.

Uso de las boquillas

Existen boquillas de diferentes materiales. Las de acero inoxidable forman adornos de líneas nítidas y afiladas. Las de plástico de precisión (véase Recursos, pág. 324) son una alternativa a las de metal, que pueden oxidarse. Lava las boquillas con su cepillo específico y sécalas cuidadosamente una por una después de lavarlas para evitar que se oxiden. Comprar boquillas sin junturas para que el glaseado quede definido. Las numeración de las boquillas inglesas, como la de las PME Supatubes es distinta a las estadounidenses.

BOQUILLAS REDONDAS

Las boquillas redondas poseen múltiples usos. Las aberturas redondas se usan para líneas, tallos, punto perdido (un adorno formado por graciosos garabatos continuos y aleatorios), espirales, puntos, bolas, letras, stringwork, encaje, figuras, dibujos de azúcar fluido, centros de flores y bordes punteados. Las boquillas redondas grandes, como la 2A y 1A, se utilizan para glasear cupcakes con rapidez y pulcritud. Las boquillas redondas se utilizan con tanta frecuencia que resulta práctico tenerlas de todos los tamaños disponibles.

Si utilizas boquillas con una abertura muy pequeña es importante tamizar el azúcar glas con un tamiz de malla muy fina. Si las boquillas se atascan pueden desatascarse con un alfiler, pero pueden dañarse, y es una solución temporal, pues el fragmento que bloqueaba la boquilla irá hacia atrás, pero acabará volviendo a aparecer.

BOQUILLAS DE ESTRELLA

Las boquillas de estrella se usan para muchos bordes, flores de estrella, rosetas y el relleno de un pastel con forma. Están disponibles en estrella abierta o cerrada. Las puntas de las boquillas de estrella se pueden dañar y doblar fácilmente, ten cuidado al lavarlas y guardarlas para evitar que se doblen. Las boquillas de estrella grandes como la 1G o la 1M se utilizan para decorar cupcakes.

BOQUILLAS DE FLORES DE GOTA

Las boquillas de flores de gota son similares a las de estrella, pero con un punto en el centro que permite crear flores con un centro vacío y pétalos llenos y detallados.

BOQUILLAS DE HOJAS

Las boquillas de flores se utilizan para hacer pétalos, hojas y flores de Pascua. Las boquillas con forma de V como la 352 y la 366 van muy bien para hacer hojas con punta fina.

BOQUILLAS DE PÉTALOS Y VOLANTES

Las boquillas de pétalos y volantes tienen forma de lágrima larga y forman hermosos pétalos de rosa, flor abanico, clavel, o sencillamente volantes. Otras variantes son la boquilla de pétalos de rosa curvados y la de pétalos de rosa en forma de «S».

BOQUILLAS VARIAS

Existen boquillas para múltiples usos. Por ejemplo, las boquillas con varias aberturas redondas pueden utilizarse para dibujar pentagramas, y las de crisantemo, en forma de «U», sirven para crear pétalos largos y ahuecados. Algunas boquillas especiales que vale la pena tener a mano son la de glaseado rápido 789 y la Bismark 230 para rellenar cupcakes.

Algunas empresas venden juegos de boquillas con gran variedad de tamaños y dibujos, que pueden incluir desde tres o cuatro boquillas hasta doscientas. Las siguientes boquillas serían un buen surtido inicial:

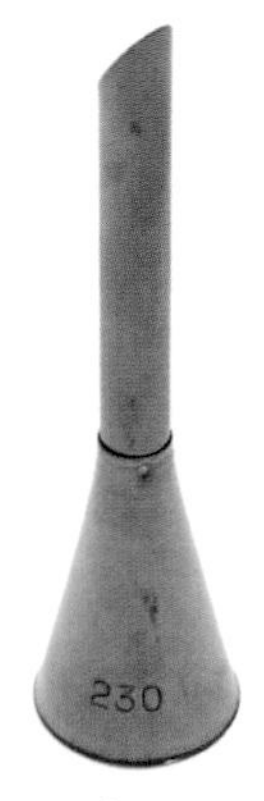

Bismark 230

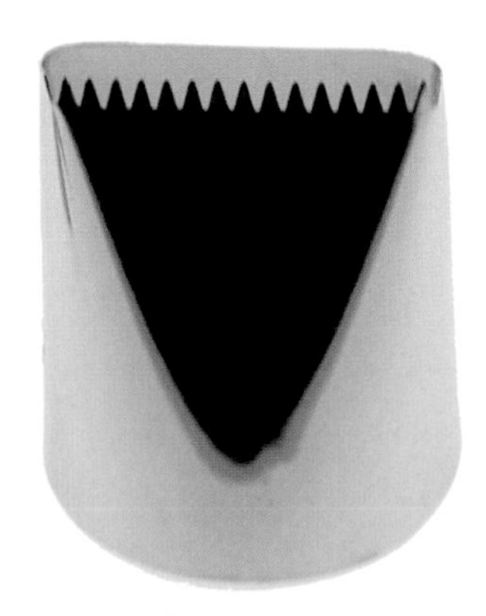

Glaseado rápido 789

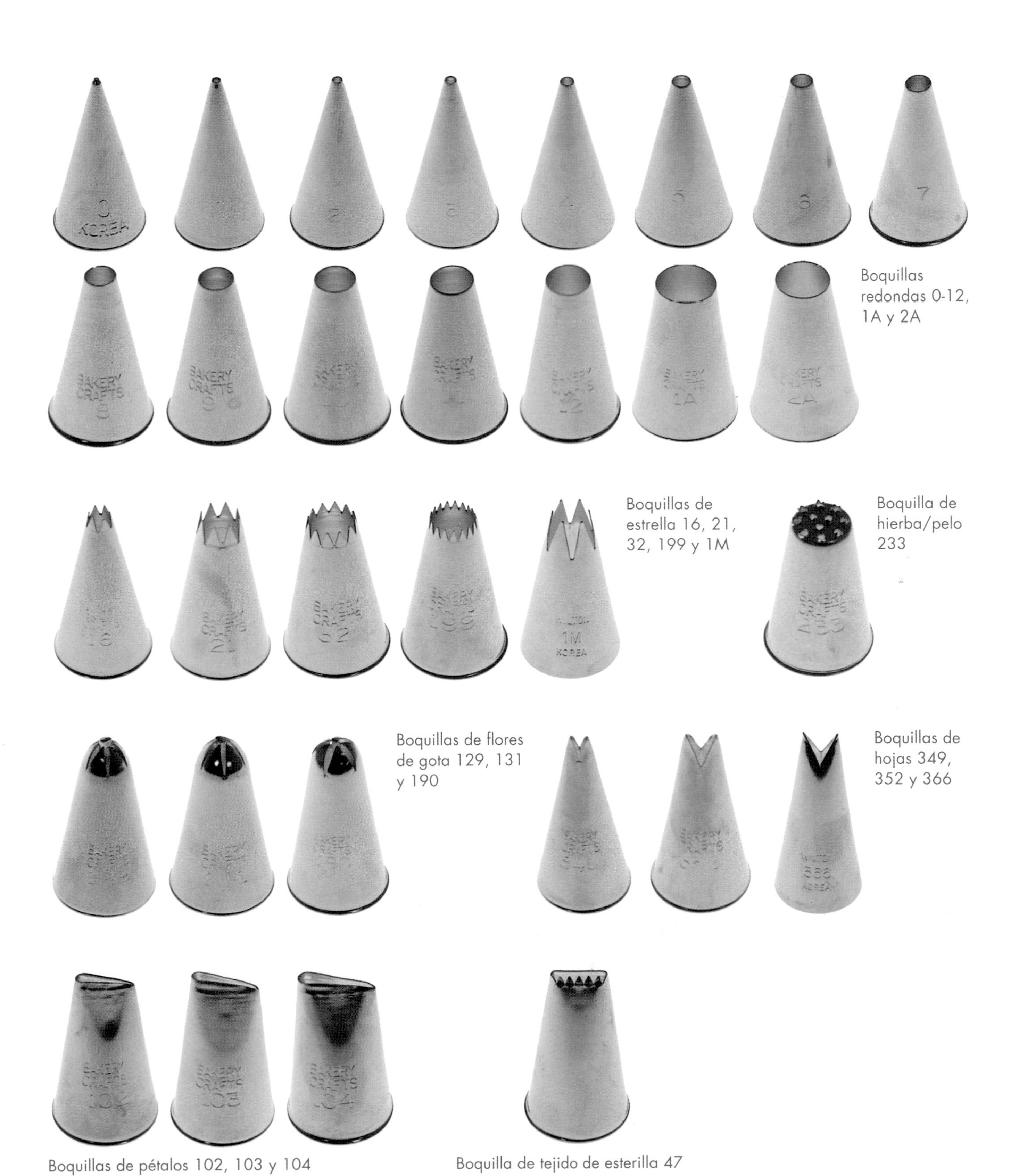

Boquillas redondas 0-12, 1A y 2A

Boquillas de estrella 16, 21, 32, 199 y 1M

Boquilla de hierba/pelo 233

Boquillas de flores de gota 129, 131 y 190

Boquillas de hojas 349, 352 y 366

Boquillas de pétalos 102, 103 y 104

Boquilla de tejido de esterilla 47

Glaseado básico

Es importante mantener la boquilla bien limpia para poder hacer dibujos nítidos y precisos. En las instrucciones del presente capítulo se utilizan medidas de boquilla estándar, pero existen muchas más medidas.

1

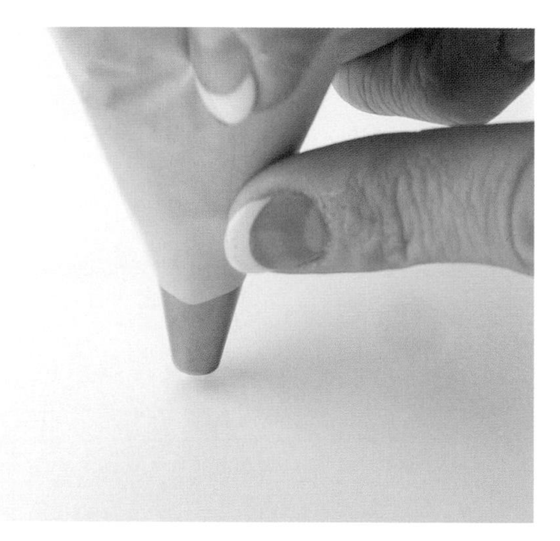

3

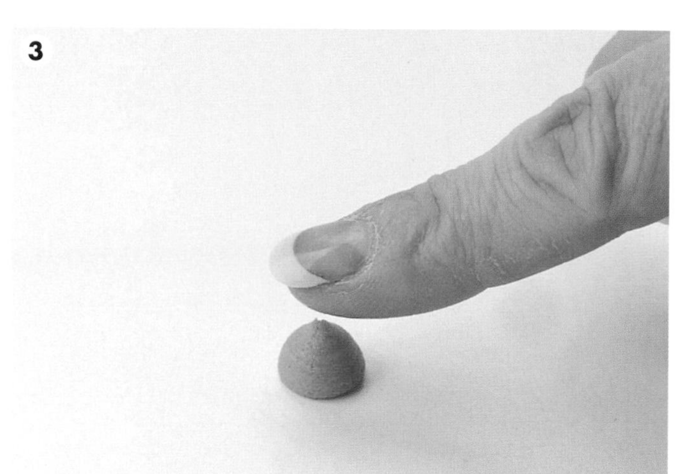

2

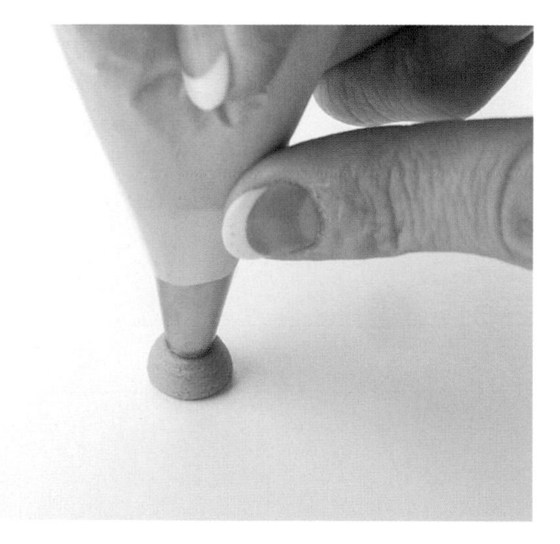

BOLAS

Puedes hacer bolas para un borde sencillo, el centro de una flor, una figura o puntos.

1 Empieza con la bolsa en un ángulo de 90°, justo encima de la superficie.

2 Aprieta la bolsa para formar un punto y sujeta firmemente la boquilla mientras el glaseado se forma alrededor de la boquilla. Sigue apretando la bolsa hasta que el punto sea del tamaño deseado. Deja de presionar y levanta la bolsa.

3 Si hay pequeños picos después de formar los puntos, presiona suavemente los picos con la punta del dedo índice antes de que el glaseado forme una corteza.

ESTRELLAS

Las estrellas se utilizan para hacer adornos sencillos o flores en los pasteles. Haz un pequeño punto en el centro de la estrella para hacer una flor. La abertura de la boquilla de estrella determinará el tamaño. Si aplicas demasiada presión, la estrella será más grande, pero se deformará, sin las puntas definidas. Para hacer estrellas más grandes utiliza una boquilla de estrella más grande. Las estrellas también suelen utilizarse para pasteles de moldes especiales y se dispensa el glaseado muy junto hasta cubrir completamente el pastel.

1 Empieza con la bolsa en un ángulo de 90°, justo encima de la superficie.

2 Aprieta la bolsa y forma una estrella.

3 Sigue apretando la bolsa hasta que la estrella tenga el tamaño deseado y no la levantes hasta acabar la estrella. Deja de apretar y levanta la bolsa.

4 Si haces estrellas contiguas, hazlas muy juntas para que no queden vacíos, o haz más estrellas en medio para eliminar los vacíos.

1

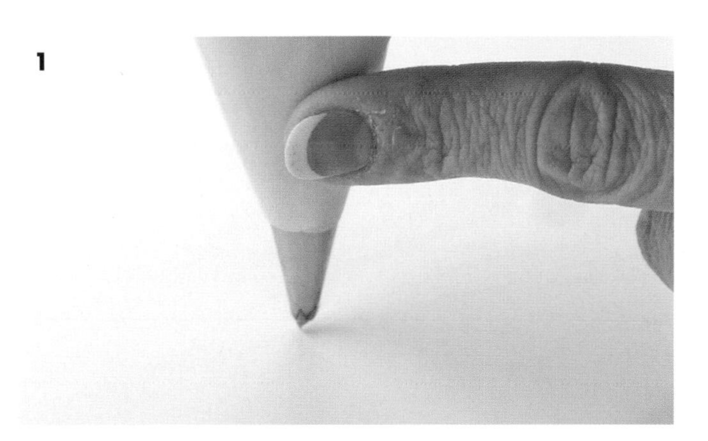

3

2

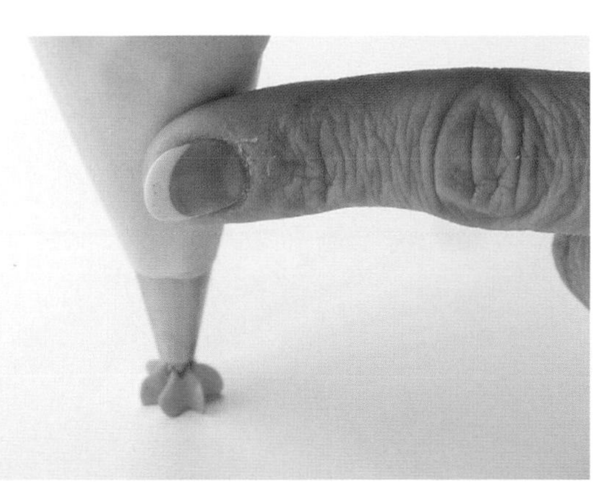

4

Pastel cubierto de estrellas

Una boquilla de estrella 16 es ideal para un pastel con forma especial, tardarás menos en cubrir el pastel con estrellas si utilizas una boquilla de estrella más grande, como la 21, pero las estrellas no tendrán un aspecto tan delicado.

HOJAS

La forma de la boquilla, la forma de sujetarla y el tiempo empleado afectan al aspecto de las hojas.

1 Coloca la bolsa en un ángulo de 45° y con una punta de la boquilla tocando la superficie.

2 Aprieta la bolsa con un breve golpe de presión para adherir la hoja.

3 Libera gradualmente la presión y levanta la boquilla. Deja de presionar y levanta la bolsa.

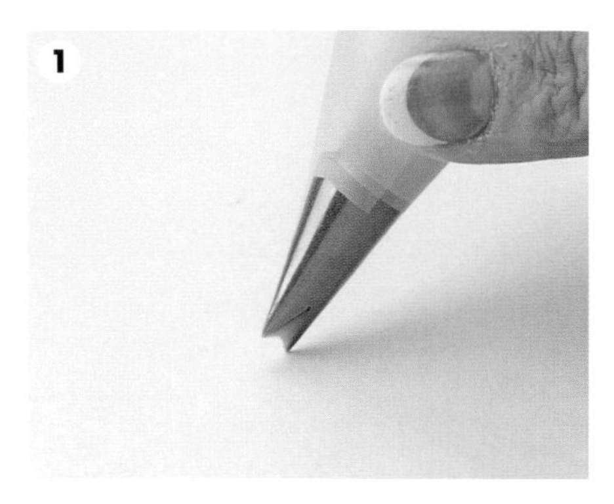
1

3

2

Para conseguir una hoja con pliegues, mueve ligeramente arriba y abajo la bolsa mientras aprietas.

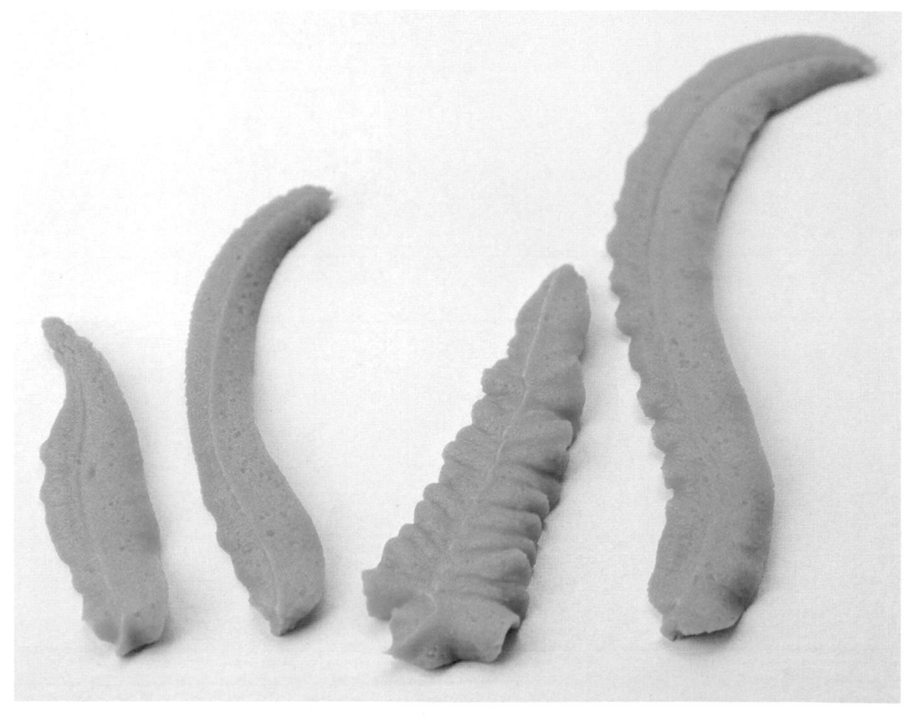

Puedes hacer hojas de muchos tamaños con la misma boquilla. Tira de la boquilla mientras aplicas presión regular para conseguir una hoja estirada.

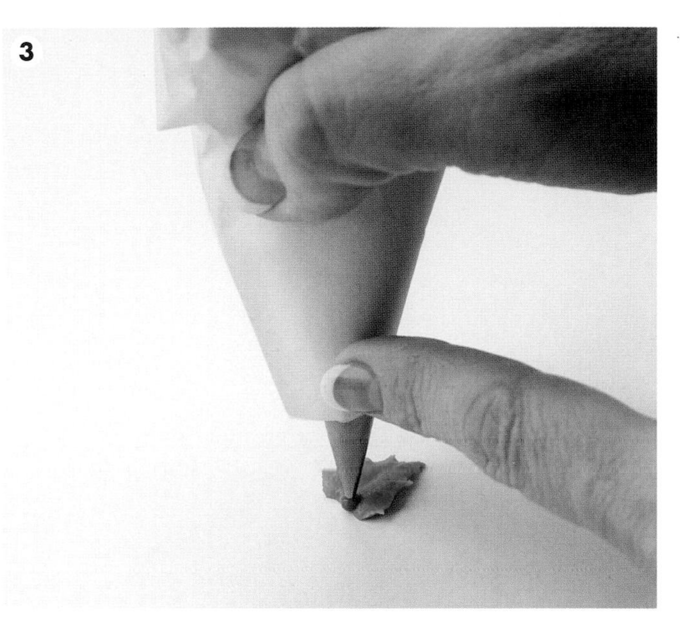

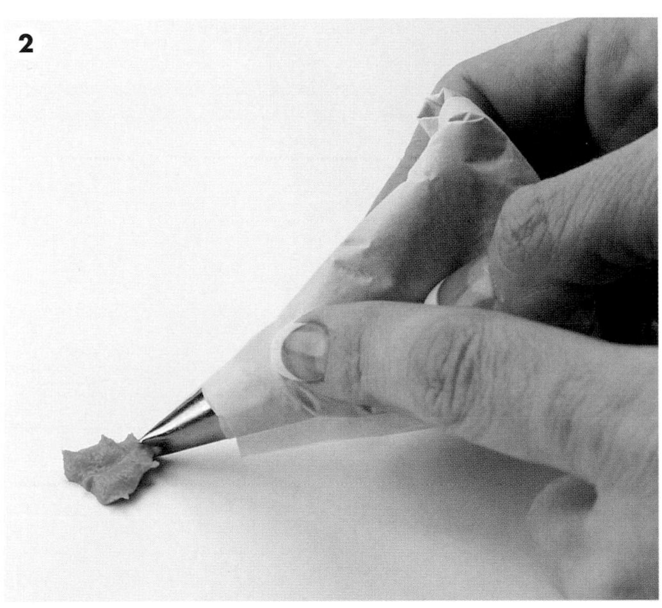

HOJAS DE ACEBO

Las hojas de acebo se hacen con una boquilla de hoja. Mezcla un poco de agua para ablandar el glaseado y que resulte más fácil tirar de las puntas de la hoja.

1 Haz una hoja.

2 Con la boquilla apoyada en la superficie, presiona suavemente la hoja para hacer puntas.

3 Haz las bayas con una boquilla redonda del 4.

PELO/HIERBA LATERAL

1 Coloca la bolsa en un ángulo de 45° y con la punta de la boquilla tocando la superficie.

2 Aprieta la bolsa con un breve golpe de presión para adherir el pelo.

3 Sigue presionando y arrastra la boquilla hasta la longitud deseada. Deja de presionar y levanta la bolsa.

4 Añade una fila contigua de pelo muy cerca, sin dejar espacios.

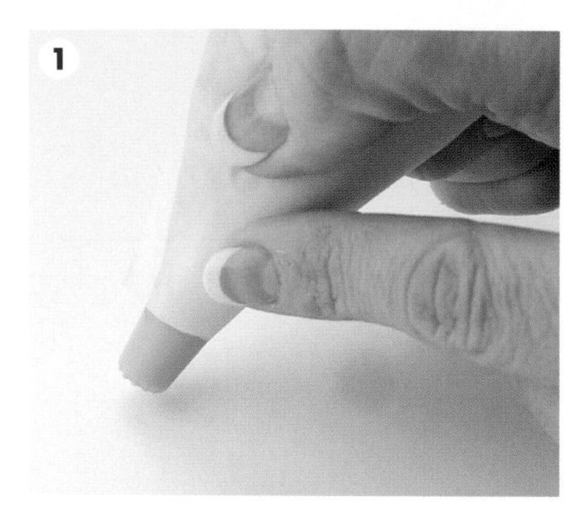

1

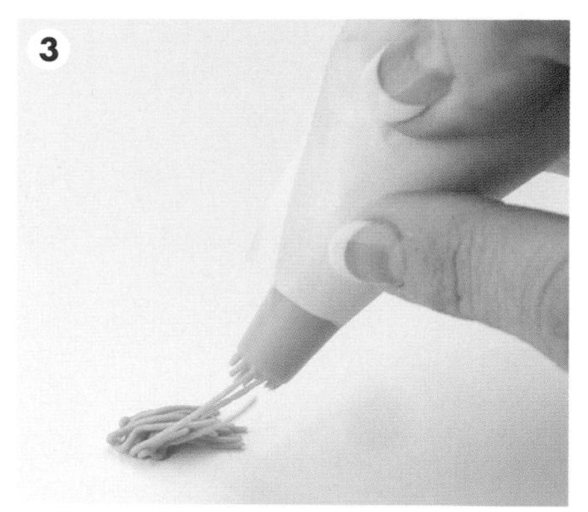

3

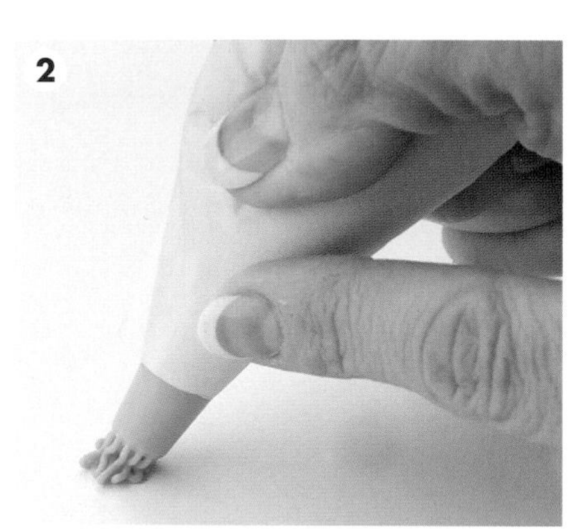

2

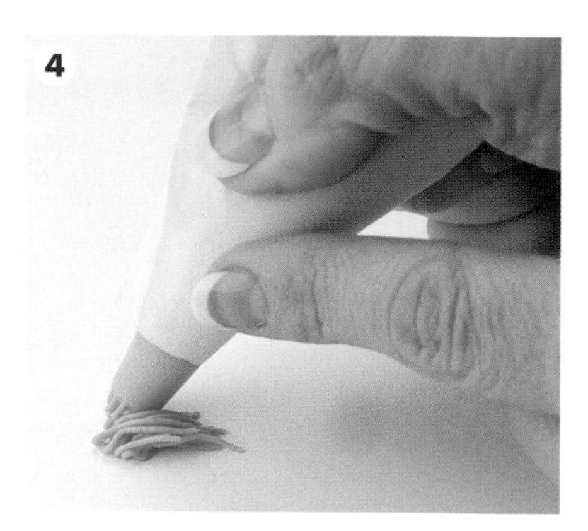

4

Si estás dibujando pelo, empieza por el final del pastel y haz una fila de pelo. Empieza la siguiente fila un poco más arriba y arrastra el glaseado para superponerlo en el punto inicial de la fila anterior.

Limpieza

Para hacer hilos de fondant detallados es muy importante mantener limpia la boquilla. La mayoría de boquillas para hierba de metal tienen rugosidades alrededor de los agujeros más pequeños que dificultan la limpieza del extremo de la boquilla. La boquilla para hierba de plástico es suave y sin rugosidades, por lo que es más fácil de limpiar.

HIERBA

1 Coloca la bolsa en un ángulo de 90° y con la punta de la boquilla tocando la superficie.

2 Aprieta la bolsa con un breve golpe de presión para adherir la hierba.

3 Sigue presionando y arrastra la boquilla hacia arriba.

4 Deja de presionar y levanta la bolsa. Sigue añadiendo la hierba muy cerca, sin dejar espacios.

1

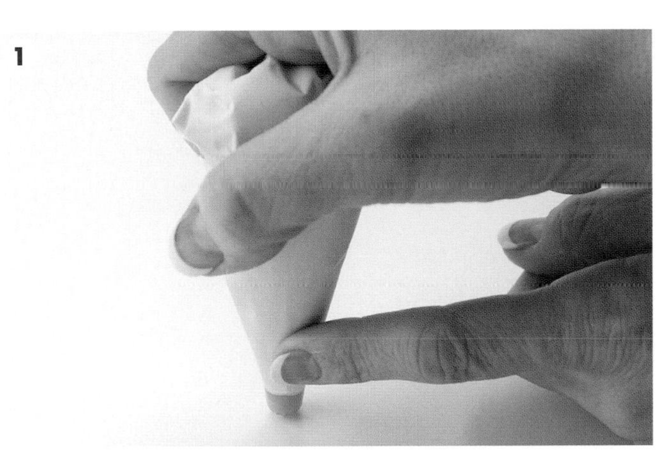

3

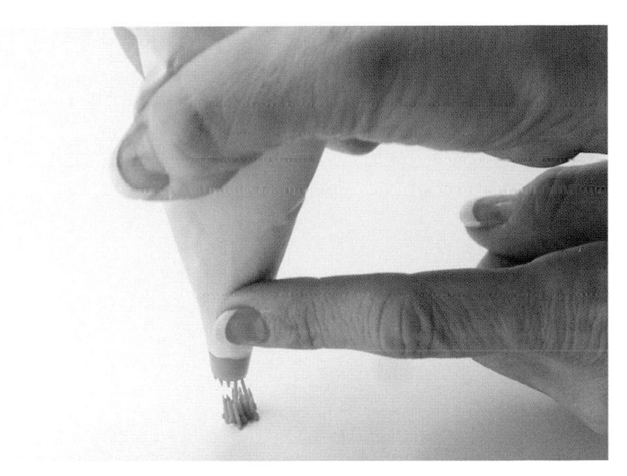

2

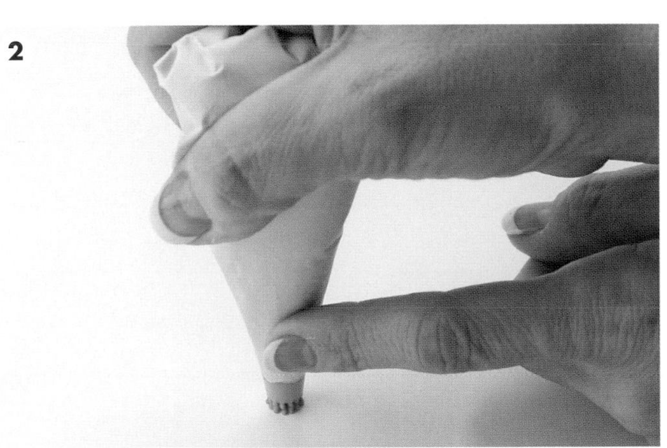

4

La longitud y el estilo de la hierba pueden variar. Para hacer hierba de tallo largo, empieza con un golpe de presión y sigue aplicando mucha presión mientras levantas la manga para alargar la hierba.

ESPIRALES/LÍNEAS FINAS

Las aberturas de boquilla redondas se utilizan para hacer líneas, espirales y tallos.

1 Coloca la bolsa en un ángulo de 45°.

2 Aprieta la bolsa para que salga el glaseado, toca la superficie y luego levanta el glaseado justo por encima de la superficie mientras sigues apretando.

3 Sigue con la misma presión mientras dibujas líneas o espirales. Deja que el glaseado fluya naturalmente de la bolsa a la superficie. No arrastres la boquilla sobre el pastel.

4 Deja de presionar y toca la superficie para pegar el final de la espiral.

1

3

2

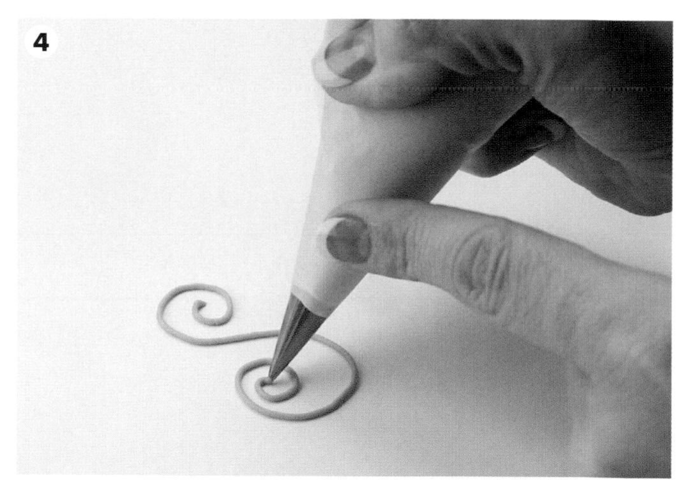
4

Presión

Si haces demasiada presión las líneas podrían serpentear. Si las líneas se rompen, eso significa que no estás presionando suficiente o que la bolsa se mueve demasiado rápido.

TEJIDO DE ESTERILLA

Un pastel glaseado con tejido de esterilla produce un hermoso efecto y puedes hacerlo con una boquilla de estrella.

1 Haz una línea vertical del área que deseas cubrir.

2 Haz líneas horizontales cortas sobre la línea vertical dejando un espacio de la anchura de la boquilla entre cada línea horizontal.

3 Cubre los extremos de la línea horizontal con otra línea vertical.

4 Empieza el siguiente grupo de líneas horizontales en el espacio vacío, sujetando la boquilla contra la primera línea vertical. Pasa por encima de la segunda línea vertical.

5 Repite el proceso hasta acabar toda el área.

1

3

2

4

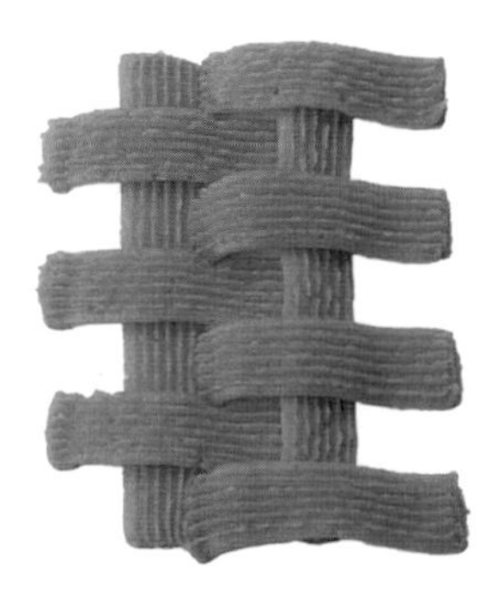

5

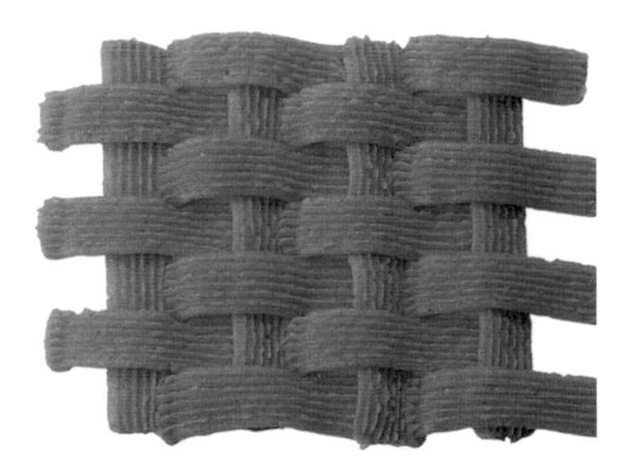

El estampado de tejido de esterilla cambia según el tipo de boquilla. Para el de la derecha se ha empleado una boquilla de estrella del 16.

Algunas boquillas para tejido de esterilla tienen rugosidades en ambos lados, mientras que otras tienen un lado suave y otro rugoso. La muestra de la derecha es con una boquilla 47. El lado suave de la boquilla se emplea para las líneas verticales y el lado rugoso para las horizontales.

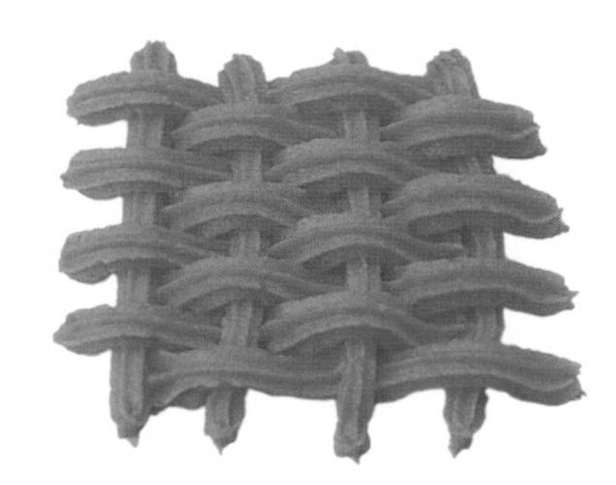

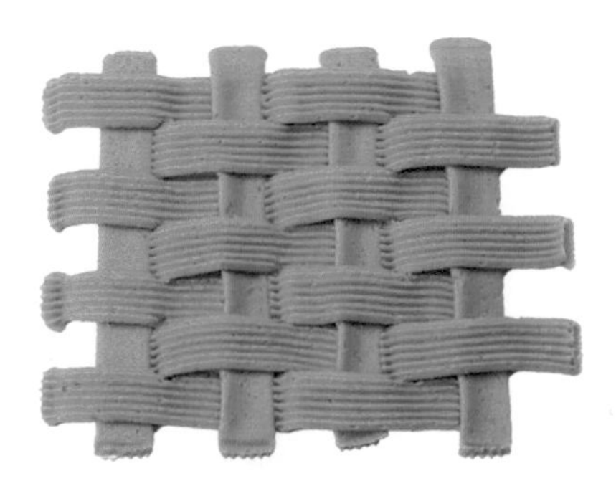

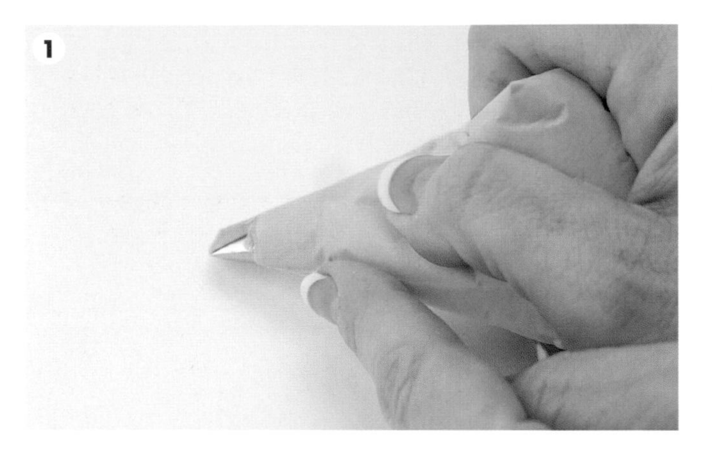

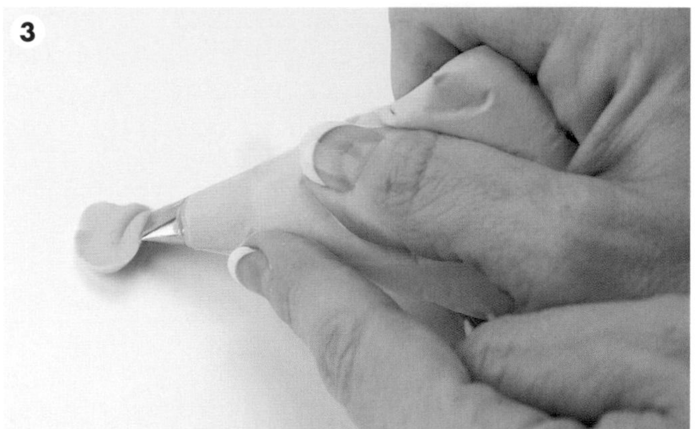

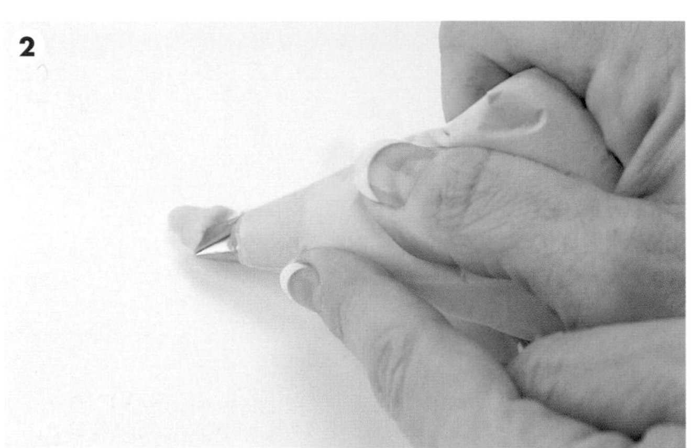

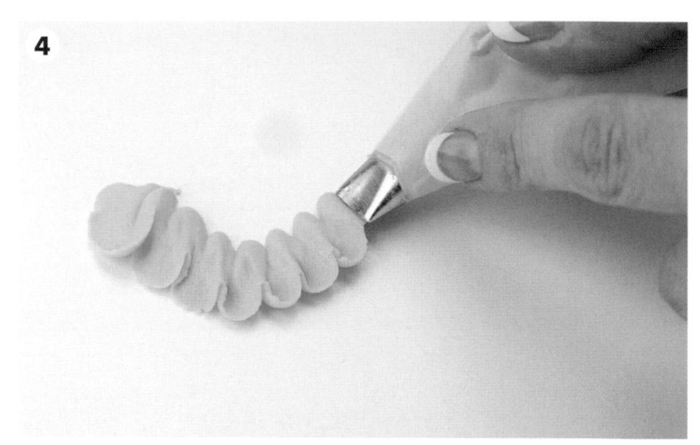

VOLANTES

1 Coloca el extremo ancho de la boquilla para pétalos de rosa contra el pastel, con el extremo más estrecho formando un poco de ángulo con el pastel.

2 Presiona la bolsa.

3 Sigue presionando mientras mantienes el extremo ancho de la boquilla tocando el pastel, y mueve la muñeca arriba y abajo para rizar el glaseado.

4 Sigue el volante alrededor del pastel.

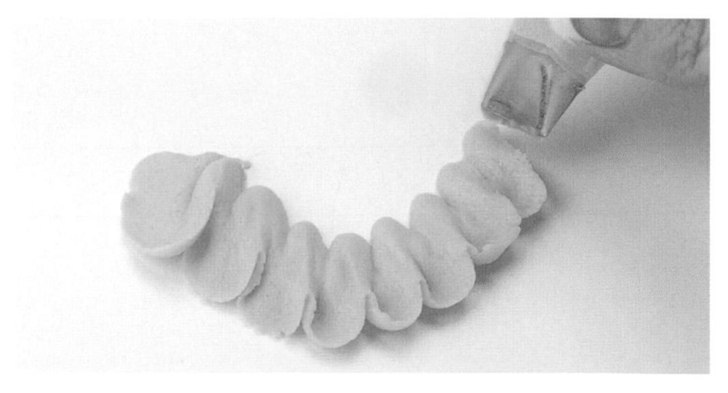

El volante puede transformarse en festón con solo curvar la guirnalda.

Evitar obstrucciones

Las boquillas finas como las del 1 se obstruyen fácilmente. Al mezclar la glasa real, tamiza bien el azúcar glas para evitar grumos. Si las boquillas se atascan, desatáscalas con un alfiler.

PUNTO PERDIDO

El encaje de punto perdido es una técnica de glaseado en la que el dibujo se forma mediante una línea continua, curvada y serpenteante. Las líneas nunca deben tocarse ni cruzarse.

1 Coloca la bolsa en un ángulo de 45°.

2 Aprieta la bolsa para que salga el glaseado. Toca la superficie y luego levanta el glaseado justo por encima de la superficie y dibuja líneas serpenteantes.

3 Sigue dibujando las curvas evitando que las líneas del glaseado se sobrepongan y llenando toda la zona deseada. Una vez cubierta la zona, deja de presionar y retira la boquilla.

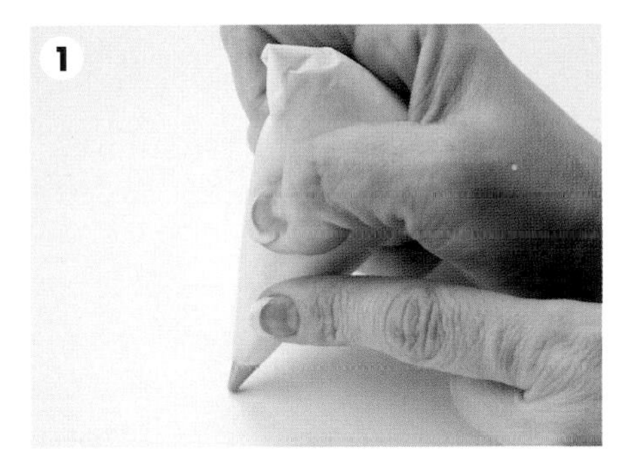

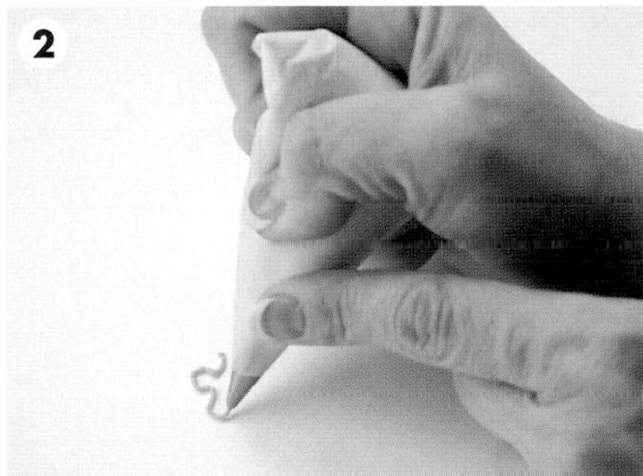

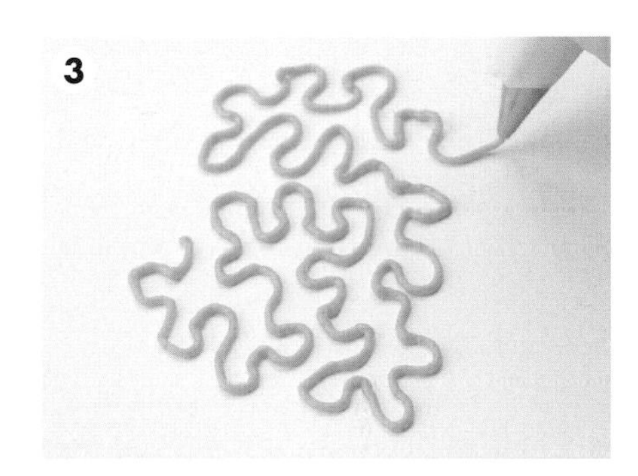

SOTAS

La decoración formando un embrollo de líneas finas y garabateadas se conoce en la industria de la decoración de pasteles como sotas. Utiliza esta técnica para texturizar determinadas áreas o como todo un revestimiento de textura sobre un pastel recubierto de fondant.

1 Coloca la bolsa en un ángulo de 45°.

2 Aprieta la bolsa para que salga el glaseado. Toca la superficie y luego levanta el glaseado justo por encima de la superficie y dibuja líneas serpenteantes.

3 Deja que el glaseado se sobreponga y se junte.

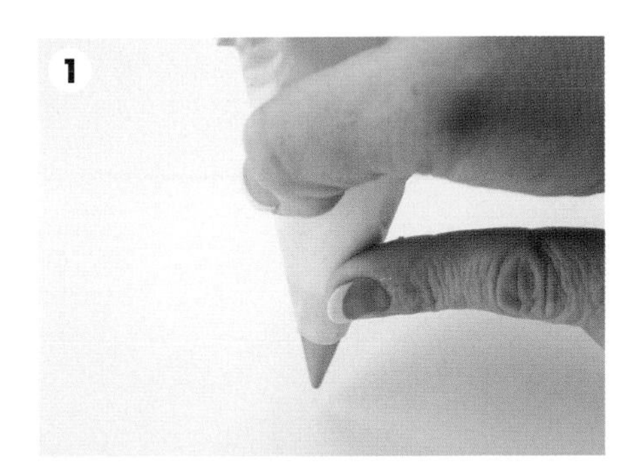

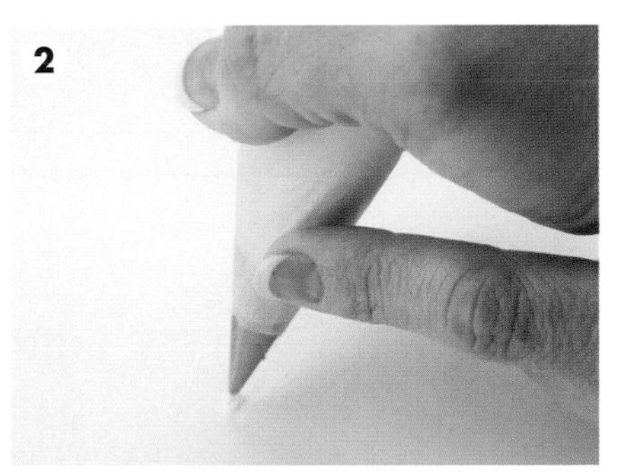

Dilución

El glaseado se puede diluir para permitir que fluya fácilmente de la bolsa. Un exceso de agua fundiría el glaseado: una pizca de agua es suficiente.

Bordes

Los bordes con manga pastelera ofrecen un acabado profesional, y algunos son sencillos y fáciles de dominar. Si colocas el pastel en un plato giratorio podrás girarlo y conseguir un borde uniforme y consistente. En un pastel redondo, imagínalo como un reloj: deberás empezar el borde a las 3. Si es un pastel de bandeja de horno, empieza por una esquina. Mueve la mano por el lateral del pastel aplicando una presión firme y uniforme.

El tamaño y la forma de cada borde varían en función de la boquilla. Por ejemplo, existen más de 40 boquillas en forma de estrella, por lo que un borde de conchas con boquilla de estrella del 21 tendrá un aspecto diferente que un borde de conchas con boquilla de estrella del 199. En los bordes de este capítulo se han utilizado los tamaños habituales de boquillas de decoración. Para realizar dibujos más delicados deberás usar boquillas con aberturas más pequeñas. Consulta la guía de boquillas de la página 86 para tener una idea de la forma y el tamaño de cada boquilla.

Los bordes no parecerán profesionales si no tienen un tamaño uniforme. Practica para mantener la presión constante sobre una tabla de prácticas de decoración o sobre el dorso de un molde de horno plano antes de adornar directamente el pastel.

1

2

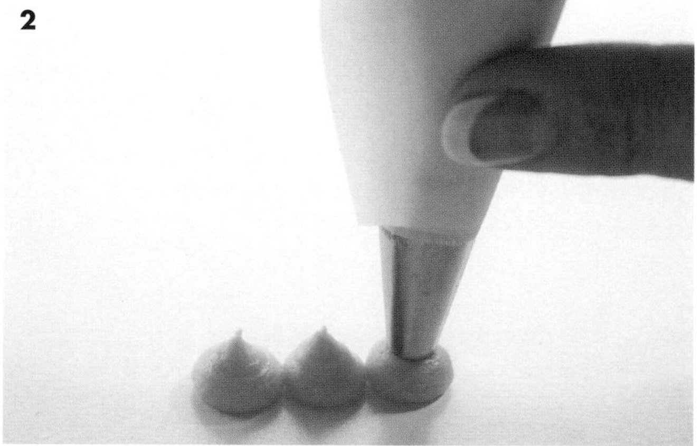

BORDE DE PUNTOS

Los puntos añaden un borde limpio y sencillo a los pasteles. Un punto se hace con una boquilla de abertura redonda (la de la imagen es del 10).

1 Empieza con la bolsa de repostería en un ángulo de 90° sobre la superficie.

2 Aprieta la bolsa para hacer un punto y sujeta la boquilla con firmeza mientras el glaseado sale por la boquilla. Sigue apretando la bolsa hasta conseguir un punto del tamaño deseado. Deja de apretar y levanta la bolsa.

3 Sigue haciendo puntos, uno detrás de otro, a una presión constante.

3

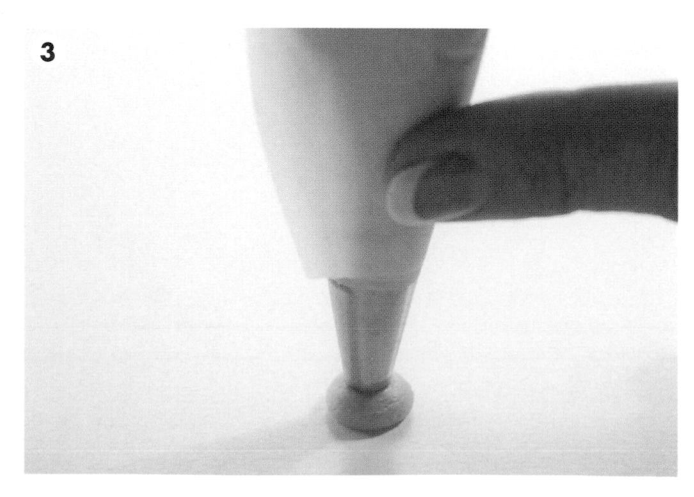

4 Si se forman pequeños picos después de hacer los puntos, presiona suavemente el pico con la yema del dedo índice antes de que el glaseado forme una corteza.

BORDE DE ESTRELLAS

Este borde se hace exactamente igual que el de puntos, pero con una boquilla de estrella (la de la imagen es del 18).

1. Empieza con la bolsa de repostería en un ángulo de 90° sobre la superficie.
2. Aprieta la bolsa para hacer una estrella.
3. Sigue apretando la bolsa hasta conseguir una estrella del tamaño deseado y no la levantes hasta acabar la estrella. Deja de presionar y levanta la bolsa.
4. Sigue haciendo estrellas, una detrás de otra, a una presión constante.

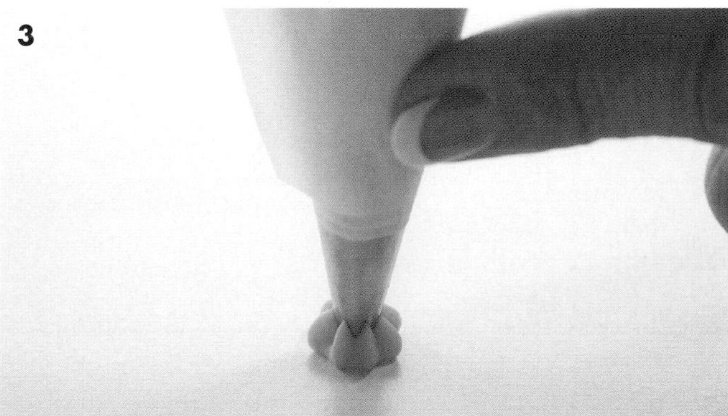

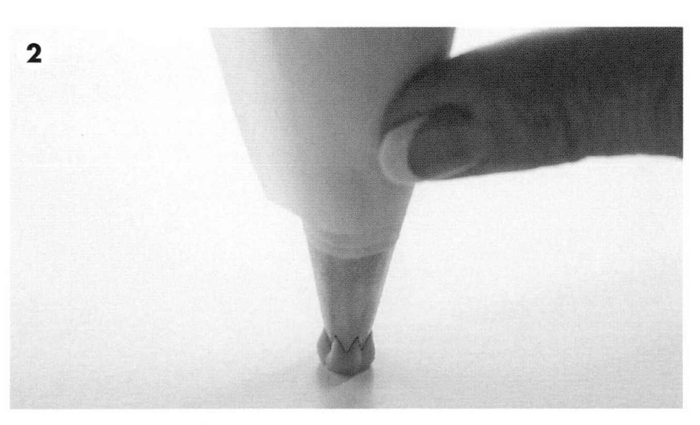

BORDE DE ROSETAS

Un borde de rosetas es una alternativa elegante a los puntos y las estrellas. Se utiliza una boquilla de estrella (la de la imagen es del 18).

1 Empieza con la bolsa de repostería en un ángulo de 90° sobre la superficie.

2 Aprieta la bolsa para hacer una estrella y sigue apretándola hasta conseguir una estrella del tamaño deseado.

3 Levanta la bolsa mientras sigues presionando y mueve la bolsa a la posición horaria de las 9 (a las 3 si utilizas la mano izquierda).

4 Sigue presionando y rodea la estrella en el sentido contrario a las agujas del reloj.

5 Al llegar a las 12, deja de presionar y arrastra la cola de nuevo hasta las 9 (3 para zurdos). Aparta la boquilla.

6 Sigue haciendo rosetas, una detrás de otra.

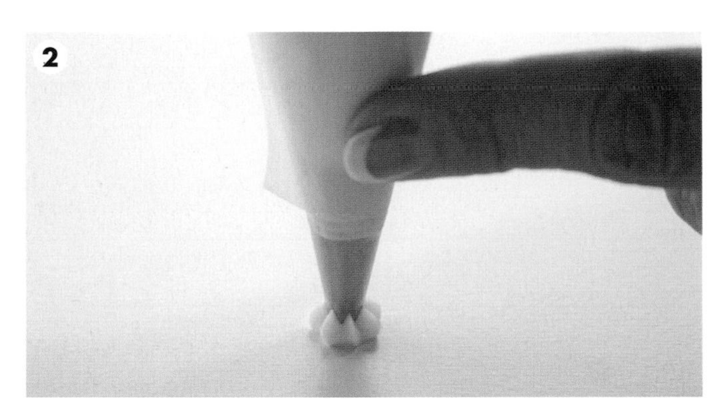

1

4

2

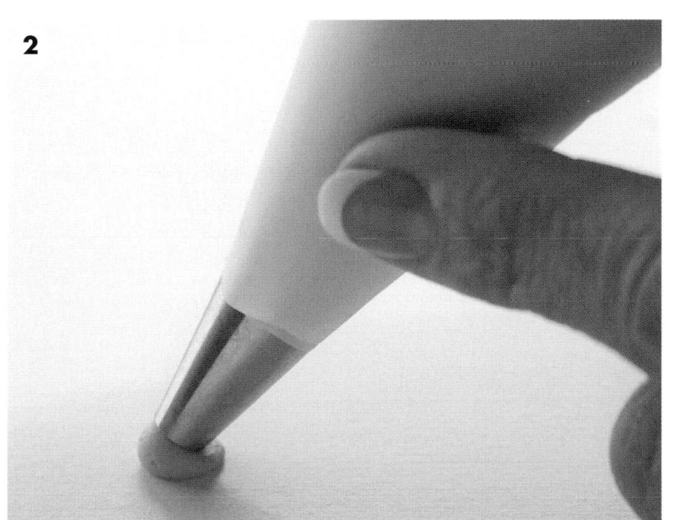

5

3

BORDE DE LÁGRIMAS

Un borde de lágrimas se consigue con una boquilla redonda, dibujando una fila de lágrimas encadenadas (boquilla 10).

1 Coloca la bolsa en un ángulo de 45°, casi tocando la superficie.

2 Aprieta la bolsa para formar una bola.

3 Libera presión gradualmente y arrastra la boquilla para formar una lágrima. Deja de presionar y levanta la bolsa.

4 Empieza la siguiente lágrima al final de la primera.

5 Sigue haciendo lágrimas a una presión constante.

BORDE DE CONCHAS

El borde de conchas es uno de los más extendidos en la decoración de pasteles. Se obtiene formando una fila de conchas con una boquilla de estrella (boquilla 18).

1 Coloca la bolsa en un ángulo de 45°, casi tocando la superficie.

2 Presiona la bolsa y mueve la boquilla ligeramente hacia delante.

3 Vuelve al punto inicial, libera presión gradualmente y arrastra la boquilla formando una concha. Deja de presionar y retira la boquilla.

4 Empieza la siguiente concha en el extremo de la primera y repite los pasos 2 y 3.

5 Sigue haciendo conchas hasta completar el borde.

1

2

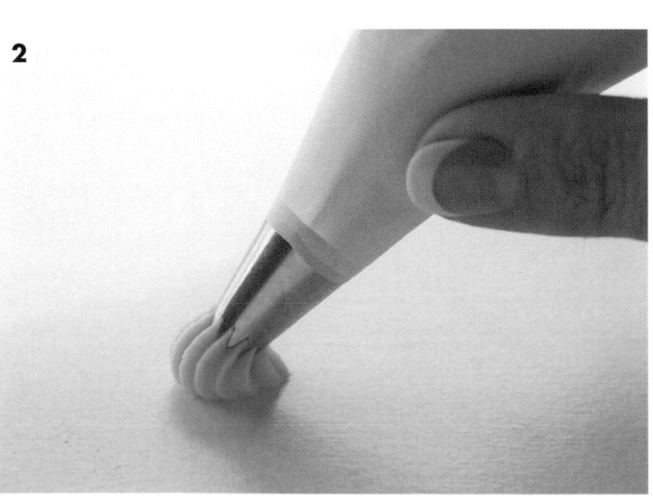

3

4

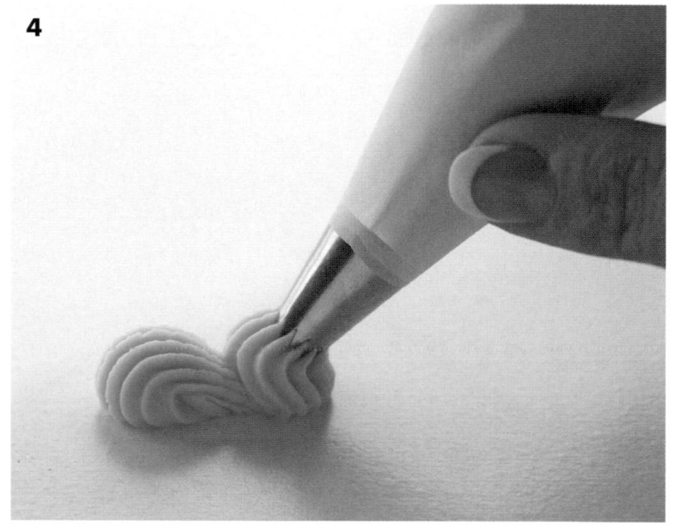

5

BORDE EN ZIGZAG

Utiliza una boquilla de estrella para hacer este borde clásico. El diseño puede variar si haces los puntos muy juntos o si alargas la distancia entre los puntos (boquilla 18).

1 Coloca la bolsa en un ángulo de 45°, casi tocando la superficie.

2 Mueve la boquilla en zigzag aplicando una presión regular.

3 Una vez acabado el borde, deja de presionar y levanta la bolsa.

BORDE DE CUERDA

Un borde de cuerda complementa muy bien los pasteles temáticos del oeste. También es un hermoso borde para el tejido de esterilla. Puedes hacerlo con una boquilla de estrella (boquilla 18).

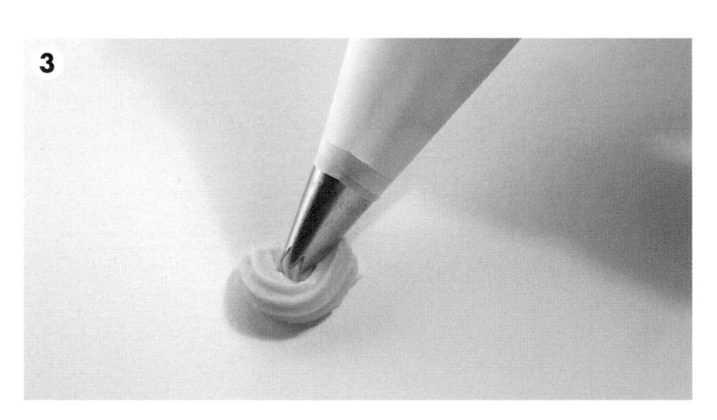

1 Coloca la bolsa en un ángulo de 45°, casi tocando la superficie.

2 Dibuja una forma en «U» aplicando presión regular.

3 Inserta el extremo de la boquilla en la curva de la «U» dibujada y mantén la bolsa apartada de la «U».

4 Con una presión mínima, baja la boquilla y luego levanta el glaseado por encima del punto final de la «U» y forma la siguiente.

5 Repite los pasos 3 y 4.

6 Sigue hasta completar el borde.

BORDE DE INTERROGANTES

El borde de interrogantes resulta muy elegante y se elabora con boquilla de estrella. El dibujo puede variar si haces los interrogantes más juntos o más separados (boquilla 18).

1 Coloca la bolsa en un ángulo de 45°, casi tocando la superficie.

2 Pega el glaseado con un golpe de presión.

3 Sigue con poca presión y dibuja un interrogante lateral con una cola curva. No dejes de presionar.

4 Sigue presionando y vuelve un poco sobre la curva de la primera cola; luego avanza formando el siguiente interrogante lateral.

5 Sigue hasta completar el borde.

BORDE EN «C»

El borde en «C» es como el borde de interrogantes a la inversa. El dibujo puede variar si haces las letras más juntas o más separadas.

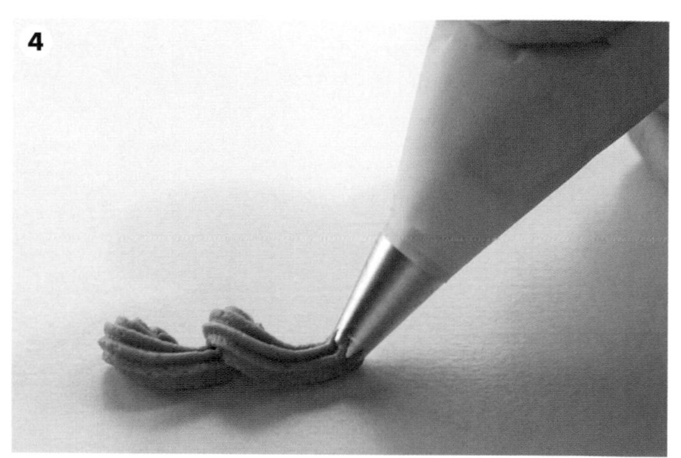

1 Coloca la bolsa en un ángulo de 45°, casi tocando la superficie.

2 Pega el glaseado con un golpe de presión.

3 Sigue con poca presión y dibuja una «C» lateral con una cola curva. No dejes de presionar.

4 Sigue presionando y vuelve un poco sobre la curva de la primera cola; luego avanza formando la siguiente forma de «C».

5 Sigue hasta completar el borde.

BORDE DE RIZO INVERTIDO

El borde de rizo invertido se realiza con una boquilla de estrella y combina el borde en «C» con el borde de interrogantes (boquilla 18).

1 Coloca la bolsa en un ángulo de 45°, casi tocando la superficie.

2 Pega el glaseado con un golpe de presión y dibuja una «C» lateral con una cola curvada. No dejes de presionar.

3 Sigue presionando y vuelve un poco sobre la curva de la primera cola; luego avanza formando un interrogante lateral que acabe con una cola curvada.

4 Alterna las formas de «C» y los interrogantes hasta completar el borde.

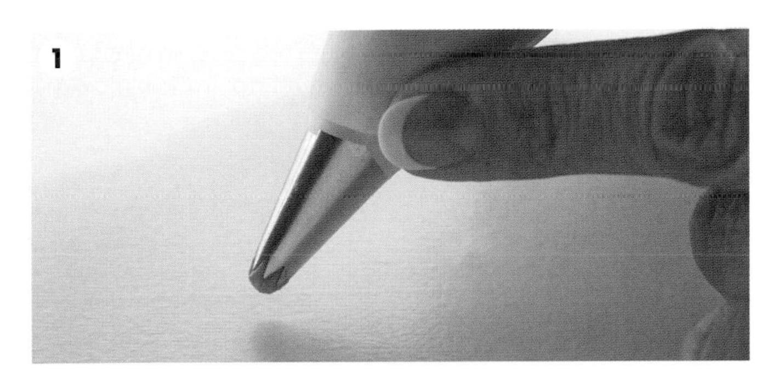

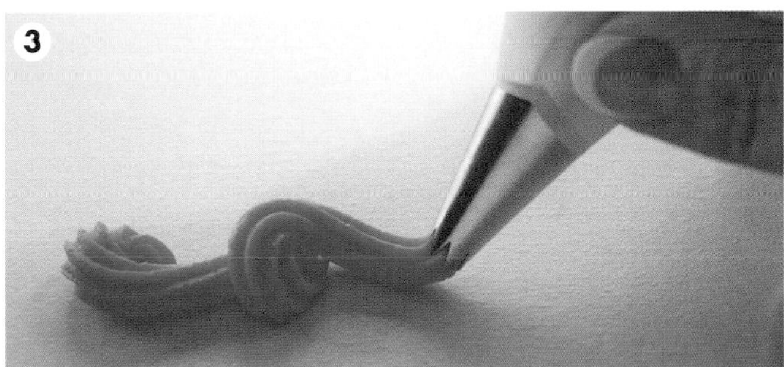

BORDES DECORADOS

Combina y/o decora los bordes para crear un diseño más elaborado.

Decora el borde con perlas, flores o adornos comerciales de azúcar comestible.

Letras

Las letras de un pastel pueden decidir su éxito o su fracaso. Por muy bien decorado que esté un pastel, unas letras deformes o irregulares podrían echarlo a perder. Dominar las letras decorativas requiere práctica. Consigue un acabado perfecto con el método de transferencia mediante plantillas que trata este capítulo. Lo mejor es dejar que el glaseado de crema de mantequilla forme una corteza antes de escribir las letras, o el color podría correrse. A ser posible, escribe el mensaje en el pastel antes de añadir otros adornos, así podrás rodearlo con flores y otros adornos. Utiliza la boquilla 1 o 2 para una escritura fina. Puedes utilizar aberturas más grandes, pero las letras quedarán poco definidas.

DIBUJAR LETRAS

1 Coloca la bolsa en un ángulo de 45°, tocando la superficie. Aprieta el glaseado y levanta la bolsa rozando la superficie.

2 Sigue presionando de forma regular y escribe la letra. Deja que el glaseado fluya naturalmente de la bolsa sobre la superficie. No arrastres la boquilla sobre el pastel.

3 Toca la superficie y deja de apretar.

1

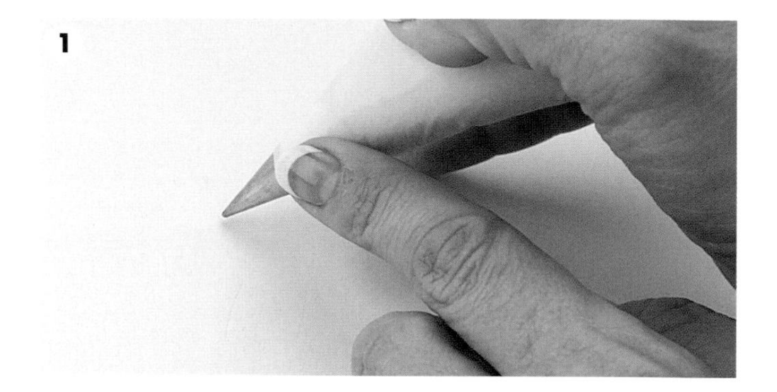

2

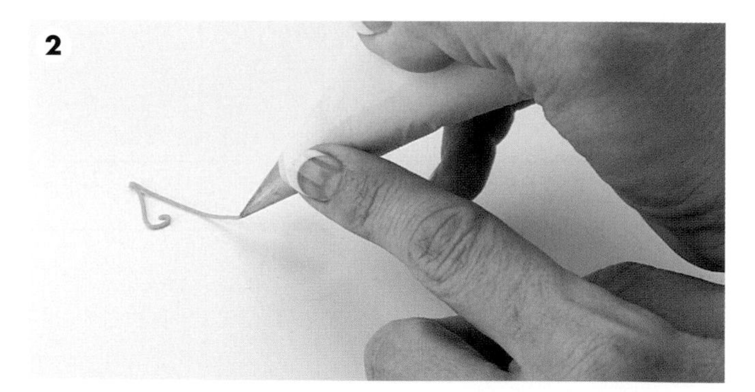

3

Caligrafía perfecta

- El fondant puede diluirse ligeramente con unas gotas de agua para que fluya fácilmente por la boquilla fina.
- Si escribes las letras a mano alzada es difícil evitar que vayan hacia arriba o hacia abajo. Sobre un pastel recién recubierto de fondant, o después de que la crema de mantequilla cuaje, utiliza una regla y un palillo para marcar puntos sobre el pastel y seguir una línea recta.
- Practica el mensaje en una hoja de papel de hornear para saber cuánto espacio necesitarás para escribirlo.

PLANTILLAS SOBRE CREMA DE MANTEQUILLA

Hay plantillas de diseños con diferentes mensajes, o puedes escribir tu propio mensaje con plantillas del alfabeto. Es importante dejar que la crema de mantequilla se asiente completamente antes de presionar una plantilla sobre el glaseado.

1 Deja que la crema de mantequilla forme una corteza. Presiona la plantilla de letras sobre el pastel.

2 Levanta la plantilla.

3 Dibuja encima de las letras grabadas.

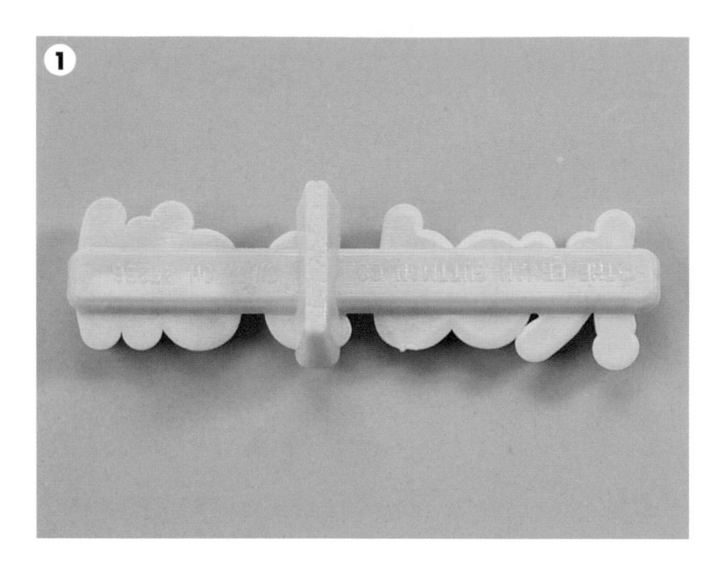

PLANTILLAS SOBRE FONDANT

Es importante grabar el fondant poco después de recubrir el pastel, de lo contrario podría agrietarse al presionar las letras.

1 Presiona las letras sobre un pastel recién recubierto de fondant.

2 Levanta la plantilla.

3 Dibuja encima de las letras grabadas.

Otra técnica consiste en mojar una almohadilla de fieltro seca con color de aerógrafo. Frota las letras contra la almohadilla mojada y graba el fondant con las letras. Practica sobre un trozo de fondant sobrante antes de grabar el pastel recubierto.

MÉTODO DE TRANSFERENCIA SOBRE FONDANT

Este método solo funciona sobre un pastel recubierto de fondant que ha formado una superficie firme y semidura. Deja asentar el pastel unas horas o toda la noche.

1 Escribe el mensaje con un procesador de textos al tamaño deseado e imprímelo.

2 Traza la parte posterior de las letras con un lápiz no tóxico certificado por la PMA (Asociación de fabricantes de lápices). Si las letras no se ven bien, coloca el papel impreso sobre una caja de luz o sobre una ventana al trasluz.

3 Coloca el mensaje encima de un pastel recubierto de fondant cuajado. Frota el lápiz sobre el lateral, garabateando sobre las letras y sin mover el papel.

4 Levanta el papel: el lápiz dejará una línea apenas visible de las letras. Escribe sobre el contorno.

Flores sencillas

Las flores de este capítulo son fáciles de hacer, muy delicadas y sirven como flores provisionales. Puedes hacerlas directamente sobre el pastel con crema de mantequilla. Haz las flores de glasa real sobre un papel de hornear, deja que se endurezcan unas horas y guárdalas en un recipiente. Las flores aguantarán algunos meses.

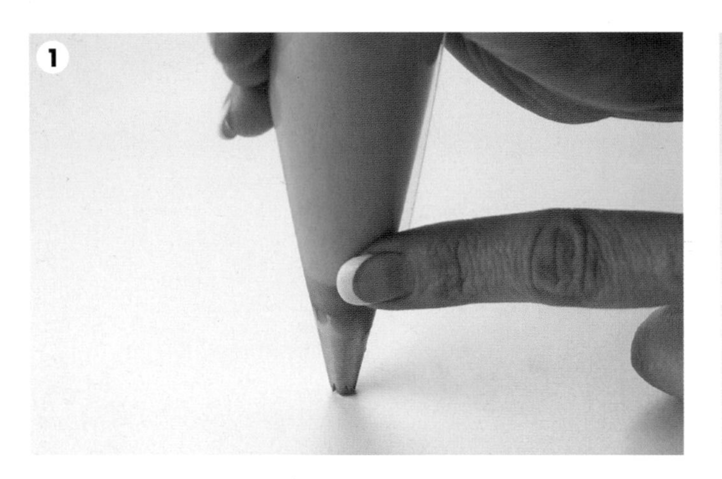

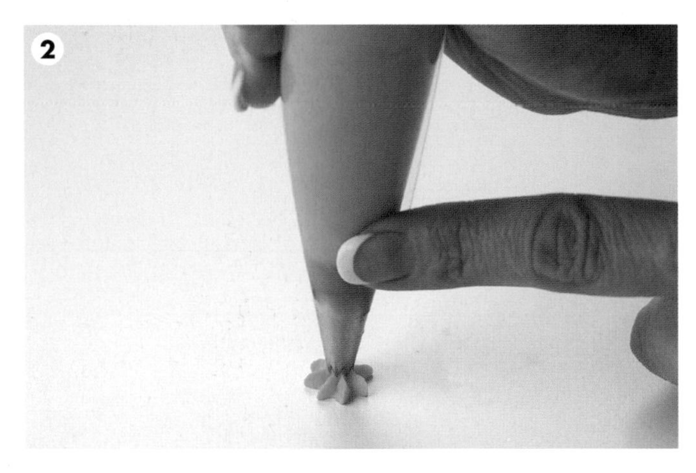

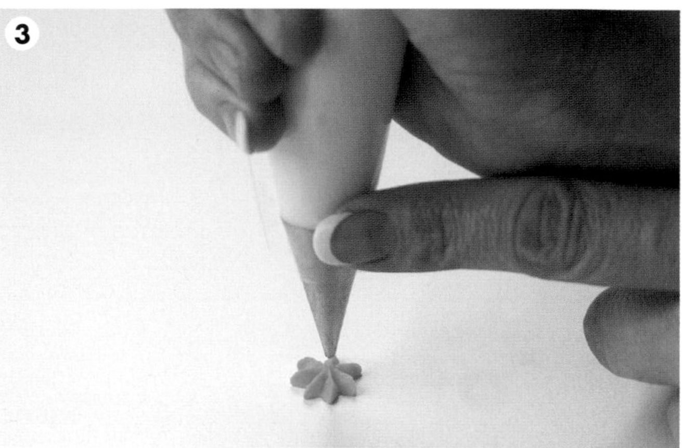

FLORES DE ESTRELLA

1 Empieza con la bolsa en un ángulo de 90° y tocando la superficie.

2 Aprieta la bolsa y haz una estrella. Sigue apretando hasta que la estrella tenga el tamaño deseado y no levantes la bolsa hasta acabarla. Deja de presionar y levanta la bolsa.

3 Haz un punto en el centro con un color de contraste.

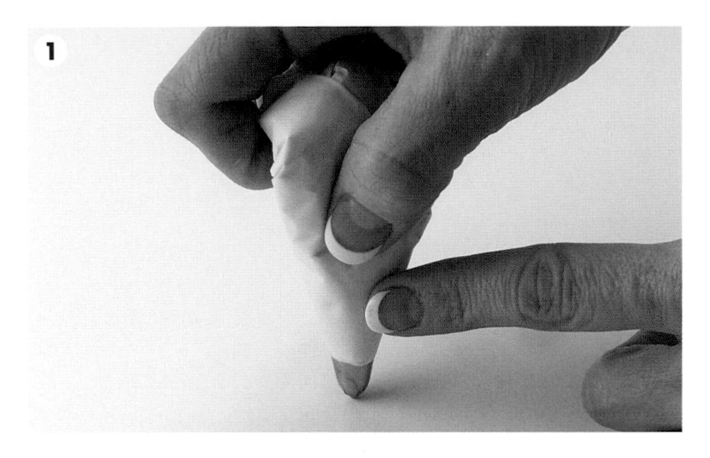

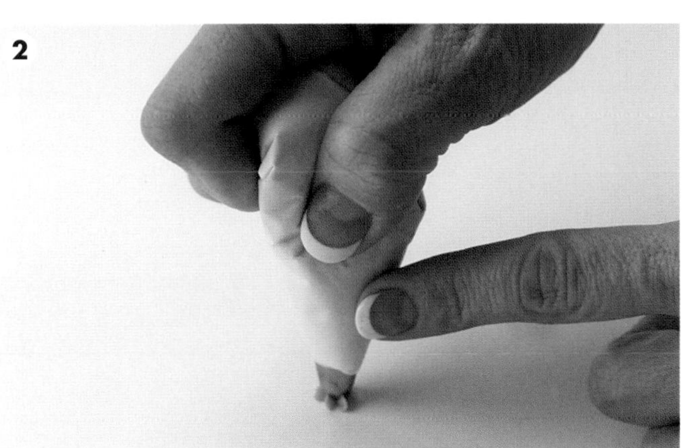

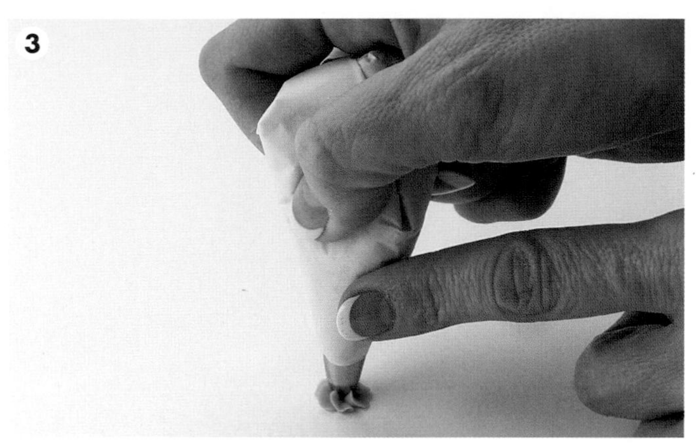

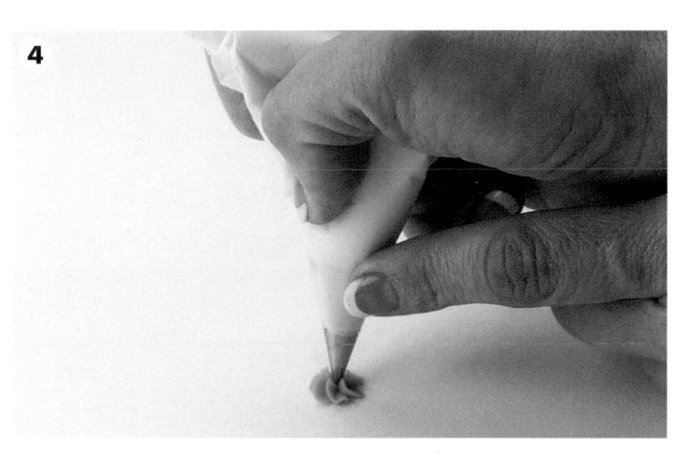

FLORES DE GOTA

1 Empieza con la bolsa en un ángulo de 90° y tocando la superficie.

2 Presiona y gira la boquilla un cuarto de giro, sin dejar de tocar la superficie.

3 Sigue presionando mientras giras. Libera presión y levanta la boquilla verticalmente con un ligero tirón para soltar el glaseado.

4 Utiliza un color de contraste y dibuja un punto en el centro.

Pétalos definidos

Para hacer unos pétalos más definidos debes presionar y girar a la vez. Para las flores con volantes (véase imagen), utiliza crema de mantequilla firme. Para suavizar los pétalos diluye ligeramente la crema de mantequilla con agua.

Flores avanzadas

Para dominar las flores de este capítulo se requiere práctica. Las instrucciones son para hacer flores con glaseado de crema mantequilla, aunque la mayoría pueden hacerse con glasa real. Las de crema de mantequilla se pueden hacer con unos días de antelación, y las de glasa real con unos meses de antelación. Guarda las flores a temperatura ambiente en una caja cubierta holgadamente. La consistencia necesaria del glaseado variará en función de las flores. Algunas de ellas, como el clavel, tienen pétalos con bordes rugosos que requieren un glaseado firme. Si mezclas crema de mantequilla o glasa real desde cero, añade menos agua si deseas un glaseado más firme. Si la crema de mantequilla o la glasa real ya están preparadas, puedes añadir más azúcar glas. Las flores con bordes suaves requieren un glaseado de consistencia media. Si los pétalos son demasiado rugosos, añade un poco de agua a la crema de mantequilla o la glasa real; un exceso de agua hará que los pétalos se deshagan o se desmoronen.

UTILIZAR UN CLAVO PARA FLORES

La mayoría de flores del presente capítulo requieren un clavo para flores, que se utiliza como miniplato giratorio controlado con los dedos para que el flujo del glaseado sea consistente.

1 Añade un punto de glaseado sobre el clavo y pega un pequeño cuadrado de papel de hornear.

2 Sujeta el clavo para flores con los dedos índice y pulgar. Gira el clavo para que gire de forma natural. Dibuja la flor deseada.

3 Traslada el cuadrado de papel de hornear a una bandeja y deja secar las flores.

4 Cuando las flores estén secas, desliza una espátula con una hoja fina por debajo de la flor para liberarla.

Traslada la flor al pastel.

4

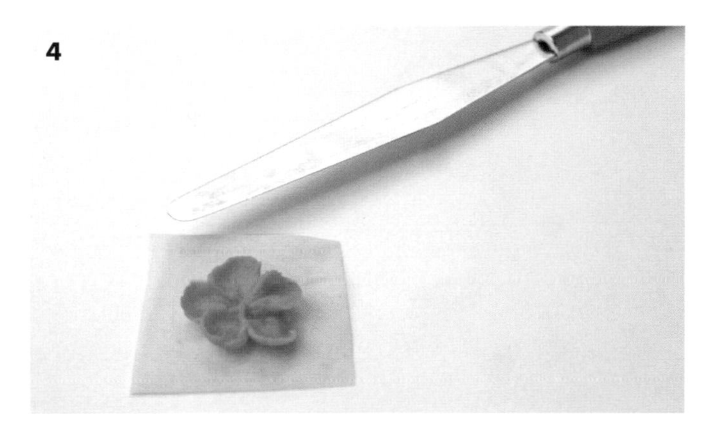

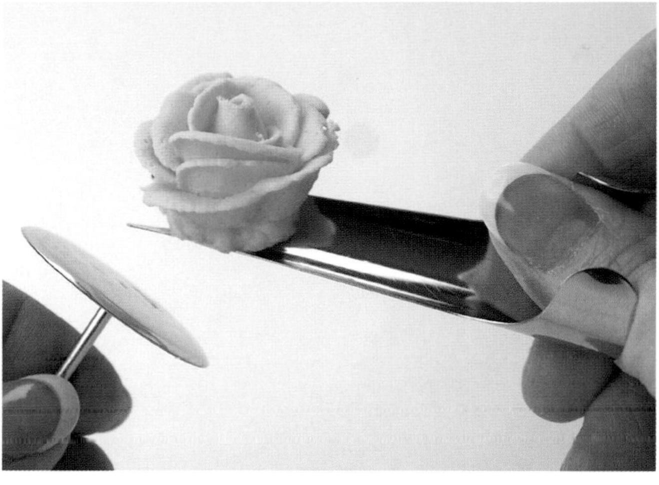

Si vas a utilizar inmediatamente las flores, puedes hacerlas directamente sobre el clavo y retirarlas con un levantador de flores o una espátula fina.

ROSAS

1 Ajusta una bolsa de repostería con un acoplador y llénala de glaseado. Sujeta la bolsa en un ángulo de 90°, rozando la superficie. Aplica mucha presión y luego ve reduciéndola mientras la levantas para formar un cono.

2 Ajusta la boquilla 104 al acoplador y haz girar el clavo. Con el extremo más ancho de la punta de la rosa boca abajo, presiona suavemente la boquilla dentro del cono. Empieza a medio camino por debajo del cono y forma una espiral. Sigue girando el clavo y forma otra espiral justo encima de la primera.

(sigue)

1

2

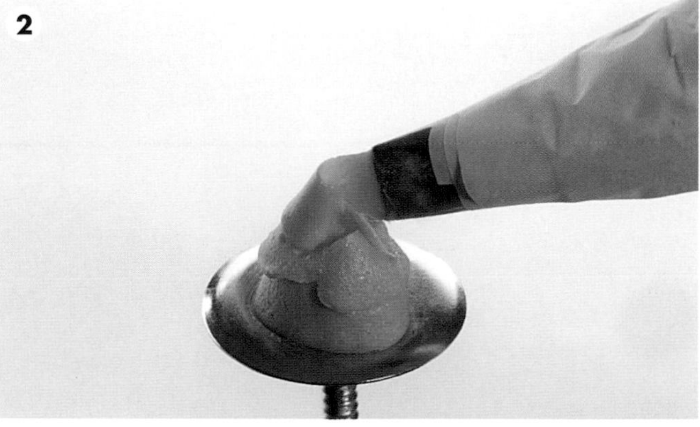

Hacer rosas

Para formar una rosa, el clavo debería determinar el movimiento hacia delante y hacia atrás de los pétalos. No muevas las puntas hacia atrás y hacia delante, únicamente arriba y abajo.

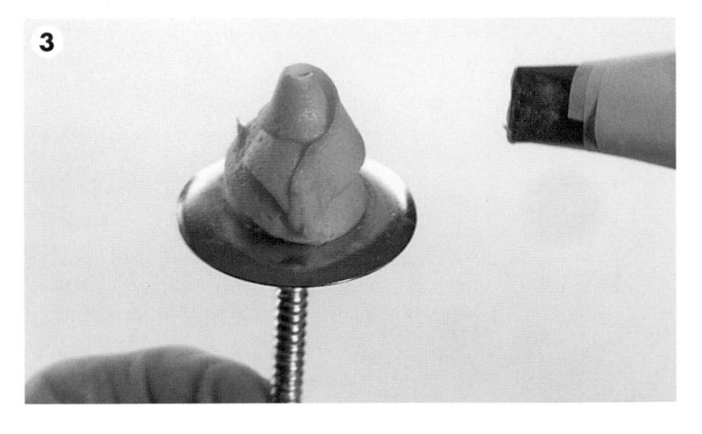

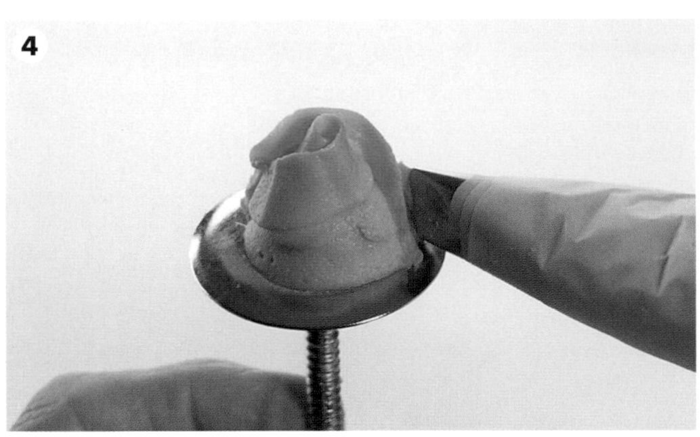

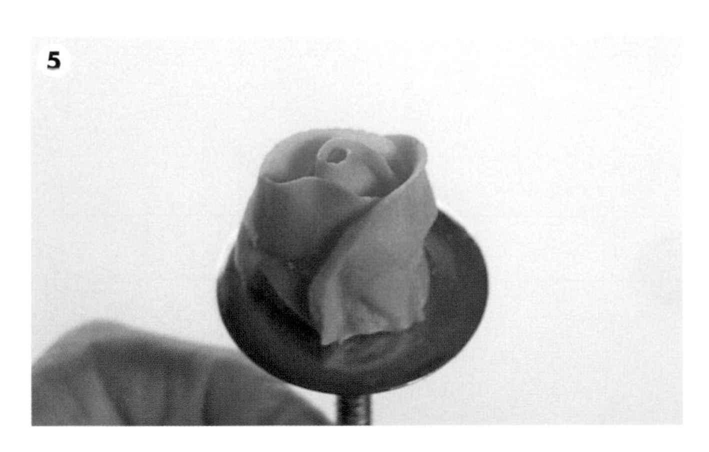

3 Sigue presionando y arrastra el extremo de la espiral hacia la base del cono. Deja de presionar y levanta la boquilla.

4 Gira el clavo y forma un pétalo presionando suavemente el extremo más ancho de la boquilla sobre el cono y forma un arco. La parte superior del pétalo debería ser casi tan alta como el centro del cono. Empieza el segundo pétalo sobreponiéndolo al primero.

5 Añade un tercer pétalo sobre el segundo. La rosa debería tener ahora tres pétalos superpuestos.

6 Haz cinco pétalos más, empezando desde la base, con el extremo más ancho de la boquilla hacia abajo y el extremo más estrecho ligeramente inclinado hacia afuera.

7 Sigue girando el clavo y formando los pétalos, todos ellos superpuestos.

8 Una rosa de glaseado tradicional tiene tres pétalos interiores, cinco medios y siete exteriores.

CAPULLOS DE ROSA

1 Ajusta una bolsa a una boquilla 103 y llénala de glaseado. Empieza colocando la bolsa en un ángulo de 45°, con el extremo más ancho de la boquilla rozando la superficie. Da un golpe de presión para fijar el glaseado y sigue presionando mientras mueves un poco la boquilla hacia la izquierda, y luego hacia la derecha. Libera presión y retírala bruscamente para evitar que se rompa. Esta será la base del capullo de rosa: una forma cónica con una pequeña hendidura.

2 Sujeta la boquilla justo encima de la superficie de trabajo e insértala en la grieta del cono. Presiona y aléjate del capullo de rosa unos 6 mm.

3 Sigue presionando y volviendo al centro del capullo. Tócalo suavemente, deja de presionar y apártate.

4 Llena una bolsa con glaseado verde y una boquilla 2. Empieza por la base del capullo, aplicando un golpe de presión. Sigue presionando y haz un tallo. Añade sépalos alrededor de la base del capullo. Llena una bolsa de repostería con glaseado verde y una boquilla de hoja del 349 y añade hojas al tallo.

1

2

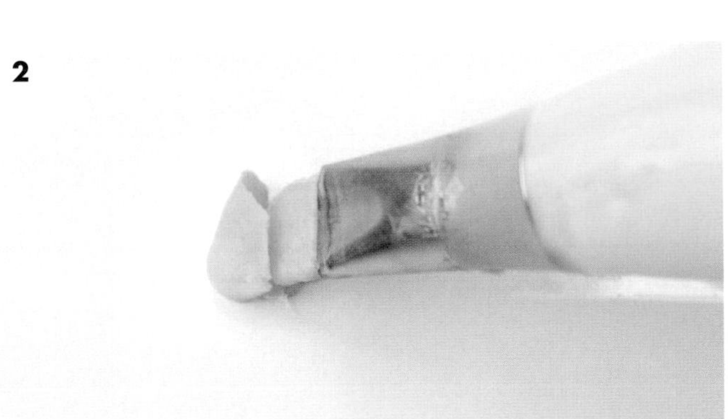

3

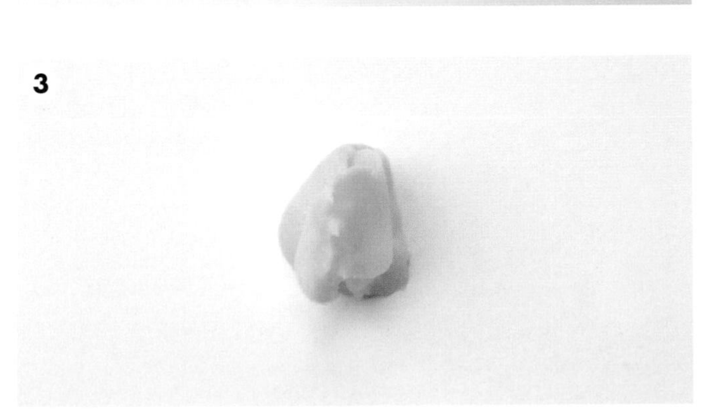

4

El capullo de rosa debería quedar hueco al hacer la hendidura del paso uno y doblarla en los pasos 2 y 3.

1

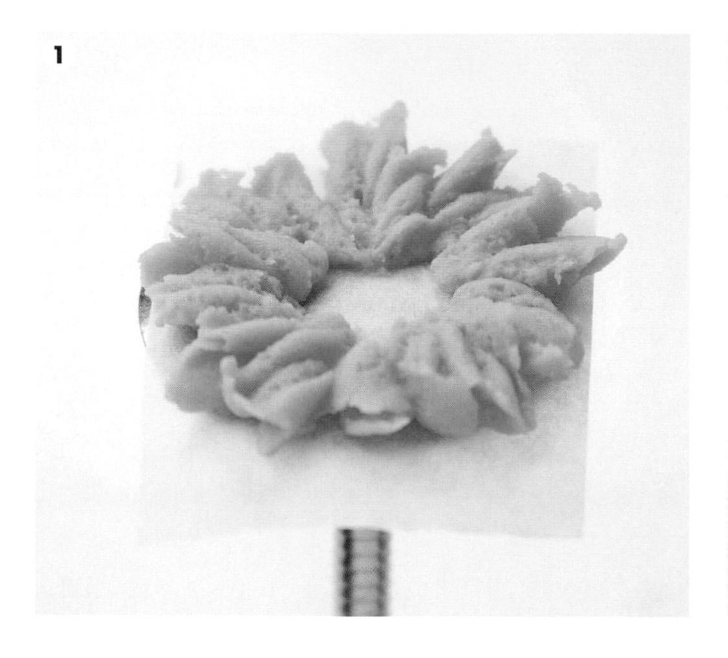

2

3

4

CLAVELES

1 Ajusta una bolsa a una boquilla 103 y llénala de glaseado firme. Pega un cuadrado de papel de hornear al clavo con un poco de glaseado. Sujeta la bolsa en un ángulo de 45°, con el extremo más ancho de la rosa tocando el clavo. Mueve las muñecas rápidamente hacia arriba y hacia abajo para hacer un círculo de pétalos pequeños y rizados alrededor del borde del clavo.

2 Haz una segunda fila de pétalos rizados dentro de la primera fila. La segunda fila debería estar algo inclinada hacia arriba y ser más corta que la primera.

3 Empezando desde el centro, añade una tercera fila de pétalos rizados y muy cortos.

4 Añade pétalos cortos y ondulados para llenar el centro.

CRISANTEMOS

1 Ajusta una bolsa de manga pastelera con un acoplador y llénala de glaseado. No añadas boquilla decorativa ni anillo de acoplamiento. Pega un cuadrado de papel de hornear al clavo con un poco de glaseado. Coloca una bola de glaseado en el centro del clavo.

2 Ajusta una boquilla 81 al acoplador. Inserta la boquilla en la bola de glaseado con la parte curvada de la boquilla descansando sobe el clavo. Presiona y empuja la boquilla hacia el borde del clavo. Deja de presionar y aparta la manga para despegarla. Sigue haciendo pétalos muy juntos alrededor de la bola.

3 Haz una capa de pétalos justo encima de la primera capa. Estos pétalos deberán ser más cortos y un poco más curvados hacia arriba que la primera capa.

1

2

4 Sigue haciendo capas de pétalos. Cada capa deberá ser más corta y más curvada hacia arriba que la anterior.

5 Los pétalos centrales deberán ser totalmente rectos.

3

4

5

FLORES DE MANZANO

1 Ajusta una bolsa con una boquilla 102 y llénala de glaseado. Pega un cuadrado de papel de hornear al clavo con un poco de glaseado. Sujeta la bolsa con el extremo ancho de la boquilla de rosa tocando el clavo.

2 Deja descansar el extremo ancho de la boquilla en el centro del clavo. El extremo estrecho debería estar ligeramente inclinado sobre el clavo. Gira lentamente el clavo mientras presionas y mueves la boquilla 1 cm hacia el borde del clavo. Gira el clavo ligeramente para curvar el pétalo. Con una presión regular, curva el pétalo y vuelve al centro siguiendo la línea de 1 cm. Cuando hagas pétalos de abanico, no cambies el ángulo; el extremo ancho siempre deberá tocar el clavo. La forma de cada pétalo deberá ser de lágrima en vez de arco.

3 Sigue haciendo pétalos así, empezando cada nuevo pétalo bajo el anterior.

4 Haz puntos en el centro de la flor con una boquilla 1.

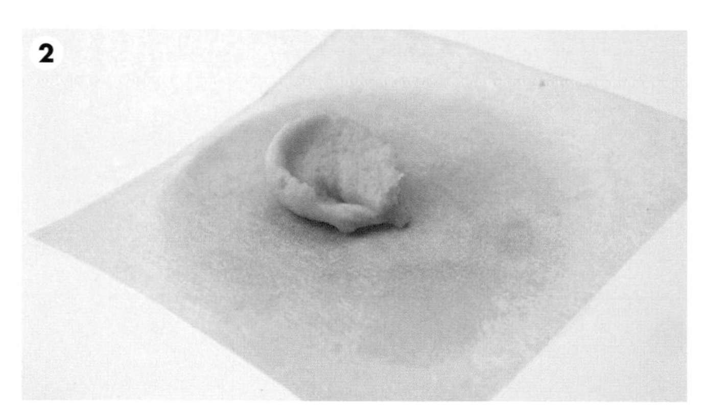

Las variantes de esta flor pueden hacerse en multitud de tamaños, colores y centros.

MARGARITAS

1 Ajusta a una bolsa una boquilla 101S y llénala de glaseado. Pega un cuadrado de papel de hornear al clavo con un poco de glaseado. Haz un punto de glaseado en el centro del clavo como guía para formar los pétalos.

2 Deja el extremo ancho de la boquilla sobre el centro del clavo. El extremo estrecho debería estar ligeramente inclinado sobre el clavo. Presiona y mueve la boquilla 1,3 cm hacia el borde del clavo. Gira ligeramente el clavo para curvar el pétalo. Con una presión regular, curva el pétalo y vuelve al centro siguiendo la línea de 1,3 cm, formando un pétalo largo de abanico. Cuando hagas pétalos de abanico, no cambies el ángulo; el extremo ancho siempre deberá tocar el clavo.

3 Sigue haciendo pétalos juntos de modo que finalicen en el centro. Cada pétalo debería quedar un poco por encima del pétalo anterior.

Bordes suaves

Si los pétalos tienen los bordes rugosos, diluye un poco el glaseado de crema de mantequilla con agua. Procura no añadir demasiada agua o los pétalos se fundirán.

4 Sigue haciendo los pétalos restantes. Cuando hagas el último pétalo, empiézalo bajo el primer pétalo y acábalo encima del pétalo anterior.

5 Llena una bolsa de repostería con glaseado y pon una boquilla 233. Sujeta la boquilla 233 en un ángulo de 90° sobre el centro de la margarita. Aprieta la bolsa con un golpe de presión. Deja de presionar y aparta.

6 Deja que los picos del centro de la margarita se endurezcan y luego suavízalos con el dedo.

1

2

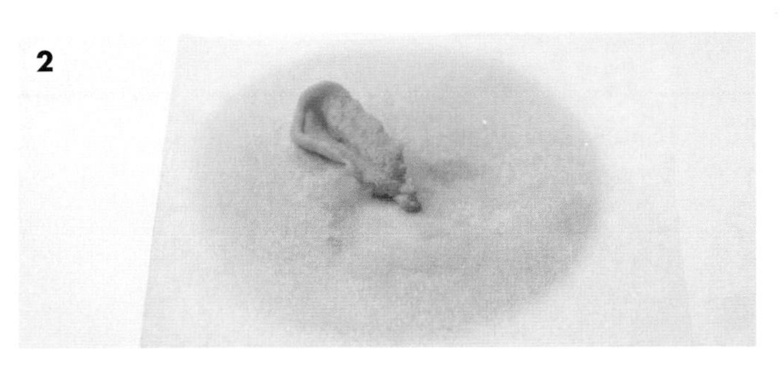

3

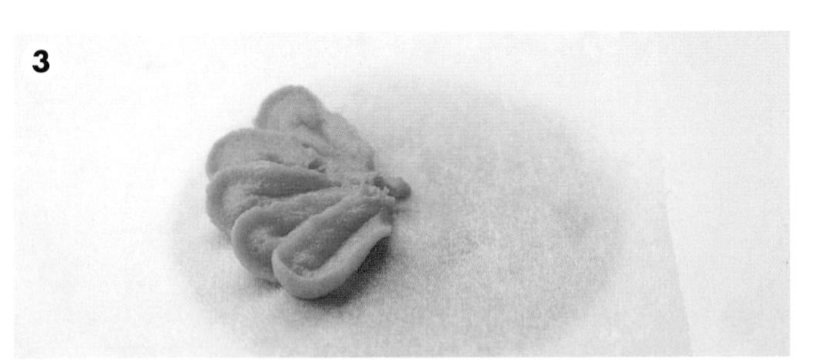

4

5

6

NARCISOS

1 Ajusta a una bolsa una boquilla 103 y llénala de glaseado. Pega un cuadrado de papel de hornear al clavo con un poco de glaseado. Haz un punto en el centro del clavo como guía para formar los pétalos. Deja el extremo ancho de la boquilla en el centro del clavo. Presiona y mueve la boquilla 1 cm hacia el borde del clavo. Gira el clavo ligeramente para curvar el pétalo. Con una presión regular, curva el pétalo y vuelve al centro siguiendo la línea de 1 cm. Cuando hagas pétalos de abanico, no cambies el ángulo; el extremo ancho siempre deberá tocar el clavo. La forma de cada pétalo debería ser una lágrima en vez de un arco.

2 Haz cinco pétalos más del mismo modo, empezando cada pétalo debajo del anterior.

3 Llena una bolsa con glaseado y pon una boquilla 2. Sujétala en un ángulo de 90° sobre el centro del narciso. Aprieta la bolsa dando un golpe de presión para pegar el glaseado. Presiona regularmente y forma una espiral.

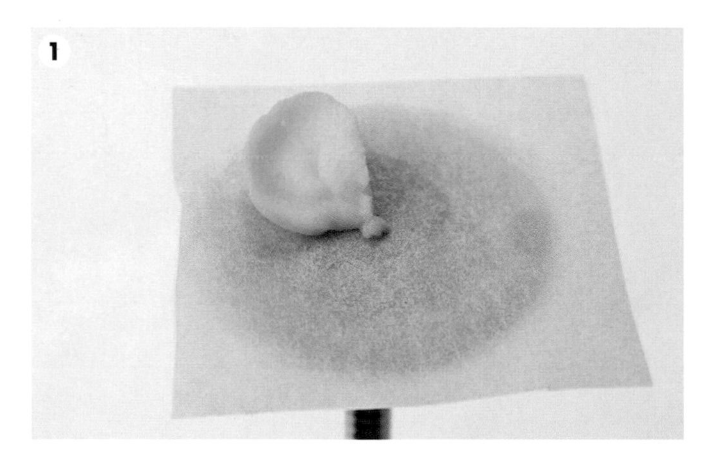
1

2

3

4

5

4 Sigue haciendo la espiral presionando regularmente, ensanchándola para formar un cono.

5 Llena una bolsa con glaseado y con una boquilla 1. Sujeta la boquilla 1 en un ángulo de 90°. Haz una línea ondulada alrededor de la parte superior del cono. Espera a que la flor esté casi cuajada y pellizca cada pétalo formando una punta.

FLORES DE PASCUA

La flor de Pascua es una flor muy elegante para las fiestas de Navidad. Esta flor requiere una boquilla 350. Los pétalos se hacen colocando hojas en círculo. La flor tiene tres tamaños de pétalos, pero todos se hacen con la misma boquilla; lo que determina el tamaño es la presión aplicada.

1 Ajusta a una bolsa una boquilla 350 y llénala de glaseado. Pega un cuadrado de papel de hornear al clavo con un poco de glaseado. Coloca la bolsa en un ángulo de 45°. Una punta de la boquilla debería tocar la superficie del clavo. Aprieta la bolsa con un pequeño golpe de presión para pegar el pétalo. Libera presión gradualmente y levanta la boquilla. Deja de presionar y levanta la bolsa.

2 Haz cinco pétalos más y deja un poco de espacio en el centro.

3 Empieza cerca del centro del clavo y añade una segunda capa de pétalos más cortos y sobrepuestos a la primera capa.

4 Haz una capa final de pétalos más pequeños. Con la boquilla 2, coloca un grupo de pequeños puntos verdes en el centro de la flor. Con una boquilla 1 coloca un puntito amarillo encima de cada puntito verde.

1

2

3

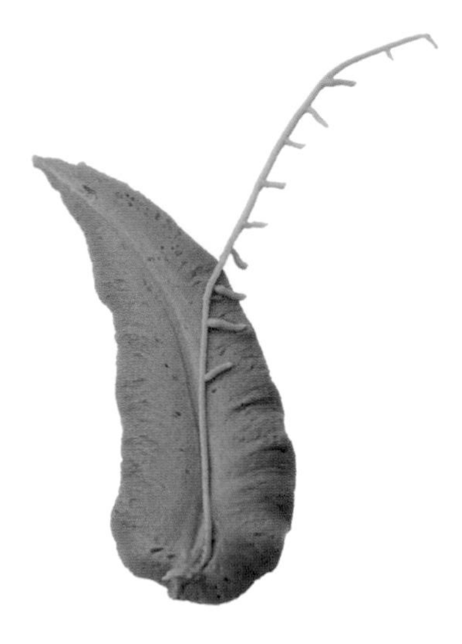

4

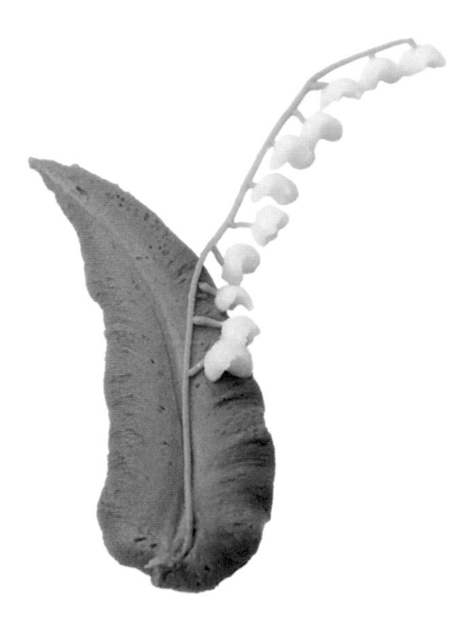

LIRIO DEL VALLE

1 Ajusta a una bolsa una boquilla de hoja del 366, llénala de glaseado y dibuja una hoja alargada.

2 Ajusta a una bolsa una boquilla 1 y llénala con un glaseado verde de un tono más claro. Dibuja un tallo largo desde la base de la hoja que se curve, alejándose.

3 Pega pequeños tallos al tallo largo: deben empezar en la parte superior del tallo largo y acabar a ⅓ de la base de la hoja, con 6 mm de espacio entre ellos.

4 Ajusta a una bolsa una boquilla 81 y llénala de glaseado blanco. Haz pequeñas flores en los extremos de los tallos pequeños sujetando la bolsa en un ángulo de 45° y dando un golpe de presión. Sigue presionando y levanta la boquilla hacia delante y hacia atrás. Deja de presionar y apártala. Las flores deberían tener una pequeña fisura.

PÉTALOS DE FLORES CON PUNTAS DE COLORES

Las rosas y los claveles quedan muy hermosos con un toque de color en las puntas de los pétalos.

1 Traza una franja de colorante alimentario del color deseado con un pincel en el interior de una bolsa de manga pastelera.

2 Llena la bolsa de glaseado. Gira la boquilla de modo que la franja de color se encuentre en el extremo más estrecho de la boquilla de rosa.

3 Haz la flor.

Adornos de glasa real

Los adornos de glasa real resultan perfectos para decorar cupcakes o porciones individuales de un pastel de bandeja de horno. Hay adornos de glasa real prefabricados en las tiendas de decoración de pasteles, pero también pueden hacerse en casa, como mínimo un día antes, o bien con semanas o incluso meses de antelación. Los adornos se confeccionan a base de capas de glasa real sobre papel celofán. El papel celofán debe cumplir con la normativa del FDA para contacto directo con alimentos. Los adornos se pueden hacer a mano, o bien puede emplearse una plantilla para mantener el mismo tamaño.

La consistencia de la glasa real es muy importante: debe ser un poco esponjosa y algo fluida, formar picos suaves y mantener la forma al dispensarla con la manga. Si la glasa real es demasiado firme, no saldrá con suavidad, y si es demasiado suave, se aplanará y se perderán los detalles. Haz una bola con la manga para probar la consistencia. Debería ser redonda en vez de plana y con líneas. Haz otra bola encima. La segunda bola debería hundirse ligeramente en la bola de debajo, pero sin mezclarse con ella.

Los adornos deberían dejarse secar por lo menos 24 horas antes de retirarlas de la hoja de celofán. Si las necesitas antes de 24 horas, hazlas sobre un papel de hornear en lugar de papel celofán y mételas en el horno para secarlas a temperatura mínima. Coloca la bandeja para galletas con los adornos sobre papel de hornear en el horno y deja que se endurezcan durante 20 minutos. Los adornos sobrecalentados se romperán o se volverán quebradizos.

NORMAS BÁSICAS

1 Mezcla la glasa real según las instrucciones. Debe quedar esponjosa y con picos firmes.

2 Divide la glasa real en recipientes separados y tíñela como quieras. Añade un poco de agua a cada recipiente hasta obtener una glasa real con picos suaves. Llena una bolsa con la glasa real teñida y diluida.

4A

4B

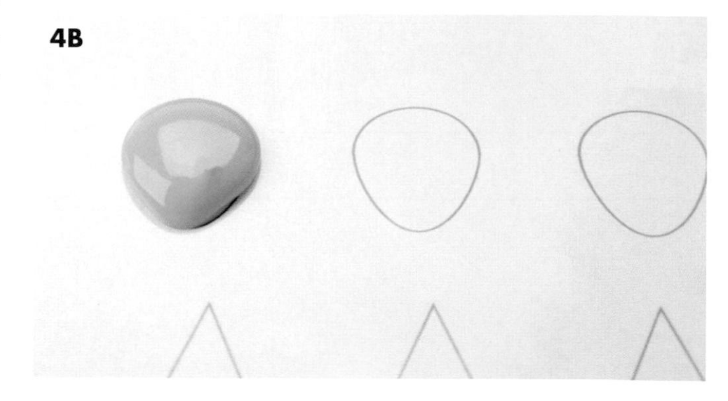

3 Si utilizas una plantilla para probar la consistencia, pega el dibujo en una bandeja de hornear galletas. Corta una hoja celofán y pégala encima de la bandeja para galletas.

4 Dispensa el primer color sujetando la boquilla en un ángulo de 90° para hacer bolas (A).

Mantén la boquilla en un ángulo de 90° y muévelo hasta un ángulo de 45° para hacer una lágrima (B).

Suavizar picos

Si la glasa real ha formado picos, utiliza un cepillo de cerdas planas para aplanarla suavemente.

1 Dibuja el contorno de las piezas planas y rellénalo. Afina las puntas con un palillo para hacer piezas con bordes afilados.

2 Puedes añadir enseguida los detalles con colores de contraste para que se unan y se sequen de una sola pieza.

3 Deja cuajar la pieza algunos minutos antes de hacer la forma contigua para que gane textura y volumen.

4 Puedes añadir detalles más finos con color sobre formas ya endurecidas, o dibujar con rotuladores comestibles. Si utilizas rotuladores, no pintes sobre una forma hasta que esté completamente seca (normalmente 24 horas).

5 Deja que las piezas se sequen un mínimo de 24 horas. Desliza el celofán sobre el borde del mostrador. La pieza de glasa real empezará a despegarse del celofán. Aguanta la pieza con la otra mano hasta que se despegue completamente.

1

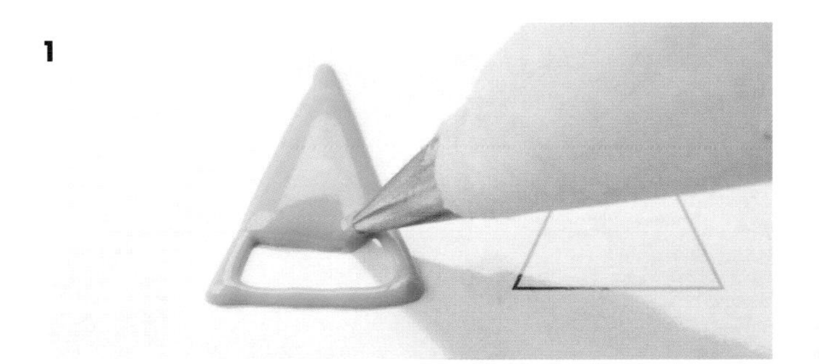

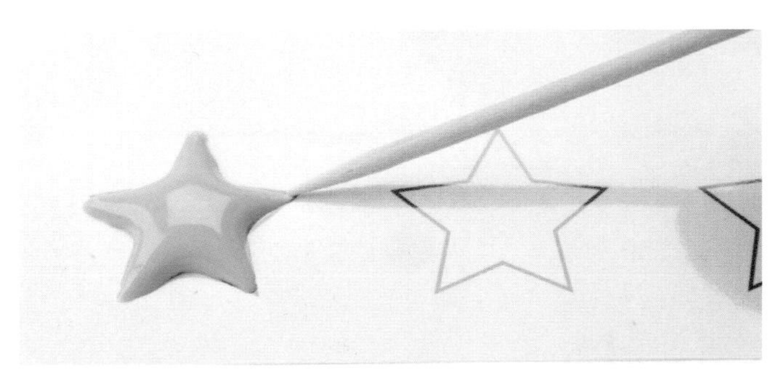

2

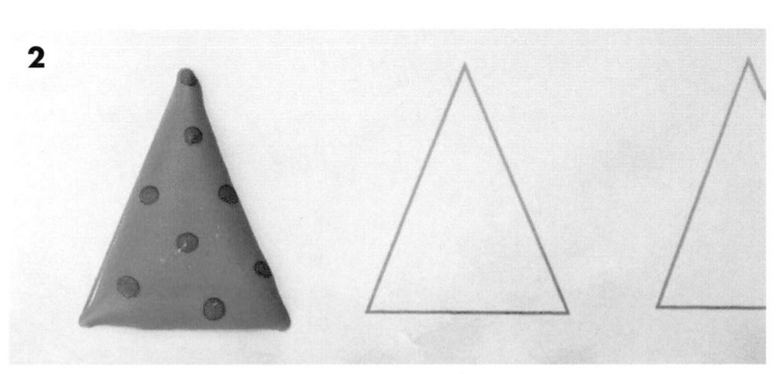

3

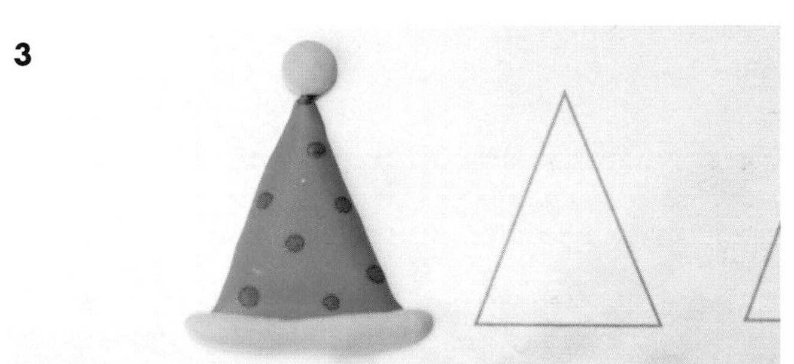

4

5

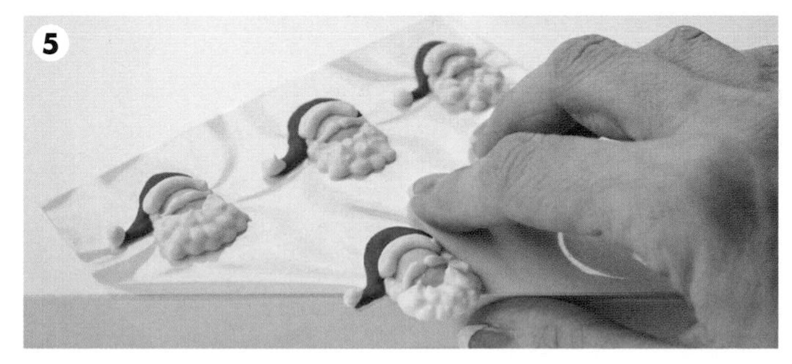

DISEÑOS DE GLASA REAL

Las siguientes instrucciones sirven para confeccionar formas de glasa real sobre temas populares y festividades. Utiliza las plantillas de la página 136. Aparecen en tamaño natural, pero se pueden ampliar o reducir según la necesidad: utiliza una boquilla más pequeña para reducirlas y una boquilla más grande para hacerlas más grandes.

San Valentín

Labios

Haz el labio inferior con una boquilla 2 y déjalo cuajar. Haz la mitad del labio superior y luego la otra mitad con una boquilla 2.

Corazones con mensaje

Haz los corazones con glasa de color pastel y una boquilla 4, formando una lágrima y luego otra. Déjalos cuajar y escribe mensajes con un rotulador comestible rosa.

Corazones rosas

Haz los corazones con glasa rosa y una boquilla 4, primero una lágrima y luego otra.

San Patricio

Trébol

Dibuja el trébol con glasa verde y una boquilla 2: haz una lágrima a un lado y luego otra. Haz el resto de hojas y acaba con el tallo.

Olla de oro

Dibuja la olla con glasa negra y una boquilla 2. Añade puntos de glasa dorada con una boquilla 2 y déjalos cuajar. Añade más puntos de glasa dorada con la misma boquilla y déjalos cuajar. Mezcla polvos brillantes dorados con alcohol de grano, forma una pintura y pinta los puntos dorados con ella.

Arco iris

Dibuja la primera línea del arco iris con glasa amarilla y una boquilla 2 y déjala cuajar. Haz lo mismo con el resto de colores, dejándolos cuajar antes de añadir el siguiente. Una vez secos, añade las nubes con una boquilla 4.

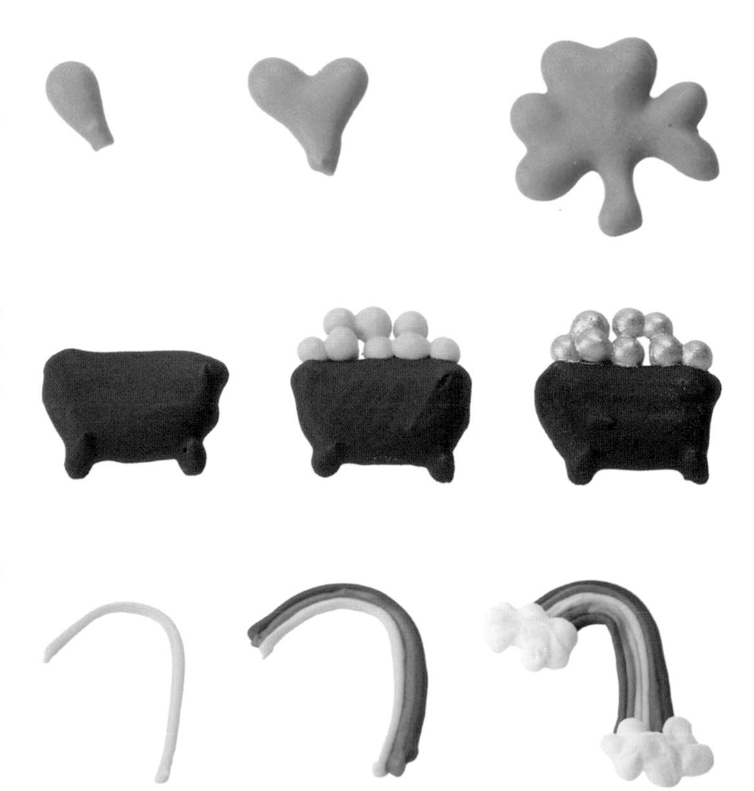

Pascua

Conejo

Haz la barriga del conejo con glasa blanca y una boquilla 4 y déjalo cuajar. Añade la cabeza y los pies con una boquilla 2 y déjalos cuajar. Haz las orejas, los mofletes y los brazos con una boquilla 2 y déjalos cuajar. Añade una nariz de glasa rosa con una boquilla 1. Dibuja los ojos con rotulador comestible negro.

Cruz

Dibuja la cruz con glasa azul y una boquilla 6 y déjala cuajar. Dibuja una flor de glasa rosa con una boquilla 1. Añade un punto de glasa amarilla en el centro de la flor con una boquilla 1.

Huevo

Dibuja el huevo con glasa rosa y una boquilla 4 y déjalo cuajar. Dibuja puntos y rayas con glasa de color de contraste y una boquilla 1.

Pollito

Dibuja el pollito con glasa amarilla y una boquilla 4 y déjalo cuajar. Añade el pico y las patas con glasa naranja y una boquilla 1. Dibuja el ojo con rotulador comestible negro y añade el ala con glasa amarilla y una boquilla 2.

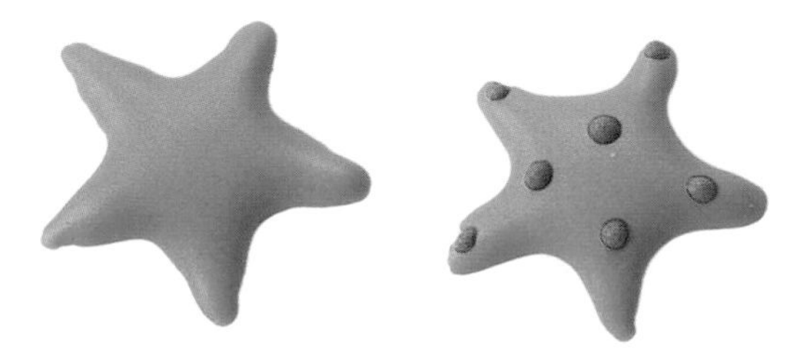

Fiestas

Estrella

Dibuja la estrella con glasa azul y una boquilla 2 y déjalo cuajar. Dibuja puntos de colores de contraste con una boquilla 1.

Halloween

Fantasma

Dibuja el fantasma con glasa blanca y una boquilla 4 y déjalo cuajar. Haz los ojos y la boca con un rotulador comestible.

Calabaza

Dibuja una calabaza con glasa naranja y una boquilla 4. Déjala cuajar y haz un tallo de glasa marrón con una boquilla 2.

Candy corn (dulce de maíz)

Haz la punta de la golosina con glasa blanca y una boquilla 4. Déjala cuajar y añade la siguiente capa con glasa naranja y una boquilla 2. Déjala cuajar y haz la capa final con glasa amarilla y una boquilla 2.

Globo ocular

Haz el blanco del ojo con glasa blanca y una boquilla 4. Añade el iris con glasa azul y una boquilla 2 con el blanco del ojo aún húmedo. Añade la pupila de glasa negra con una boquilla 2 con el iris aún húmedo. Cuando el ojo esté completamente seco, dibuja líneas con rotulador comestible rojo.

Navidad

Hombre de jengibre

Dibuja el hombre de jengibre con glasa marrón y una boquilla 4. Haz primero los brazos y las piernas, luego la cabeza, y presiona más para hacer más grueso el cuerpo.

Bastón de caramelo

Dibuja el bastón de caramelo con glasa blanca y una boquilla 6. Déjalo cuajar y dibuja rayas de glasa roja con una boquilla 1.

Árbol

Dibuja el árbol con glasa verde y una boquilla 2. Déjalo cuajar y haz el tronco con glasa marrón y una boquilla 2. Haz bolitas de colores con una boquilla 1.

Muñeco de nieve

Dibuja la bola inferior del muñeco de nieve con glasa blanca y una boquilla 4. Déjala cuajar y haz la bola superior con glasa blanca y una boquilla 4. Déjala cuajar y haz el sombrero con glasa negra y una boquilla 2. Haz la nariz con glasa naranja y una boquilla 1. Añade botones con glasa roja y una boquilla 1. Dibuja los ojos y la boca con rotulador comestible negro.

Papá Noel

Dibuja la cara con glasa color carne y una boquilla 4. Déjalo secar y dibuja el sombrero con glasa roja y una boquilla 2. Haz la barba con glasa blanca y una boquilla 2. Déjala secar y añade el bigote. Haz la bola del sombrero. Déjalo secar todo y dibuja los ojos en negro y la boca en rojo con rotuladores comestibles. Añade la nariz con glasa color carne y una boquilla 1.

Bebé

Pies

Dibuja los pies con glasa color carne y una boquilla 4 y déjalos secar. Haz los dedos salteados con la misma glasa y una boquilla 2. Déjalos secar y haz los dedos restantes.

Body

Dibuja el body con glasa verde lima y una boquilla 2 y déjalo cuajar. Dibuja el pato con glasa amarilla y una boquilla 1. Haz bolitas a modo de botones con glasa blanca y una boquilla 1 y déjalos secar. Mezcla polvo de brillo de piedra de luna con alcohol de grano formando una pintura y pinta los botones plateados con él.

Cara de bebé

Haz la cara con glasa color carne y una boquilla 4 y déjala cuajar. Haz la nariz y las orejas con la misma glasa y una boquilla 1. Haz los ojos con glasa blanca y una boquilla 1 y déjalos cuajar. Haz un punto negro en los ojos con rotulador comestible.

Biberón

Haz el biberón con glasa blanca y una boquilla 2 y déjalo cuajar. Haz la rosca del biberón con glasa azul y una boquilla 2 y déjala cuajar. Haz la tetina del biberón con glasa color melocotón y una boquilla 2.

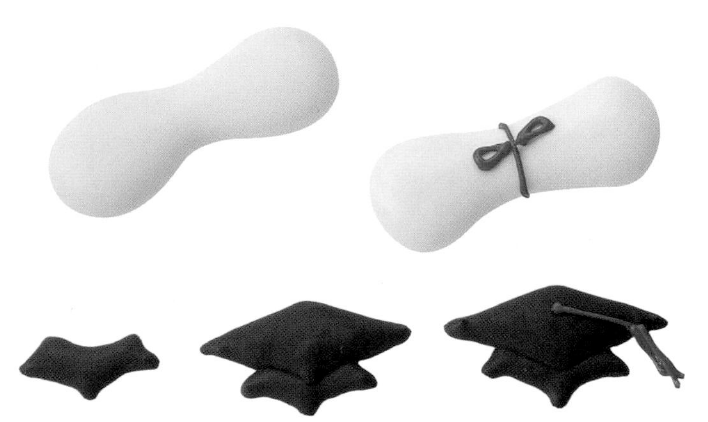

Graduación

Diploma

Haz el diploma con fondant blanco y una boquilla 4 y déjalo cuajar. Dibuja el lazo con glasa roja y una boquilla 1.

Birrete

Haz la base del birrete con glasa negra y una boquilla 2 y déjalo cuajar, luego haz la parte de arriba del sombrero y déjalo cuajar. Dibuja rayas de glasa roja con una boquilla 1.

Boda

Pastel de boda

Haz el pastel de boda con glasa blanca y una boquilla 2 y déjalo cuajar. Dibuja los detalles con glasa rosa y una boquilla 1.

Vestido de boda

Haz el vestido de boda con glasa blanca y una boquilla 2 y déjalo cuajar. Dibuja los detalles con glasa rosa y una boquilla 1.

Cumpleaños

Smiley

Haz la cara sonriente con glasa color amarillo dorado y una boquilla 4 y déjala cuajar. Dibuja los rasgos con rotulador comestible negro.

Globo

Dibuja el globo con glasa roja y una boquilla 4 y déjalo cuajar. Haz el nudo con una boquilla 2 y déjalo cuajar. Coloca el globo sobre el pastel o el cupcake y haz la cuerda con glasa negra y una boquilla 1.

Sombrero de fiesta

Haz la base del sombrero con glasa azul y una boquilla 2 y añade los adornos enseguida con glasa roja y una boquilla 1. Déjalo cuajar y haz la borla y el borde del sombrero con glasa amarilla y una boquilla 2.

Temas náuticos

Estrella de mar

Haz la estrella con glasa naranja y una boquilla 2 y déjalo cuajar. Añade puntitos con glasa naranja y una boquilla 1 y los ojos con glasa blanca y una boquilla 2. Déjalos cuajar y haz un punto en cada ojo con rotulador comestible negro.

Chanclas

Haz las chanclas con glasa rosa fluorescente y una boquilla 4 y déjalas secar. Haz los detalles con glasa verde lima y una boquilla 1.

Pez

Haz el cuerpo del pez con glasa azul cielo y una boquilla 4 y déjalo cuajar. Haz las aletas con glasa azul marino y una boquilla 2. Agrega el ojo con glasa blanca y una boquilla 2 y déjalo cuajar. Pinta un punto en el ojo con rotulador comestible negro.

Cangrejo

Haz el cuerpo y las pinzas con glasa roja y una boquilla 2 y deja que cuaje. Haz las patas con una boquilla 2. Agrega el ojo con glasa blanca y una boquilla 2 y déjalo cuajar. Haz un punto en el ojo con rotulador comestible negro.

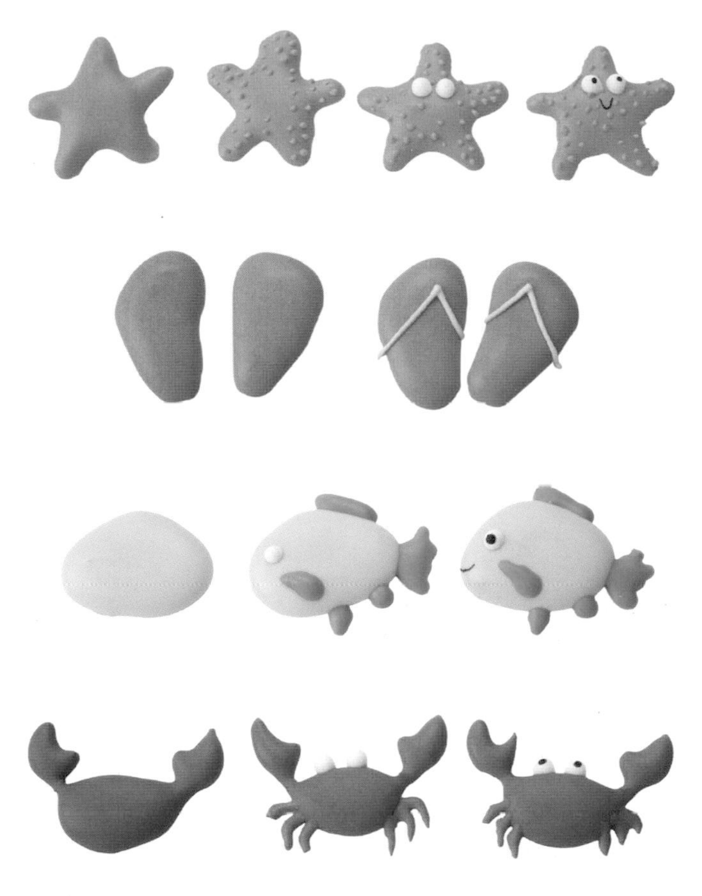

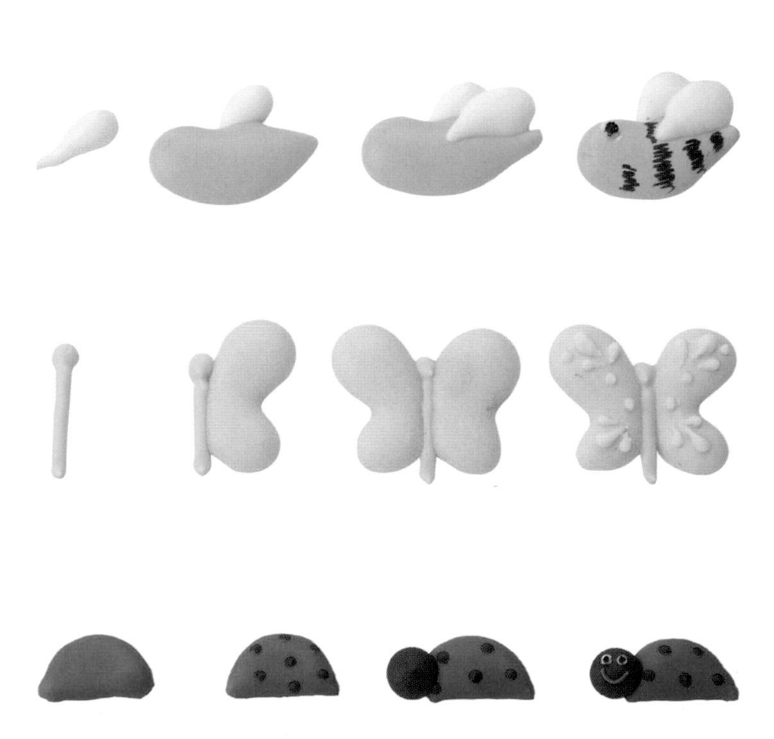

Bichos

Abeja

Haz el ala trasera con glasa blanca y una boquilla 2 y deja que cuaje. Haz el cuerpo con glasa amarilla y una boquilla 2 y deja que cuaje. Haz la segunda ala como la primera y deja que cuaje. Dibuja las líneas con rotulador comestible negro y el ojo con glasa blanca y una boquilla 2. Deja cuajar y haz un punto en el ojo con el rotulador.

Mariposa

Haz el cuerpo con glasa azul y una boquilla 2 y deja que cuaje. Haz las alas con glasa rosa y una boquilla 4 y deja que cuaje. Haz los detalles de glasa amarilla y una boquilla 1.

Mariquita

Haz el cuerpo con glasa roja y una boquilla 2 y enseguida haz puntos con glasa negra y una boquilla 1. Deja que cuaje y añade la cabeza con glasa negra y una boquilla 2. Haz la boca con glasa roja y una boquilla 1, y el ojo con glasa blanca y una boquilla 2. Deja que cuaje y haz un punto con rotulador comestible negro.

Animales salvajes

Cebra

Haz la cara de la cebra con glasa blanca y una boquilla 4 y deja que cuaje. Haz la nariz y la melena con glasa negra, las orejas en blanco, todo con una boquilla 2. Pinta los ojos con rotulador comestible negro.

Elefante

Dibuja las orejas del elefante con glasa gris y una boquilla 4 y deja que cuaje. Haz la cabeza con una boquilla 4 y deja que cuaje. Luego la nariz con una boquilla 2. Haz el ojo con glasa blanca y una boquilla 2 y deja que cuaje. Pinta el ojo con rotulador comestible negro.

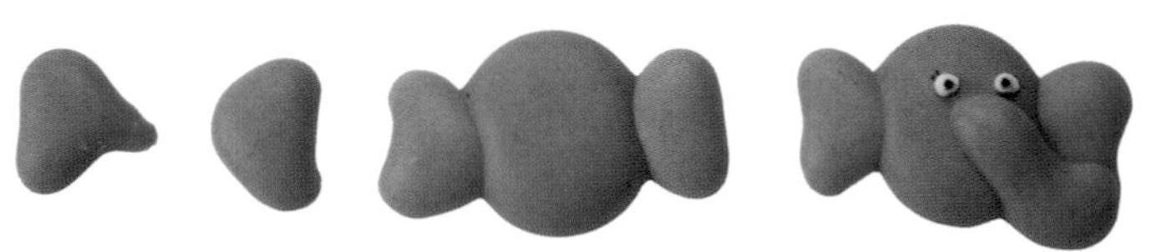

Oso

Pinta la cara del oso con glasa marrón y una boquilla 4 y deja que cuaje. Pinta las orejas y las mejillas con una boquilla 2 y deja que cuaje. Haz la nariz con glasa marrón oscuro y una boquilla 1 y los ojos con glasa blanca y un boquilla 2. Deja que cuaje y pinta los ojos con rotulador comestible negro.

León

Haz la melena del león con glasa naranja y una boquilla 1 y deja que cuaje. Haz la cabeza con glasa amarilla y una boquilla 4. Deja que cuaje y luego haz la nariz y las orejas con una boquilla 2. Añade los ojos con glasa blanca y una boquilla 2 y deja que cuaje. Haz la nariz con glasa marrón oscuro y una boquilla 1. Pinta los ojos con rotulador comestible negro.

Mono

Haz las orejas del mono con glasa marrón y una boquilla 4 y deja que cuajen, luego haz la cabeza y deja que cuaje. Añade la cara con glasa color carne y una boquilla 2 y dibuja los ojos con glasa blanca y una boquilla 2. Deja que cuajen y pinta ojos, nariz y boca con rotulador comestible negro.

Animales de granja

Oveja

Haz las ovejas con glasa blanca y una boquilla 2 y deja que cuajen. Haz la cabeza con glasa gris y una boquilla 4 y deja que cuaje. Añade la lana rizada con glasa real sin diluir y una boquilla 1. Haz los ojos con glasa blanca y una boquilla 2 y deja que cuaje. Pinta ojos, nariz y boca con rotulador comestible negro.

Cerdo

Haz la cabeza con glasa rosa y una boquilla 4 y deja que cuaje. Haz las orejas y el hocico con una boquilla 2. Añade los ojos con glasa blanca y la boquilla 2 y deja que cuaje. Pinta los ojos y los orificios nasales con rotulador comestible negro.

Vaca

Haz la cabeza de la vaca con glasa blanca y una boquilla 4 y deja que cuaje. Haz las orejas con una boquilla 2. Añade la nariz con glasa rosa y una boquilla 2. Haz los cuernos con glasa marfil y una boquilla 2. Dibuja los ojos y los orificios nasales con rotulador comestible negro.

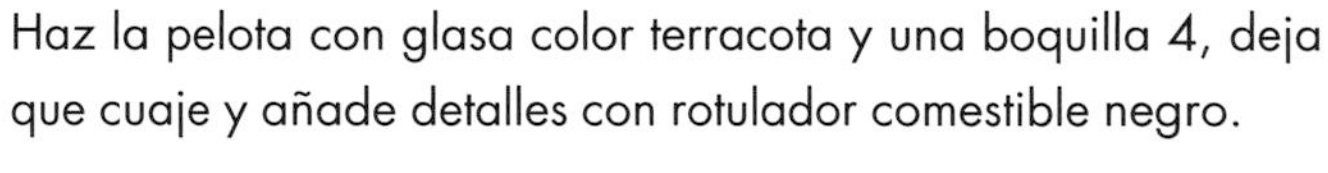

Pelotas

De baloncesto

Haz la pelota con glasa color terracota y una boquilla 4, deja que cuaje y añade detalles con rotulador comestible negro.

De fútbol

Haz la pelota con glasa blanca y una boquilla 4, deja que cuaje y añade detalles con rotulador y deja que cuaje. Haz los detalles con rotulador comestible negro.

De béisbol

Haz la pelota con glasa blanca y una boquilla 4 y deja que cuaje. Añade detalles con rotulador comestible rojo.

De fútbol americano

Haz la pelota con glasa marrón y una boquilla 4 y deja que cuaje. Haz los detalles con glasa blanca y una boquilla 1.

PLANTILLAS PARA DISEÑOS DE GLASA REAL

Pelota de deporte
Pelota de fútbol americano
Chanclas
Estrella de mar
Cangrejo
Pez
León
Elefante
Cebra
Oso
Mono
Abeja
Mariquita
Mariposa
Cerdo
Oveja
Vaca
Pastel de boda
Vestido de boda
Body
Biberón
Cara de bebé
Pies de bebé
Arco iris

Dibujos de azúcar fluido

Los dibujos de azúcar fluido se realizan con glasa real diluida para que fluya con facilidad. La glasa real se utiliza para reseguir la imagen y luego rellenarla. Utiliza material gráfico de ilustraciones, imágenes prediseñadas o tarjetas de felicitación. Si vas a vender el pastel, deberás obtener permiso del propietario de los derechos de autor de la ilustración. Este glaseado también se suele utilizar para las galletas glaseadas. Trabaja con rapidez, pues el glaseado se endurece rápidamente. Las figuras tardan algunas horas o incluso días en cuajar, por lo que deberás organizarte bien. Los dibujos de azúcar fluido son muy delicados y se rompen con facilidad. Haz tres o cuatro por si se rompen.

INSTRUCCIONES GENERALES

1 Mezcla la glasa real según las instrucciones: debe ser esponjosa y con picos firmes. Coloca una hoja de papel de hornear sobre la ilustración o la imagen prediseñada y pégala al papel de hornear para que no se mueva. Siluetea la imagen con glasa real del color deseado.

2 Diluye la glasa real con un poco de agua hasta conseguir una consistencia similar al yogur. La cantidad de agua para conseguir la fluidez necesaria varía en cada tanda de glasa real. Con demasiada agua rebasará la silueta o será demasiado frágil, y con poca, el dibujo no será liso. Prueba la consistencia de la glasa diluida con el «método de recuento». Toma una cucharada de la glasa real y devuélvela al bol. La glasa debería unirse en 8 o 10 segundos. Rellena con ella la silueta.

Puntos finos

- No intentes mover el dibujo de azúcar fluido durante varias horas o hasta que la glasa esté completamente seca, pues podrían surgir pequeñas grietas.
- La grasa del glaseado de crema de mantequilla podría producir manchas de grasa en el dibujo de azúcar fluido. Para evitarlo, haz puntos de glasa real en la parte trasera del dibujo para crear una barrera entre el dibujo y el glaseado de crema de mantequilla.
- La humedad afectará al tiempo de secado y la dureza de la pieza de azúcar fluido. Considera la posibilidad de utilizar un deshumidificador para los días húmedos y lluviosos.

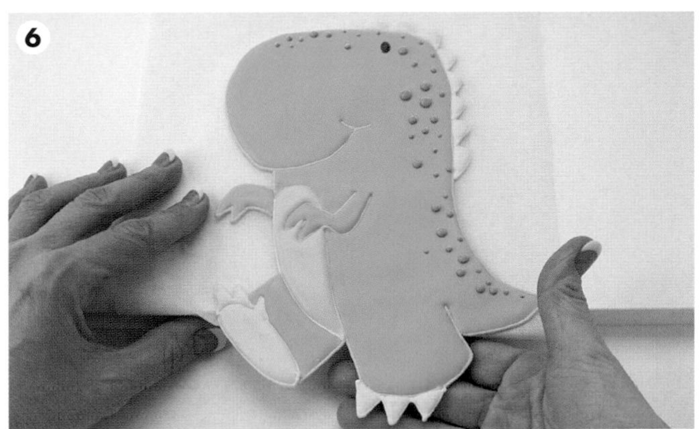

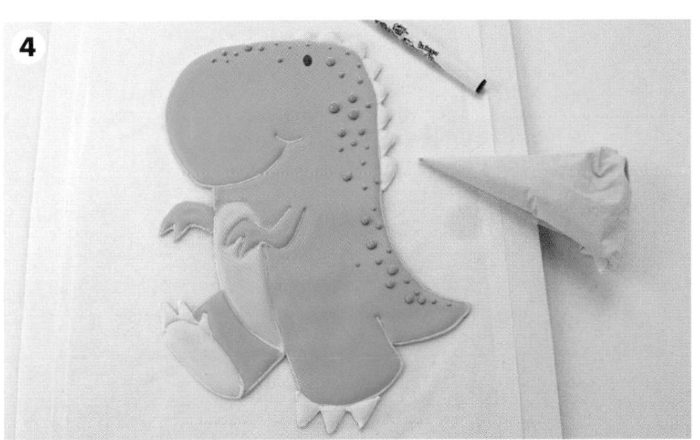

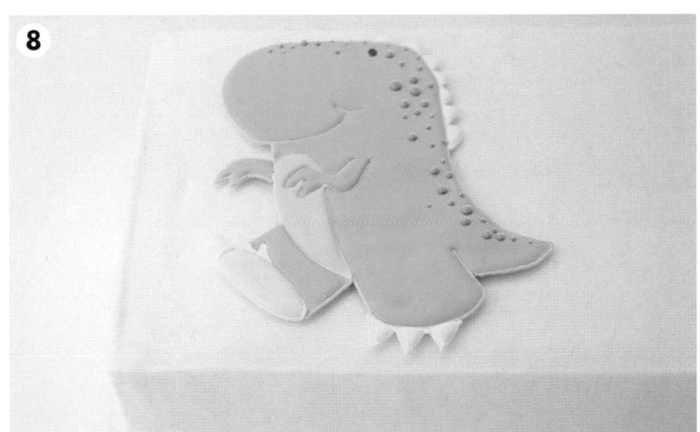

3 Utiliza un palillo para rellenar las zonas difíciles.

4 Puedes añadir adornos adicionales con glasa real. Deja que el color de base se seque por lo menos una o dos horas antes de añadir los adornos. Los detalles muy finos, como las cejas o detalles del ojo, pueden pintarse con colorante alimentario o con un rotulador comestible. La glasa real deberá cuajar durante 24 horas antes de poder pintar o dibujar encima.

5 Deja cuajar la figura entre 24 y 48 horas y despega la cinta adhesiva del papel de hornear.

6 Desliza cuidadosamente el papel de hornear con la pieza de azúcar fluido sobre el borde de la superficie de trabajo para despegarla.

7 Haz puntos de glasa real en la parte trasera de la figura.

8 Coloca la figura de azúcar fluido sobre el pastel.

FIGURAS DE AZÚCAR FLUIDO CON CONTORNO

Al reseguir la imagen con un color oscuro como negro o marrón, la pieza asemeja una ilustración. Esta técnica es especialmente atractiva para pasteles para niños o diseños originales.

1 Mezcla la glasa real según las instrucciones: debe quedar esponjosa y con picos firmes. Coloca una hoja de papel de hornear sobre la ilustración o la imagen prediseñada y pégala para que no se mueva. Siluetea la imagen con glasa real de color negro o marrón y deja que se seque una o dos horas.

2 Diluye la glasa real con un poco de agua hasta conseguir una consistencia similar al yogurt. Tiñe la glasa real diluida con colorante alimentario. Rellena la silueta con un color de contraste de glasa diluida.

3 Utiliza un palillo para rellenar las zonas difíciles.

4 Puedes añadir detalles a la silueta después de dejar que el color de base cuaje durante una o dos horas. La silueta oscura podría correrse si no cuaja completamente antes de añadir los detalles.

5 Deja que el dibujo cuaje de 24 a 48 horas. Puedes dibujar más

1

3

2

4

detalles con rotulador comestible o con pintura comestible diluida en agua.

6 Una vez la figura ya se ha secado completamente (24-48 horas), quita la cinta adhesiva del papel de hornear.

7 Desliza cuidadosamente el papel de hornear con la pieza de azúcar fluido sobre el borde de la superficie de trabajo para despegarla.

8 Haz puntos de glasa real en la parte trasera de la figura.

9 Coloca la figura de azúcar fluido sobre el pastel.

CUELLOS DE AZÚCAR FLUIDO

Dale una nueva dimensión a un pastel con un cuello de azúcar fluido. Las piezas de glasa real secas se colocan sobre el pastel, sobrepasando la anchura del pastel para crear un cuello decorativo.

1. Mezcla la glasa real según las instrucciones: debe quedar esponjosa y con picos firmes. Coloca una hoja celofán sobre la plantilla o la imagen prediseñada y pégala para que no se mueva. Siluetea la imagen con glasa real.

2. Diluye la glasa real con un poco de agua hasta conseguir una consistencia similar al jarabe de arce.

   Rellena la silueta con la glasa diluida. Utiliza un palillo para rellenar las zonas difíciles.

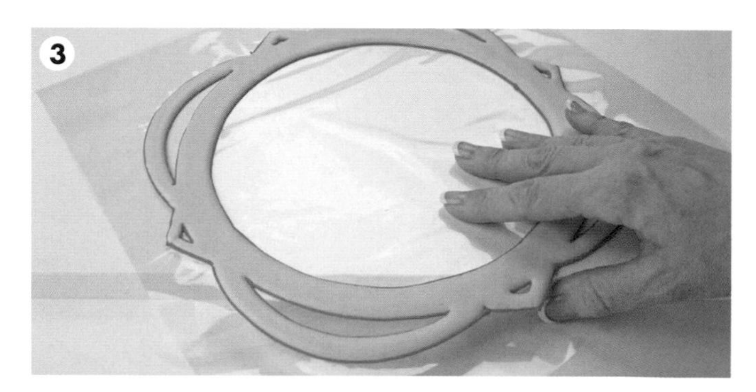

3. Deja que la pieza cuaje durante varios días. Retira la cinta adhesiva de la hoja celofán y deslízala con la pieza sobre el borde de la superficie de trabajo para despegar la pieza de azúcar fluido. Haz girar el cuello para despegar todos los lados.

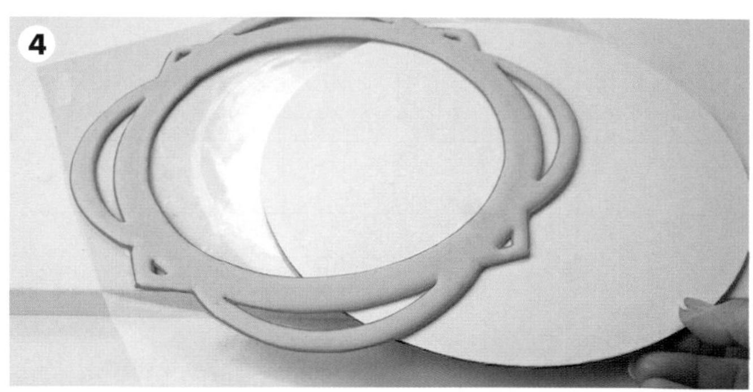

4. Después de despegar todos los lados, desliza la pieza sobre una base del mismo tamaño que el cuello, levantando lo menos posible el cuello de la superficie de trabajo.

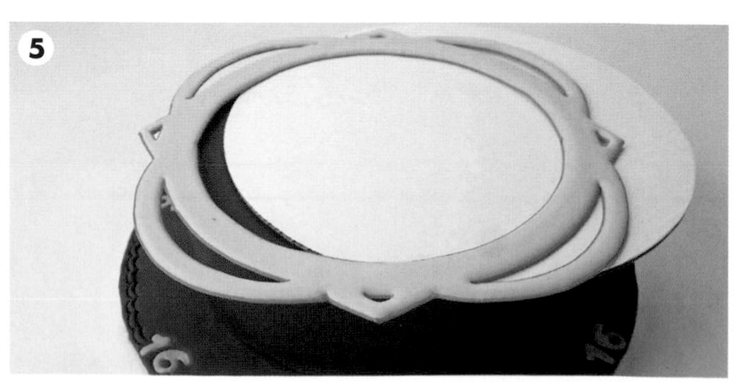

5. Haz puntos de glasa real alrededor del borde del pastel. Desliza suavemente el cuello de azúcar fluido sobre el pastel.

Un cuello dividido en secciones es mucho menos delicado que un cuello tradicional. Este cuello está hecho con muchas piezas pequeñas de azúcar fluido que bordean el pastel para crear un cuello grande.

Bordado con glasa real

El bordado con glasa real aporta una delicada textura de encaje a los pasteles recubiertos de fondant. Se consigue siluteando pétalos de flores con glasa real y luego pincelando la glasa antes de que se endurezca. El color de fondo debería quedar visible en el interior de los pétalos. El bordado con glasa real suele hacerse con glasa real blanca, pero puede modernizarse añadiendo color.

El fondant deberá estar blando al presionar los cortadores, o se romperá. Para mantenerlo blando, envuelve el pastel recubierto de fondant con film transparente inmediatamente después de cubrirlo. Desenvuelve pequeñas secciones del pastel y repújalo por zonas.

Cuando pintes los pétalos y las hojas, el pincel debe estar limpio y húmedo. Prepara un recipiente de agua para enjuagar el pincel después de decorar cada pétalo. Después de enjuagar el pincel, quita el exceso de agua con una toalla húmeda. La glasa pincelada debería ser gruesa donde empieza la silueta y fina hacia el centro. Las pinceladas deberían ser visibles. Si no se ven las pinceladas, la glasa real está demasiado diluida. Añade más azúcar glas y bátelo hasta que se formen picos firmes.

1 Justo después de recubrir el pastel con fondant, repújalo con cortadores de flores.

2 Coloca la glasa real en una bolsa de manga pastelera con una boquilla redonda. Para flores y hojas de 5 a 10 cm, usa la boquilla 3. Usa la del 1 o del 2 para flores más pequeñas. Resigue un pétalo con glasa real.

3 Toca la parte superior de la silueta suavemente con una pincelada húmeda y plana. Sujeta el pincel en un ángulo de 45°. Dando largas pinceladas, arrastra la glasa real desde la silueta hacia el centro. Repite el proceso, siluteando y pintando un pétalo cada vez; si siluteas demasiados pétalos a la vez, la glasa real se endurecerá.

4 Añade un centro a las flores o nervios a las hojas con glasa real y una boquilla 1.

Stringwork

El stringwork, que emplea glasa real y una boquilla decorativa fina, es un método para crear delicadas líneas de glaseado que forman guirnaldas o bucles en la superficie del pastel. El pastel deberá estar marcado para que el espaciado sea regular. Las instrucciones de este capítulo muestran cómo utilizar un Smart Marker para marcar el pastel. Los marcadores pueden personalizarse para crear tu propia plantilla de guirnaldas (véase la pág. 145).

1 Alinea el anillo del Smart Marker con el tamaño del pastel. Presiona con un punzón o un palillo los agujeros de corte para marcar el pastel y crear guirnaldas a una distancia uniforme. Graba la plantilla de guirnaldas deseada incluida en el juego del Smart Marker, que deberá estar centrada entremedio de los agujeros marcados. Véase la página 212 para más instrucciones sobre el uso del Smart Marker.

2 Coloca una boquilla 1 en una bolsa de manga pastelera y llénala de glasa real. Sujeta la boquilla perpendicular al pastel, rozando la superficie de la hendidura de la guirnalda. Da un golpe de presión para pegar la glasa en el pastel. Sigue presionando, apartando la boquilla y dejando que la glasa caiga naturalmente de la bolsa. Sigue la curva de la guirnalda. Toca el final de la guirnalda con la boquilla y deja de presionar. Levanta la boquilla. Cuando hagas la guirnalda, no arrastres la boquilla sobre la superficie del pastel: la boquilla debe estar justo por encima de la superficie.

3 Sigue hasta completar.

1

2

3

Solución de problemas

Si la línea se corta, no estás presionando lo suficiente, o quizás muevas la mano demasiado rápido. Si la línea es un garabato, estás presionando demasiado, o la boquilla es defectuosa.

Extensiones

Las extensiones se hacen con una guirnalda en forma de puente a la que se le añaden líneas verticales muy finas. Es una de las técnicas más delicadas de decoración de pasteles. Las extensiones requieren paciencia y práctica. Antes de iniciar una extensión, es importante estar familiarizado con el uso de la glasa real en la manga pastelera y las boquillas finas. La consistencia de la glasa real es de picos medios. Si la glasa real tiene picos firmes, será difícil apretar la bolsa, y si es demasiado blanda, las líneas serán demasiado frágiles. Tamiza el azúcar glas cuando prepares la glasa real.

1

3

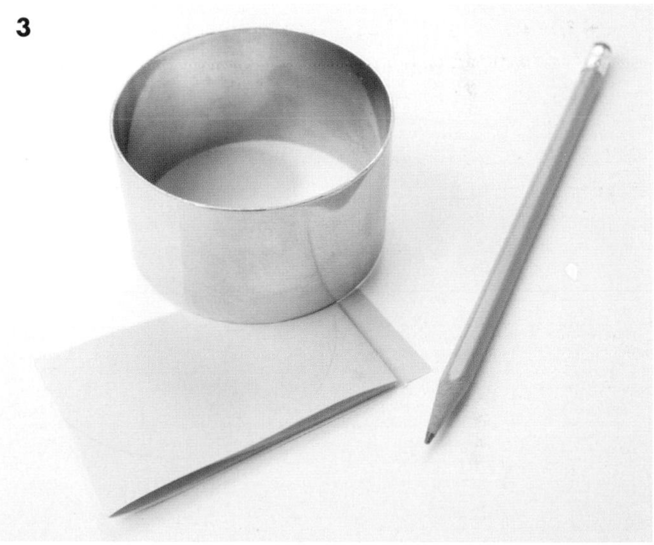

2

1 Rodea el pastel con una tira larga de papel (el papel para máquinas registradoras es ideal). Córtalo a la longitud exacta de la circunferencia del pastel.

2 Dobla el papel por la mitad.

3 Sigue doblando el papel por la mitad hasta la longitud deseada para las guirnaldas. Haz un borde festoneado con un cortador de galletas redondo y un lápiz.

(sigue)

4

6

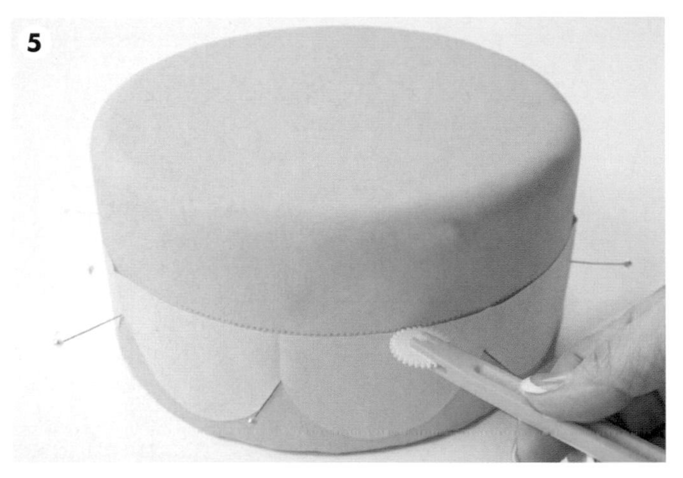

5

7

8

4 Corta la guirnalda de papel. Si la tira es más alta de lo deseado, recorta la parte superior. Rodea el pastel con la tira y fíjala pegando ambos extremos. La parte inferior debería estar a unos 6 mm de la base. Coloca bien la tira insertando dos alfileres en las esquinas de la guirnalda.

5 Marca el borde superior con una rueda dentada con puntas afiladas.

6 Marca el borde festoneado con un punzón o un palillo.

7 Haz un borde refinado. Un borde de estrella con boquilla 14 o un borde redondo con boquilla 6 son un buen complemento para los pasteles con extensiones.

8 Ajusta una boquilla 2 a una bolsa de manga pastelera y llénala con glasa real. Haz guirnaldas siguiendo las marcas del borde y déjalas secar 1 o 2 horas.

9 Haz otra línea de glasa real justo encima de la primera con la boquilla 2, paralela a la primera, ni por encima ni por debajo, sin dejar huecos entre las capas, o el puente sería desigual y frágil. Deja secar la segunda capa durante una o dos horas.

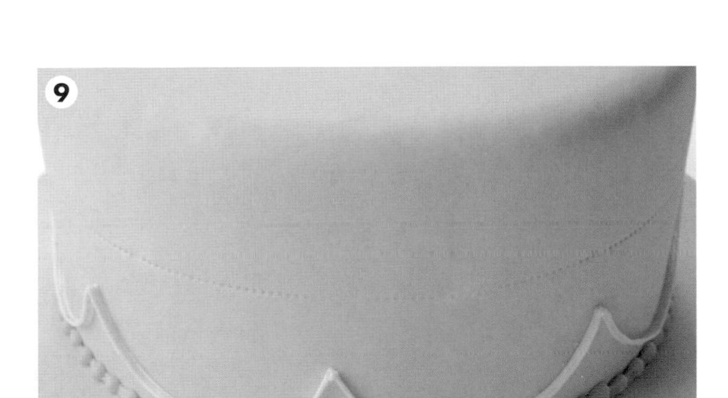

10 Sigue haciendo capas con la boquilla 2 y deja secar cada capa antes de añadir la siguiente encima, o el puente se desmoronará. Deja que las capas se sequen durante algunas horas o toda la noche.

11 Ajusta una boquilla 0 a una bolsa de manga pastelera y llénala de glasa real. Sujeta la boquilla perpendicular al pastel y empieza a glasear en una de las marcas de la rueda dentada. Presiona y aprieta la bolsa para pegar la línea. Sigue presionando y lleva la línea hacia abajo, en dirección al puente. Toca la base del puente y deja de presionar.

12 Sigue haciendo líneas hasta acabar las extensiones. Añade un borde refinado a la parte superior de las tiras. Un borde de puntos con una boquilla 1 añade un acabado muy delicado.

13 También se pueden añadir puntitos: aplícalos presionando suavemente, y asegúrate de que la boquilla no toca las extensiones, o se romperían. Deja un espacio uniforme entre los puntos.

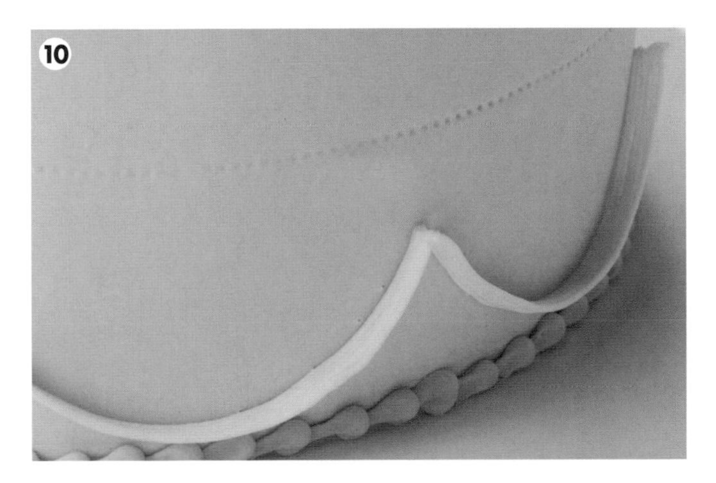

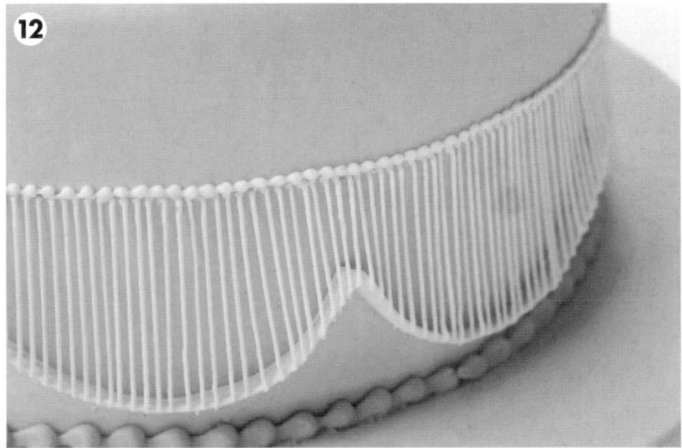

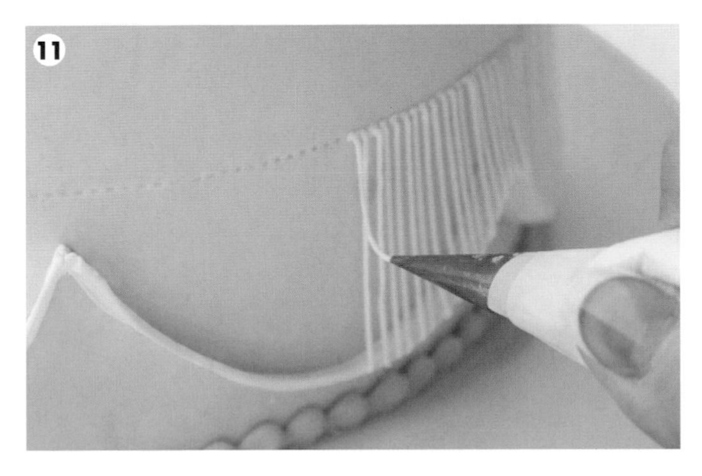

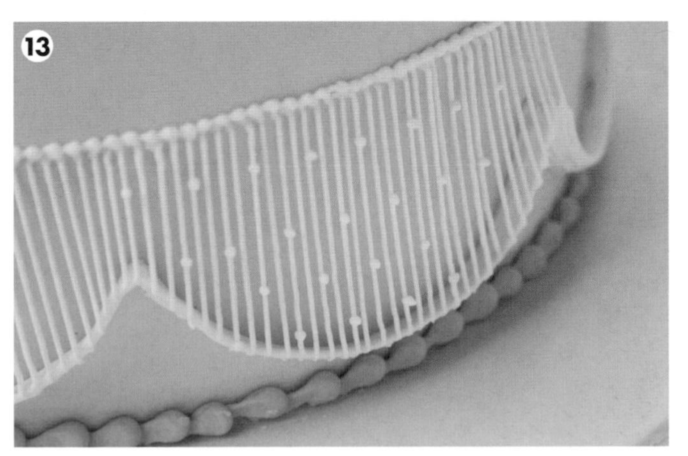

(sigue)

Extensiones arqueadas

Para crear extensiones arqueadas o curvadas se hace un puente poniendo la glasa real en semicírculo.

1 Marca el pastel según las instrucciones de la página 145. También puedes hacerlo con un cortador recto de volantes. Presiona el cortador de volantes sobre el pastel recién recubierto de fondant y grábalo, empezando por la parte de atrás, pues puede que el cortador no deje el espacio exacto.

2 Ajusta una boquilla 2 a una bolsa de manga pastelera y llénala de glasa real. Haz pequeñas guirnaldas en el centro de las marcas y déjalas secar 1 o 2 horas.

3 Haz otra guirnalda más larga encima de la primera. No dejes espacios entre la primera y la segunda capa, o el puente será desigual y frágil. Deja secar la segunda capa de guirnaldas 1 o 2 horas.

4 Sigue haciendo guirnaldas cada vez más largas del mismo modo, hasta formar un semicírculo. Deja que cada capa de guirnaldas se seque antes de poner encima la siguiente o el puente se desmoronará. Deja secar todas las capas unas horas o toda la noche.

5 Ajusta una boquilla 0 a una bolsa de manga pastelera y llénala de glasa real. Sujeta la boquilla perpendicular al pastel y empieza a glasear en una de las marcas de la rueda dentada o el cortador recto de volantes. Presiona y aprieta la bolsa para pegar la línea. Sigue presionando y lleva la línea hacia abajo, en dirección al puente. Toca la base del puente y deja de presionar. Sigue haciendo líneas hasta acabar las extensiones.

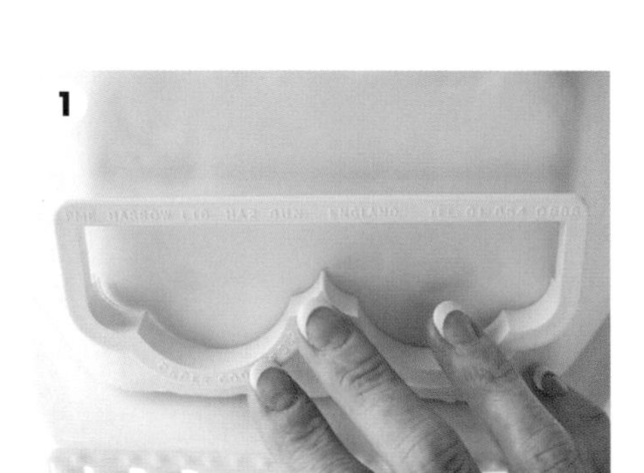

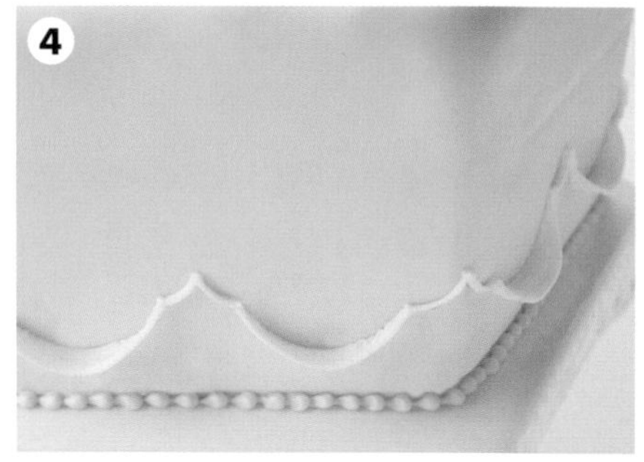

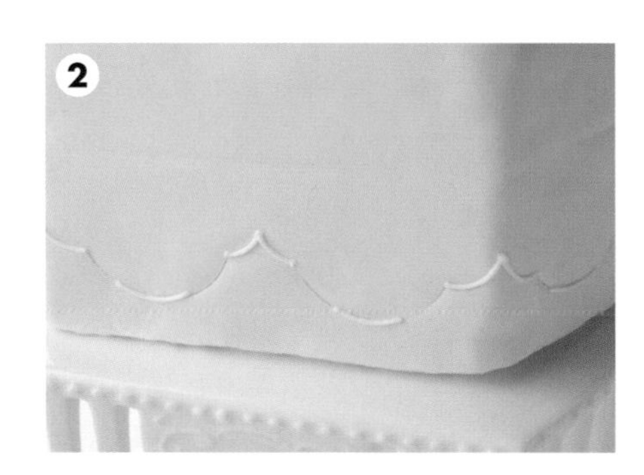

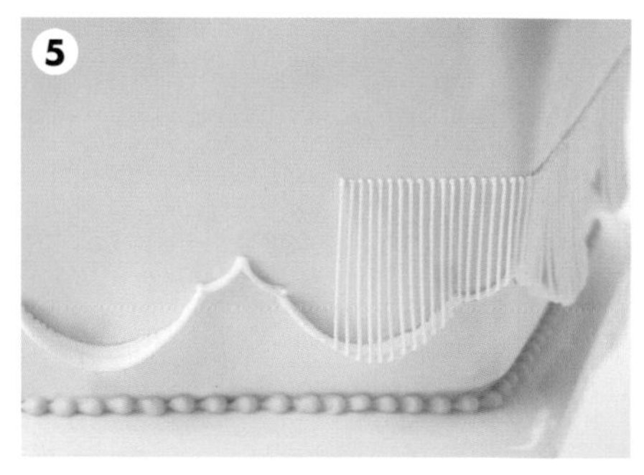

Ayudas para las extensiones

- Para conseguir más elasticidad, añade 1 o 2 gotas de glucosa líquida a la glasa real para hacer las extensiones. Eso puede cambiar la consistencia de la glasa real y es posible que necesites más azúcar glas.
- Si usas una rueda dentada para marcar la línea superior, se marcarán automáticamente puntos para hacer líneas separadas uniformemente. El pastel debe estar recién cubierto de fondant para utilizar la rueda dentada.
- Si las líneas se rompen, presiona más al dispensar la glasa, o haz las líneas más lentamente. Si las líneas serpentean, hay demasiada presión, o bien el ritmo es demasiado lento. Las boquillas obstruidas también pueden producir líneas serpenteantes.
- Debes colocar el pastel sobre una base para pasteles de 2,5 a 5 cm más ancha que el pastel, pues las extensiones podrían romperse si algo toca el pastel.

Encaje

Añade un toque delicado de encaje con estas figuras de glasa real. Se dibujan con la manga sobre una plantilla para crear elegantes adornos. Tardan algunas horas en secarse y deben hacerse por lo menos con un día de antelación. Una vez secas, son muy frágiles: haz unas cuantas de más por si se rompen.

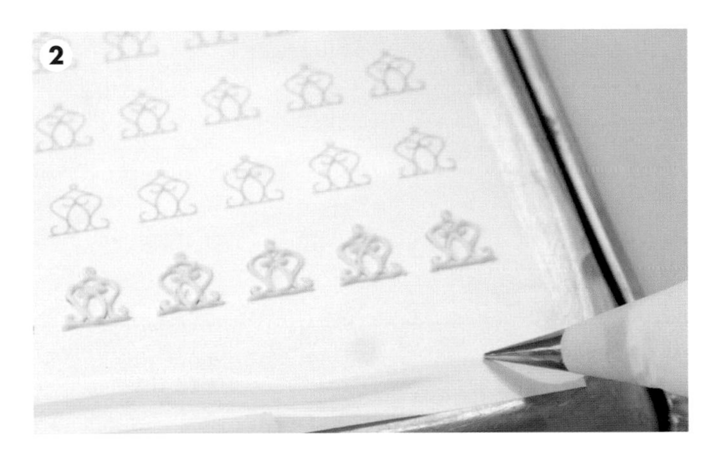

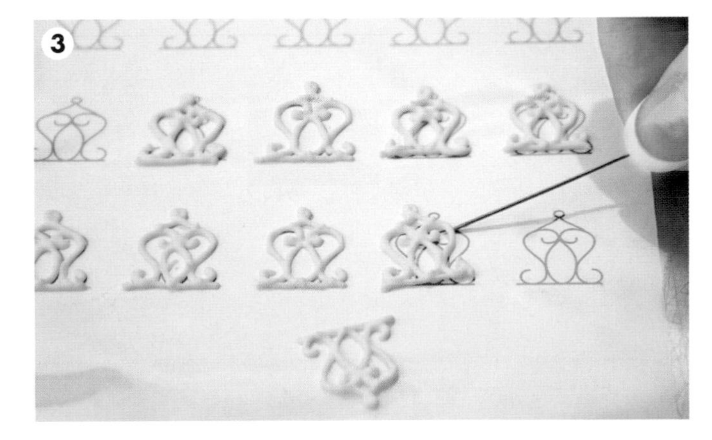

Pueden hacerse con meses de antelación y guardarse en un envase a salvo de la humedad en un armario. Los saquitos de gel de sílice en el envase pueden eliminar el exceso de humedad.

1 Pega la plantilla copiada a una superficie de trabajo lisa, como una bandeja de hornear o una base de cartón para pasteles. Pega una hoja de celofán para uso alimentario sobre la plantilla. Ajusta una boquilla 1 a una bolsa de manga pastelera y rellénala con glasa real.

2 Contornea la figura con la glasa real. Toca la superficie para pegar la glasa real. La bolsa debería estar ligeramente alzada sobre la superficie de trabajo mientras le contorneas. Aplica una presión uniforme: si presionas demasiado, las líneas quedarán torcidas, y si presionas poco, la glasa real se romperá al levantarla de la hoja de celofán.

3 Deja secar las piezas 24 horas. Desliza un alfiler por debajo de cada pieza para despegarlas. No las empujes o se romperán.

4 Pega las piezas de encaje en el pastel con una línea fina de glasa real. La línea no debería ser visible después de pegar el encaje.

La hoja de la plantilla y la hoja de celofán pueden pegarse sobre un molde de flores para añadir curvas a las piezas.

Proyectos

PÉTALOS HERMOSOS

QUÉ NECESITAS

- Cupcakes horneados y enfriados
- Glaseado de crema de mantequilla
- Boquillas: 1A, 103, 350, 131 y 225
- Colorantes: rosa pálido, amarillo limón, aguacate y turquesa
- Colorante en espray: perlado
- Bolsas de manga pastelera
- Envoltorios para cupcakes rosas

1 Haz las flores con varias horas de antelación: rosas de crema de mantequilla rosa (pág. 115) y florecitas de crema de mantequilla amarilla y turquesa con las boquillas 225 y 131 (pág. 113).

2 Cubre con glaseado de crema de mantequilla rosa el cupcake al estilo de panadería (pág. 64).

3 Coloca las flores ya endurecidas sobre los cupcakes recién glaseados.

4 Haz un par de hojas alrededor de las flores con crema de mantequilla color aguacate (pág. 90).

5 Rocía el cupcake con colorante alimentario en espray (pág. 283).

6 Antes de servir, coloca cuidadosamente el cupcake decorado dentro del envoltorio.

QUÉ NECESITAS

- Un pastel horneado y enfriado (23 x 10 cm)
- Fondant: azul, rojo y marrón
- Crema de mantequilla color terracota
- Pasta de goma blanca
- Máquina de cortar Cricut Cake
- Cartuchos básicos de pasteles para Cricut Cake
- Ingredientes para el arroz inflado
- Bolsa de manga pastelera
- Boquillas: 12 y 233
- Cortador de galletas de 2,5 cm
- Gel para decorar
- Pistola de modelar

AMIGO FIEL

1 Por lo menos un día antes, haz una forma de cachorro con arroz inflado (pág. 68) y cúbrelo con glasa real blanca.

2 Cubre el pastel con fondant azul (pág. 50).

3 Añade una cinta de 4 cm de ancho de fondant rojo (pág. 208).

4 Corta las patas con un cortador de galletas de 2,5 cm y pellízcalas un poco para darles forma. Corta los dedos con la boquilla 12 y modela las patas.

5 Si quieres poner un nombre en el pastel, corta las letras con la máquina Cricut Cake (véase la pág. 284) utilizando pasta de goma blanca (pág. 35). Modela un hueso de pasta de goma blanca.

6 Coloca el cuerpo del cachorro de arroz inflado sobre el pastel. Haz el pelo con glaseado de crema de mantequilla color terracota y la boquilla 233 (pág. 92). Inserta un palillo para aguantar la cabeza y la cola. Añade las patas y cúbrelas de pelo. Añade la cabeza y la cola sobre los palillos y cúbrelas de pelo. Modela dos bolas del mismo tamaño de fondant marrón para hacer los ojos. Modela una tercera bola y aplástala, formando un triángulo para la nariz. Pega los ojos y la nariz sobre la cara cubierta de pelo. Forma las orejas con 2 bolas de glaseado y cúbrelas de pelo.

7 Haz la correa con fondant rojo y la extrusora para plastilina, usando el disco rectangular.

1

QUÉ NECESITAS

- Un pastel horneado y enfriado (20 x 33 cm)
- Fondant marrón
- Glasa real rosa, verde lima y marrón
- Crema de mantequilla rosa
- Bolsas de manga pastelera
- Boquillas: 0, 1, 2, 101 y 14
- Cortadores de galletas y números mini
- Pinza marcadora
- Gel para decorar

Ampliar al 200%

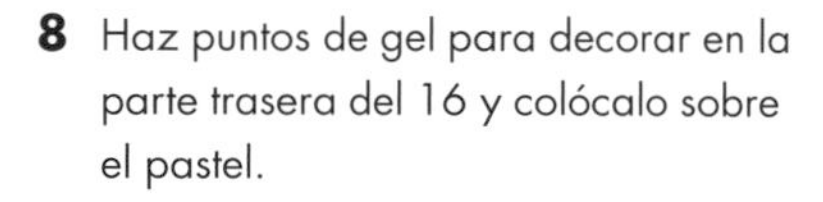

1 Unos días antes haz el cuello rosa y el número 16 (pág. 142). Guarda la glasa sobrante para el 16 de la base del pastel.

2 Un día antes como mínimo haz las hojas con glasa real verde lima y la boquilla 0 (pág. 90).

3 Cubre el pastel con fondant marrón (pág. 50).

4 Cubre la base del pastel con fondant marrón. Marca los bordes (pág. 59) y recorta los 16 con cortadores de galletas de números mini.

5 Coloca el pastel sobre la base. Haz un borde con glasa real marrón y una boquilla 14 (pág. 98).

6 Rellena los números 16 cortados con la glasa real rosa sobrante del cuello.

7 Haz puntos de glasa real marrón alrededor del borde del pastel y coloca el cuello.

8 Haz puntos de gel para decorar en la parte trasera del 16 y colócalo sobre el pastel.

9 Escribe el nombre y añade puntos alrededor del cuello con glasa real verde lima y una boquilla 1 (pág. 108).

10 Haz rosas con glasa real o crema de mantequilla rosa (pág. 115). Coloca las hojas y las rosas sobre la base con gel para decorar.

DIVERSIÓN FLORAL

1 Glasea los cupcakes con crema de mantequilla y recúbrelos con fondant verde lima (pág. 66).

2 Con el fondant aún blando, graba el cupcake con cortadores de flores. Decora con glasa real blanca y la boquilla 2 utilizando la técnica de bordado con glasa real (pág. 143).

3 Haz pequeños puntos de glasa real con la boquilla 2.

QUÉ NECESITAS

- Cupcakes horneados y enfriados
- Cortador de galletas redondo de 7,5 cm
- Glaseado de crema de mantequilla
- Fondant verde lima
- Cortadores de rosas sencillas de 5 pétalos de 35, 50 y 65 mm
- Bolsa de manga pastelera
- Glasa real blanca
- Boquilla

MARGARITA DE ENCAJE

QUÉ NECESITAS

- Un pastel horneado y enfriado (20 x 10 cm)
- Fondant blanco
- Glasa real rosa, amarilla, turquesa, lavanda y verde hoja
- Pasta de goma color aguacate
- Bolsas de manga pastelera
- Boquillas: 2 y 233
- Gel para decorar
- Pistola de modelar

1 Por lo menos un día antes, haz unos pétalos, hojas y alas de mariposa de celosía (pág. 149).

2 Recubre el pastel con fondant blanco (pág. 50).

3 Haz tallos con pasta de goma color aguacate mediante la pistola de modelar (pág. 159) y pégalos al pastel con gel para decorar.

4 Coloca los pétalos de celosía sobre el pastel y fíjalos con un punto de gel para decorar.

5 Haz el cuerpo de la mariposa con glasa real lavanda y una boquilla 2. Pega las alas mientras la glasa aún esté mojada. Sujeta las alas unas cuantas horas o hasta que el cuerpo esté seco.

6 Haz la hierba con glasa real verde hoja y la boquilla 233.

7 Haz un punto amarillo en el centro de la flor rosa con la boquilla 2.

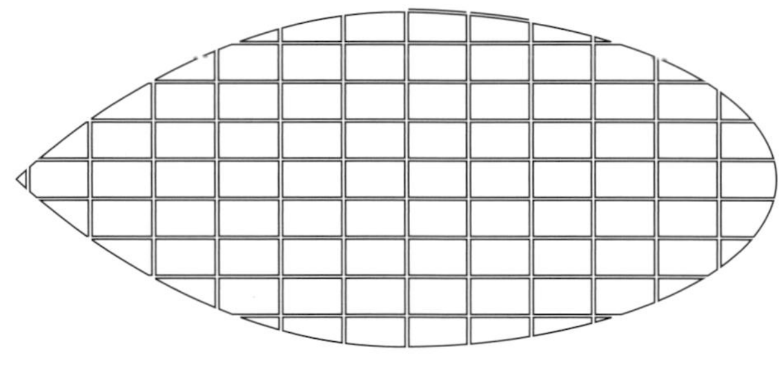

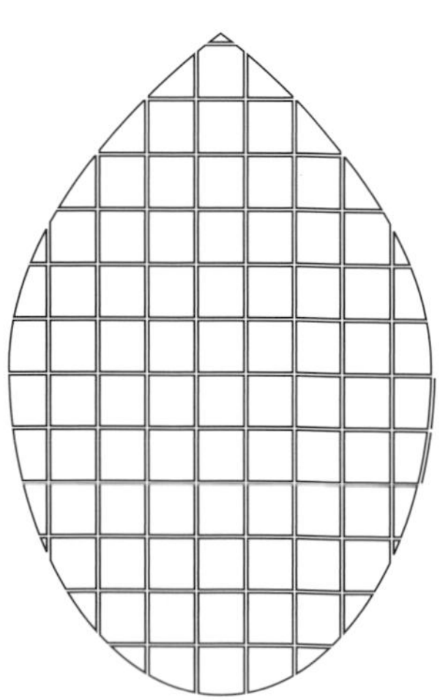

FELIZ DÍA DE LOS ENAMORADOS

1 Por lo menos un día antes, haz los corazones con glasa real roja y una boquilla 2 (pág. 128).

2 Recubre el pastel con fondant rosa (pág. 50) y marca unas guirnaldas uniformes (pág. 145).

3 Haz un borde con glasa real rosa y la boquilla 6. Forma un puente con la boquilla 2 (pág. 146).

4 Pega los corazones de glasa real roja con un punto de glasa real.

5 Haz las extensiones (pág. 147).

6 Haz letras con pasta de goma roja y los cortadores de letras (pág. 173).

7 Haz los corazones con pasta de goma roja y los cortadores Patchwork (pág. 174).

8 Haz los adornos que rodean los corazones con glasa real blanca y la boquilla 0.

QUÉ NECESITAS

- Pastel horneado y enfriado (20 x 10 cm)
- Fondant rosa pálido
- Pasta de goma roja
- Glasa real blanca, roja y rosa
- Bolsas de manga pastelera
- Boquillas: 3, 6 y 0
- Cortador Patchwork: juego de corazones
- Cortador de letras, alfabeto divertido

DETALLES DE FONDANT Y PASTA DE GOMA

Hasta un principiante puede crear pasteles de aspecto profesional utilizando fondant para cortar, esculpir y modelar hermosos adornos. La mayoría de adornos que aparecen en esta sección se pueden colocar sobre pasteles recubiertos de crema de mantequilla o fondant. Adorna un pastel con sencillas flores de fondant o con un sofisticado ramo de rosas de pasta de goma. En muchos casos el fondant o la pasta de goma se pueden usar indistintamente, o también puedes mezclarlos 50/50. Si quieres que el adorno sea comestible, deberás hacerlo de fondant, y si es puramente decorativo, utiliza pasta de goma para hacer una pieza más fina y delicada.

La pasta de goma se endurece más y de forma más rápida que el fondant. En las instrucciones se indica si la pasta de goma es más adecuada para hacer el adorno. «Pasta» es el término general utilizado aquí para fondant, pasta de goma o pasta 50/50.

Máquina de pasta

En algunas de las instrucciones de los siguientes capítulos se emplea una máquina de pasta. No es imprescindible, pero resulta muy útil para mantener un grosor constante al extender el fondant y la pasta de goma, además de ahorrar tiempo. Como una máquina de pasta no puede hacer la pasta más ancha, solo más larga, asegúrate de empezar con la anchura de pasta que necesites. La anchura de la mayoría de máquinas es de 15 cm. Si una pieza de pasta debe ser más ancha, extiéndela a mano con un rodillo de amasar con anillos, o utiliza las tiras correctoras. Muchos profesionales utilizan también laminadoras de fondant para piezas grandes.

Si la pasta no está totalmente lista después de haberla pasado por la máquina, puede que haya residuos en el rodillo. Para limpiar el rodillo, coloca la máquina de pasta en el ajuste más grueso y rocía el rodillo con un espray limpiador, por ejemplo, un limpiador de superficies para cocina. Coloca papel de cocina bajo el rodillo mientras giras la manivela o mientras el accesorio mezclador de pasta está en funcionamiento. NO pongas papel de cocina sobre los rodillos (donde se mete la pasta) o el papel pasaría a través de la máquina, se encallaría y estropearía los engranajes. Limpia y seca cuidadosamente el rodillo después de cada uso.

1 Amasa y ablanda la pasta de goma o el fondant y extiéndelo a la anchura deseada. Coloca la máquina de pasta en el ajuste más grueso (normalmente el 1) e inserta la pasta. Gira la manivela o enciende el mezclador si utilizas un accesorio. Sujeta la pasta con las manos a medida que va pasando por la parte inferior de la máquina.

2 Coloca el ajuste al nivel siguiente, más fino, y vuelve a pasar la pasta.

3 Sigue pasando la pasta entre los rollos con un ajuste cada vez más fino.

1

2

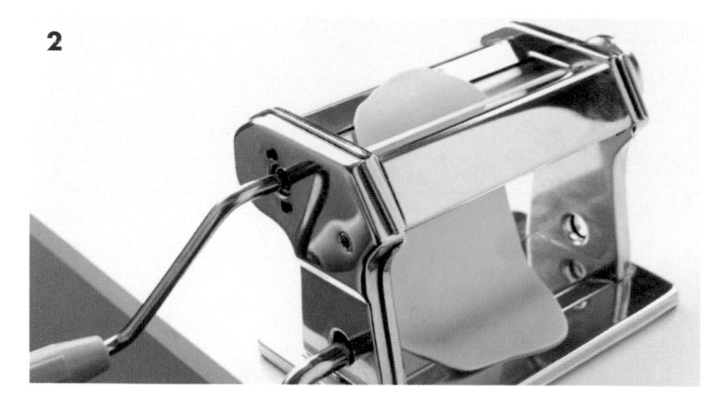

3

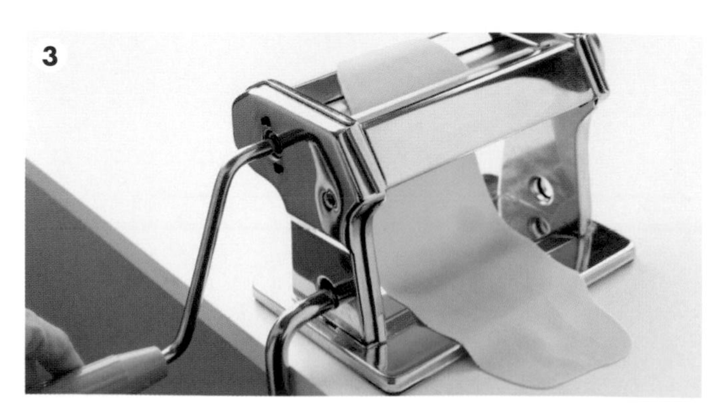

Reducir gradualmente

Normalmente la pasta se puede reducir extendiéndola cada dos ajustes. Por ejemplo: redúcela primero con el ajuste del 1, luego del 3 y acaba con el 5. Si la pasta tiene arrugas o no está totalmente lisa, no te saltes un ajuste: empieza con el 1, sigue con el 2, luego el 3, etc.

Extrusora para plastilina

La extrusora para plastilina se utiliza para crear multitud de líneas, texturas y adornos de un grosor homogéneo. Los juegos de extrusoras para plastilina incluyen un surtido de discos intercambiables.

1. Amasa y ablanda el fondant o la pasta de goma. Haz un cilindro de pasta de la longitud de la extrusora, pero ligeramente inferior al diámetro del cañón de la extrusora.
2. Llena el cañón de la extrusora desde la base.
3. Elige el disco deseado y fíjalo a la extrusora.
4. Gira la manivela de la extrusora para expulsar la pasta.
5. Utiliza un cuchillo de mondar o una espátula de hoja fina para cortar la pasta expulsada.

3

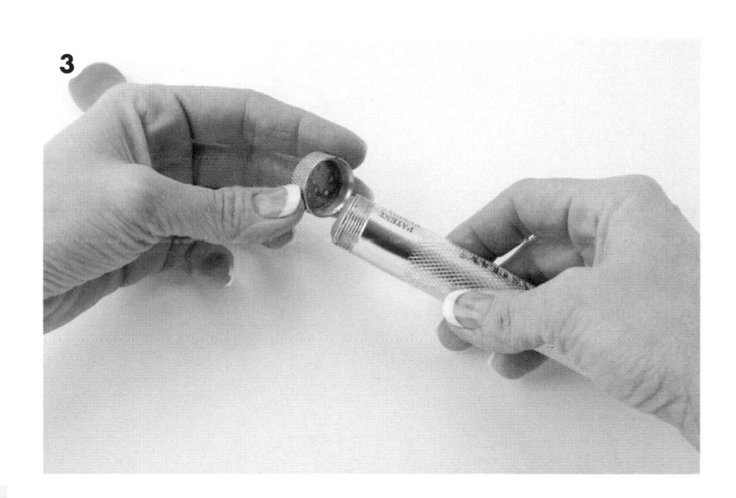

1

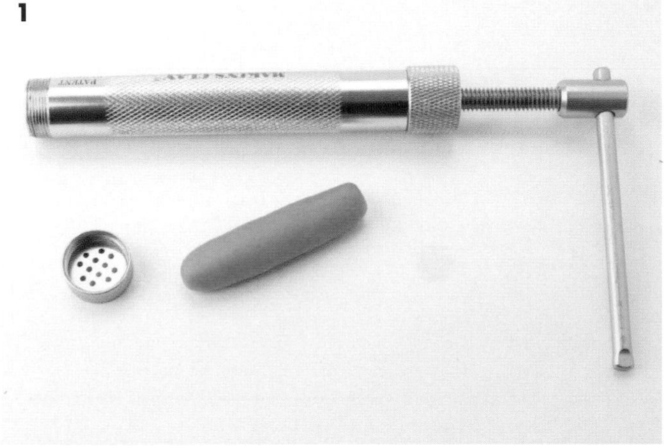

4

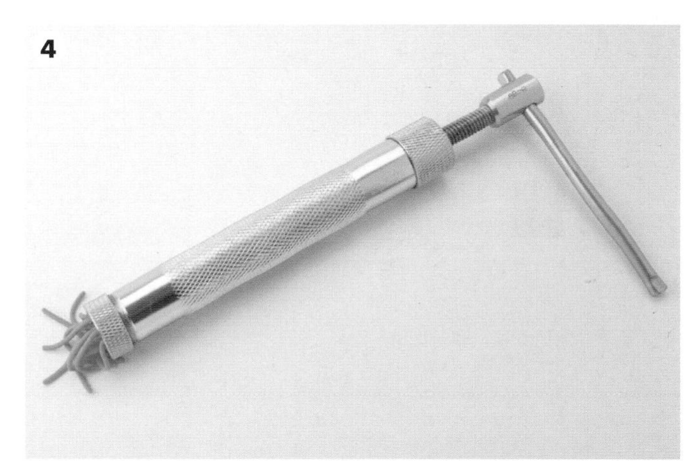

2

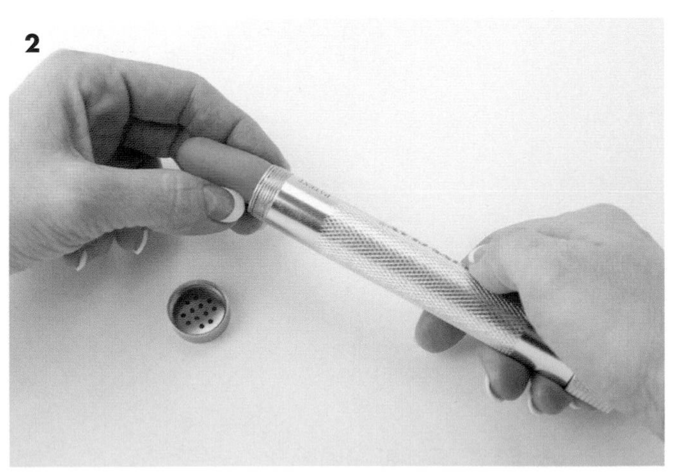

5

ADORNOS DE PASTA CON EXTRUSORA PARA PLASTILINA

Los orificios redondos sencillos se utilizan para enredaderas, tallos, letras y bordes.

Los orificios redondos múltiples se utilizan para pelo, paja, estambres de flores y piel.

Los discos planos se utilizan para crear cintas alrededor del pastel, cestas y lazos.

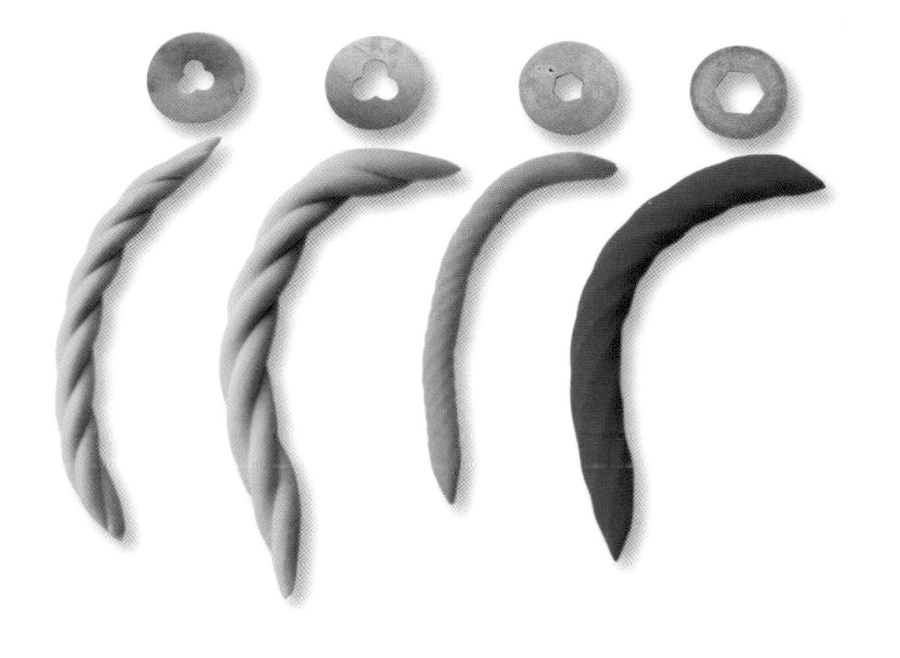

Los tréboles y hexágonos se utilizan para hacer cuerdas. Los tréboles forman unos giros asombrosos.

Suelen incluirse discos adicionales con más diseños.

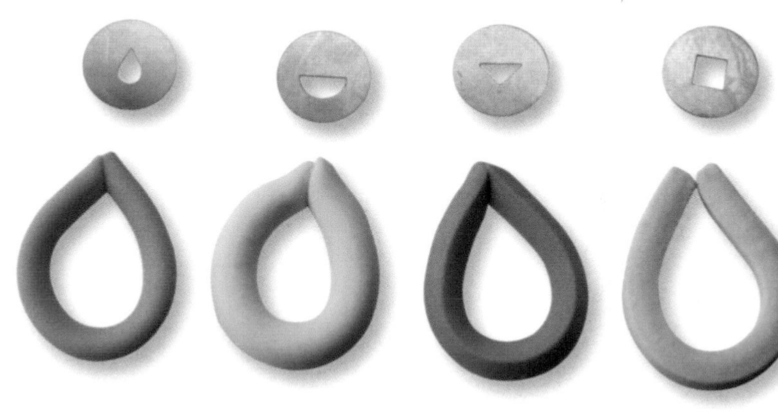

Puedes combinar colores para conseguir una cuerda multicolor.

Un poco caliente

Si te cuesta que la pasta salga de la extrusora, intenta calentarla un poco. Retira el cilindro de pasta de la extrusora y mételo en el microondas durante 2 o 3 segundos, o solo hasta calentarlo, vuelve a meterlo en la extrusora e inténtalo de nuevo.

Moldes de silicona para bordes

Los moldes de silicona para bordes sirven para crear bordes tridimensionales. Si trabajas con estos moldes de silicona, es mejor utilizar un fondant firme. Amasa más azúcar glas con el fondant para volverlo más firme.

BORDE DE PERLAS

Este borde de perlas requiere práctica para que salga perfecto, pero vale la pena el esfuerzo para conseguir una elegante ristra de perlas. El borde de perlas que se muestra aquí se ha hecho con un molde de silicona de CK Products para borde completo tridimensional (véase Recursos, pág. 324). Otros moldes de abalorios pueden resultar más fáciles de usar, pero las perlas tendrían la base plana.

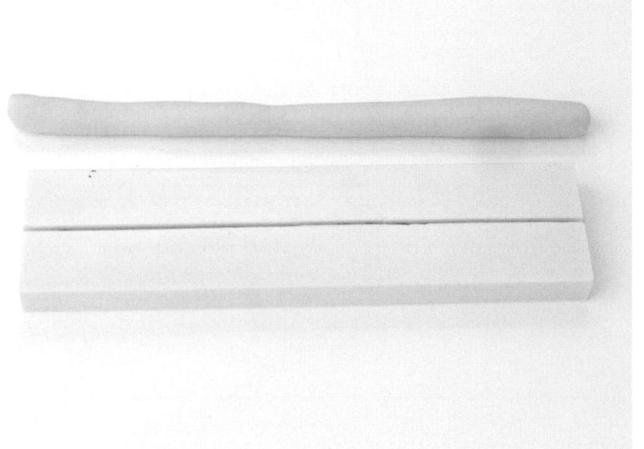
1

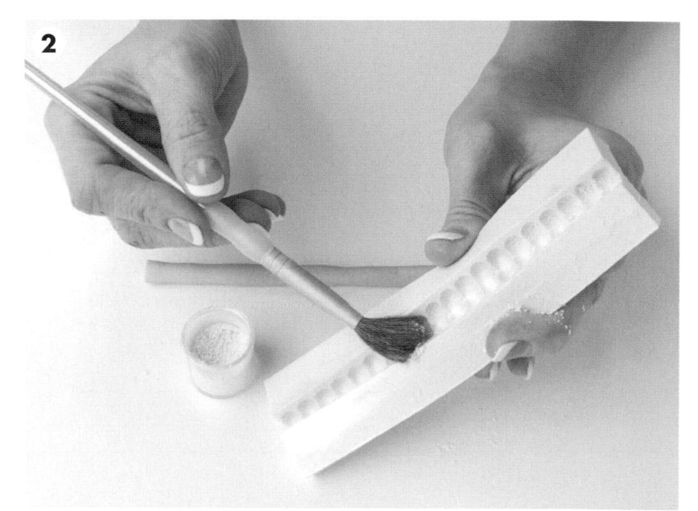
2

1 Amasa y ablanda el fondant y haz un cilindro de la longitud del molde y de un diámetro ligeramente superior al tamaño de las perlas.

2 Abre el molde de perlas y espolvoréalo con polvo nacarado, o si deseas un acabado mate, utiliza harina de maíz.

3 Abre el molde y colócalo sobre el cilindro de fondant, que deberá permanecer sobre la superficie de trabajo mientras lo haces.

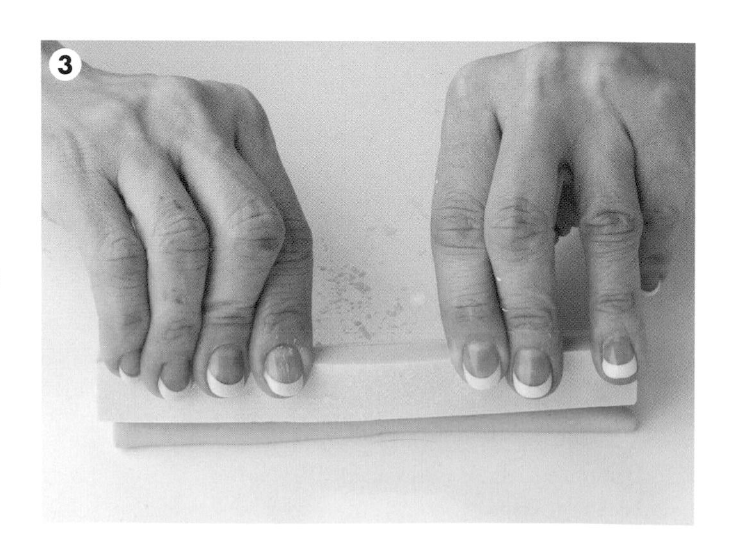
3

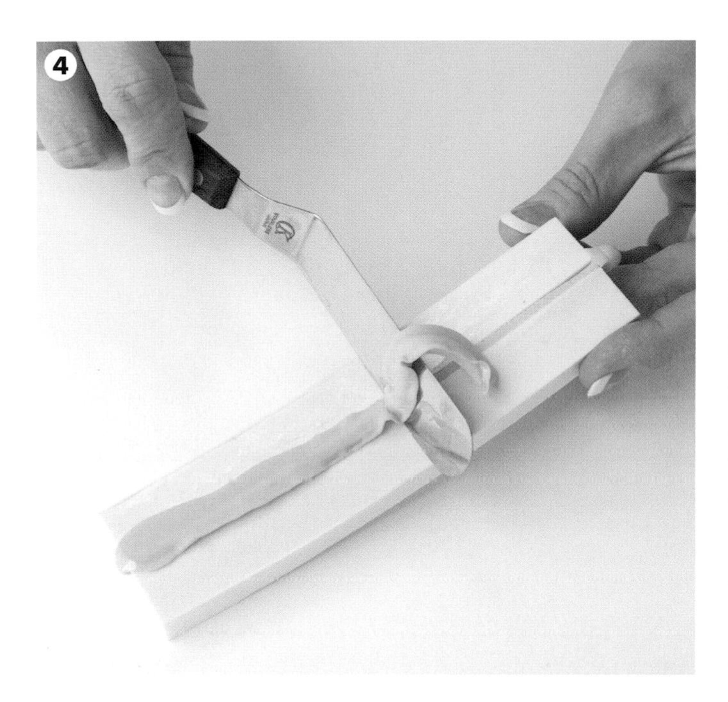

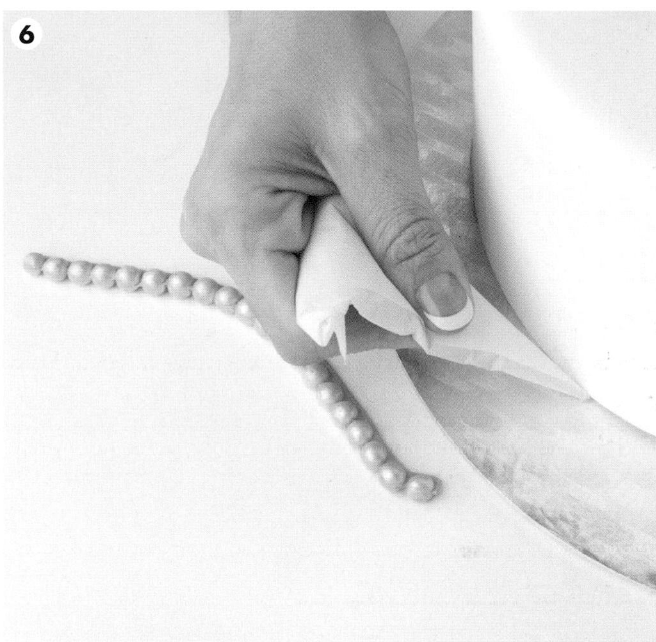

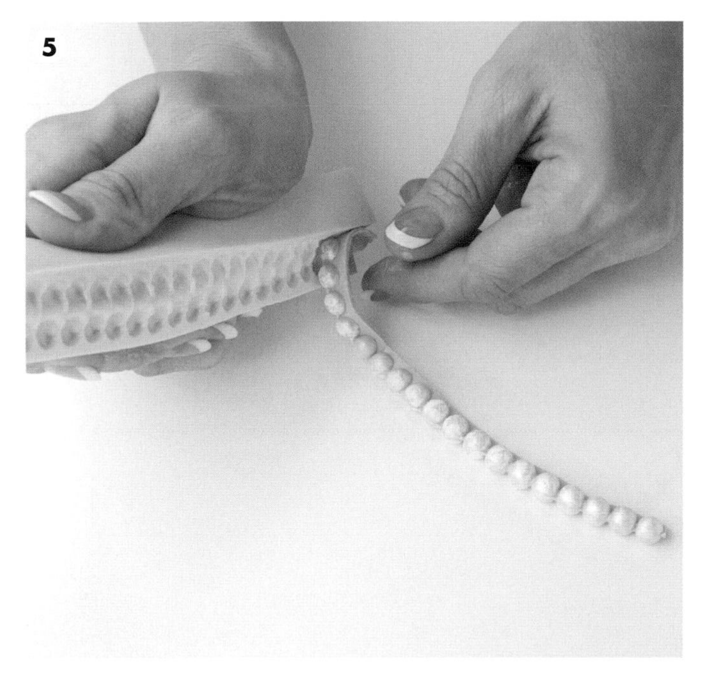

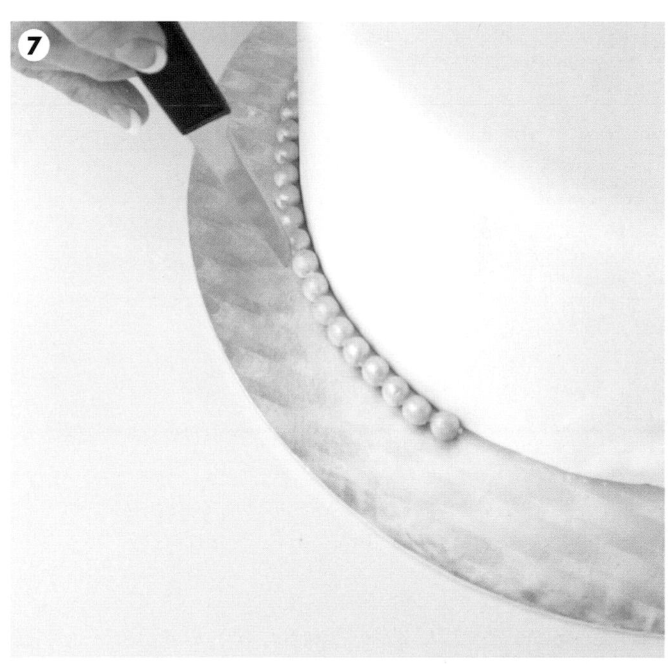

4 Abre ligeramente el molde de perlas para asegurarte de que ninguna de las perlas es plana. Si una perla ha quedado plana, presiona con firmeza el fondant para llenar la cavidad. Cierra el molde y retira el fondant sobrante de la parte superior y de los lados del molde con una espátula.

5 Abre el molde de perlas con una mano y deja que las perlas caigan del molde.

6 Coloca las perlas en el pastel con gel para decorar.

7 Después de liberar la ristra de perlas, verás que queda un residuo fino de fondant que parecerá una ristra que conecta las perlas. Si no quieres que se vea, deja endurecer las perlas y luego recorta el residuo con un cuchillo de mondar.

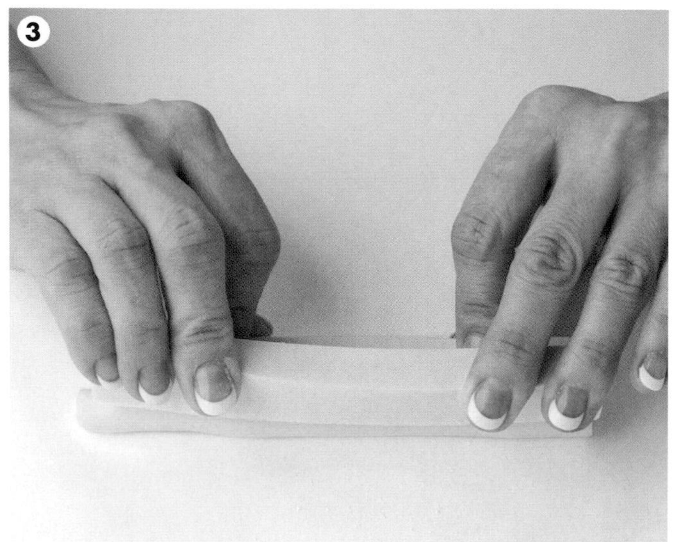

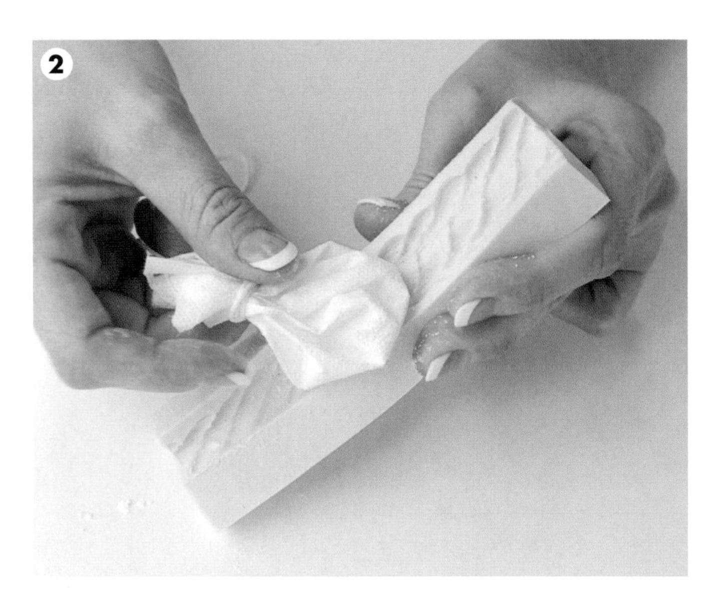

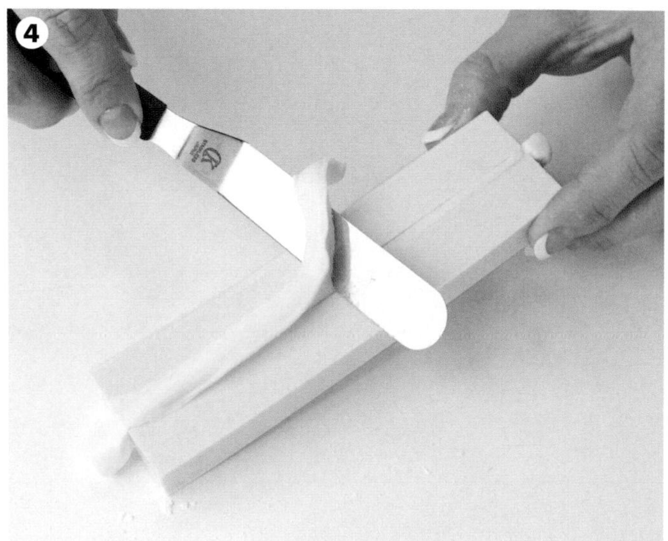

BORDE DE CUERDA

El borde de cuerda es muy versátil: aporta un toque festivo a un pastel sobre cow-boys, un aire elegante en un pastel de bodas formal, o un detalle original en un pastel infantil.

1 Amasa y ablanda el fondant y haz un cilindro de la longitud del molde y de diámetro ligeramente superior al tamaño de la cuerda.

2 Abre el molde de cuerda y espolvoréalo con harina de maíz, o bien con polvo nacarado si deseas un acabado nacarado.

3 Abre el molde y colócalo sobre el cilindro de fondant, que deberá permanecer sobre la superficie de trabajo mientras colocas el molde de cuerda sobre el cilindro. Cierra el molde.

4 Retira el fondant sobrante de la parte superior y de los lados del molde con una espátula.

5 Abre el molde de cuerda y deja que la cuerda caiga del molde.

6 Corta ambos extremos de la cuerda en ángulo, siguiendo las líneas de giro de la cuerda.

7 Coloca la cuerda en el pastel con gel para decorar.

8 Sigue haciendo cuerdas, uniendo los extremos cortados en ángulo de la cuerda.

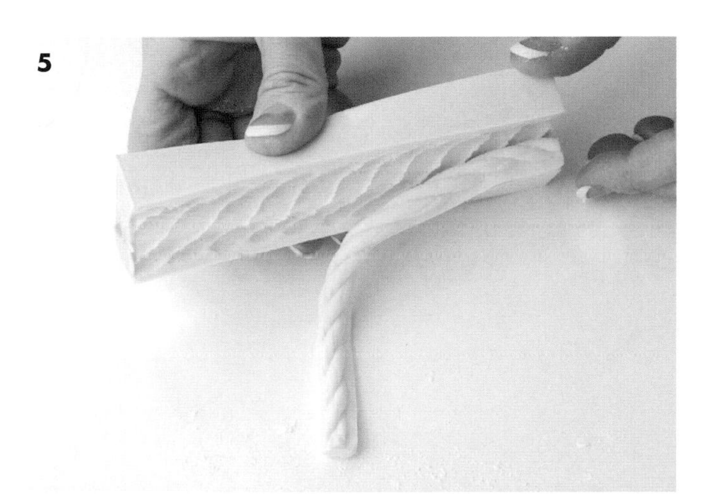
5

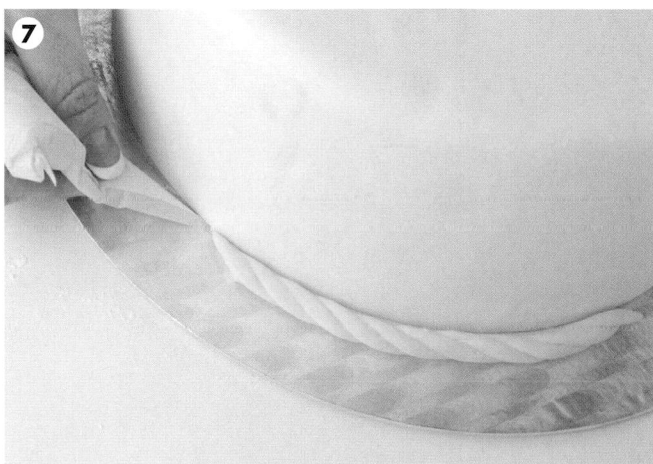
7

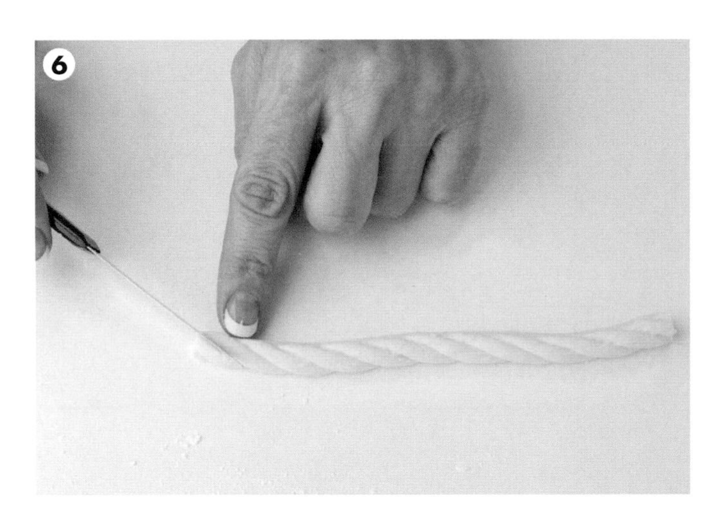
6

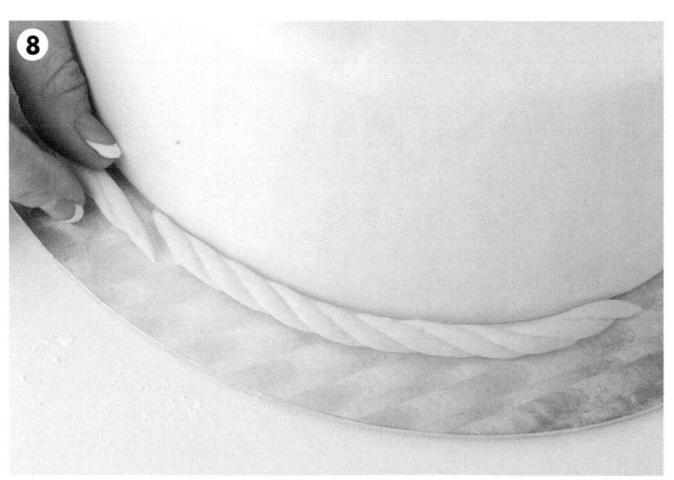
8

Detalles sobre los bordes

- Al limpiar los moldes de silicona para bordes, puede resultar difícil quitar los polvos de color. Utiliza solo polvo nacarado blanco en el molde, o bien espolvorea la pieza con colorante en polvo después de desmoldarla.
- Si el fondant se pega a los moldes de silicona, deja que el cilindro de fondant se asiente unos minutos antes de moldearlo con el molde.
- Mantén el fondant sobre la superficie de trabajo al formar los bordes. No sujetes el molde abierto con una mano e intentes rellenarlo de fondant con la otra.

Adornos con moldes de silicona

Los moldes de silicona proporcionan un detallismo exquisito a los adornos de fondant o pasta de goma. La silicona atrae con facilidad las motas de pelusa y polvo: lava los moldes con agua y jabón y sécalos con un papel de cocina. Existen sets para crear moldes de silicona de formas difíciles de encontrar.

1

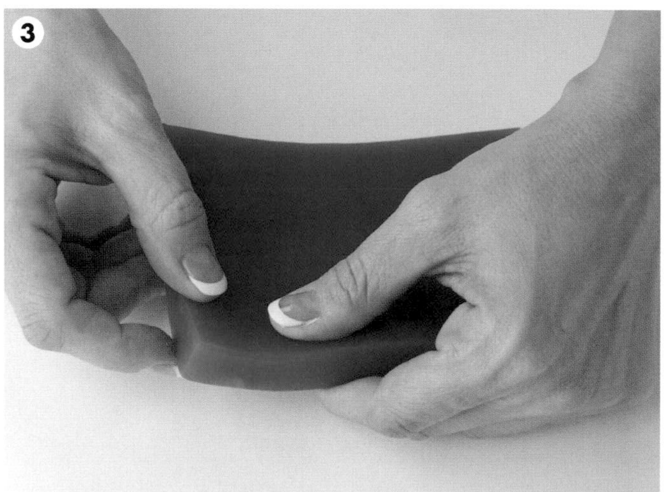
3

2

MOLDES DE SILICONA CONVENCIONALES

1 Amasa y ablanda el fondant o la pasta de goma, forma una bola y espolvoréala con maicena.

2 Presiona la bola sobre el molde, llenando por completo la cavidad y retira el exceso con una espátula. Presiona contra los bordes de la cavidad con los dedos para asegurarte de que están limpios.

3 Sujeta el molde de silicona con ambas manos y presiona en el centro con los pulgares para liberar la pieza de fondant o pasta de goma.

Desprender las piezas

- Si el molde de silicona es hondo o tiene muchos detalles, puede que sea difícil desprender el fondant o la pasta de goma. Si tienes problemas para desprender la pieza, coloca el molde en el congelador unos 15 minutos para que cuaje con más firmeza.
- Si la pasta se pega al molde, amasa azúcar glas con el fondant o la pasta de goma para que se endurezca.

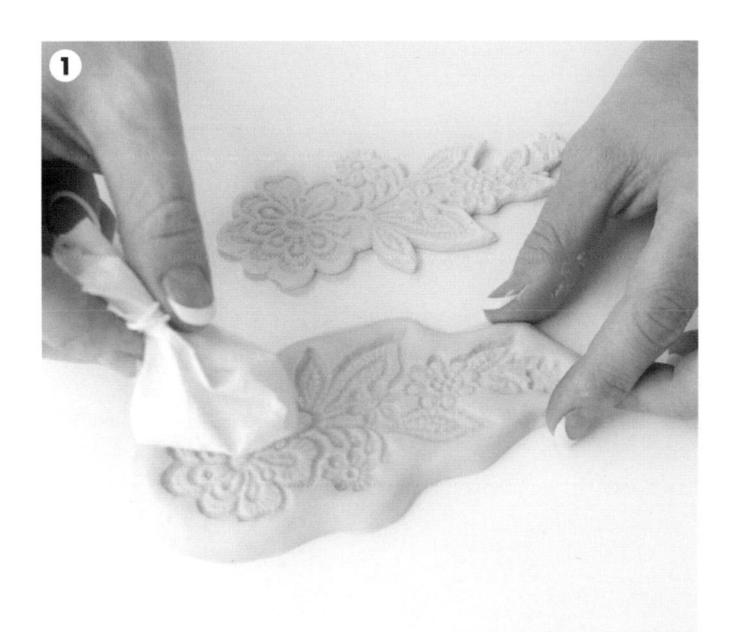

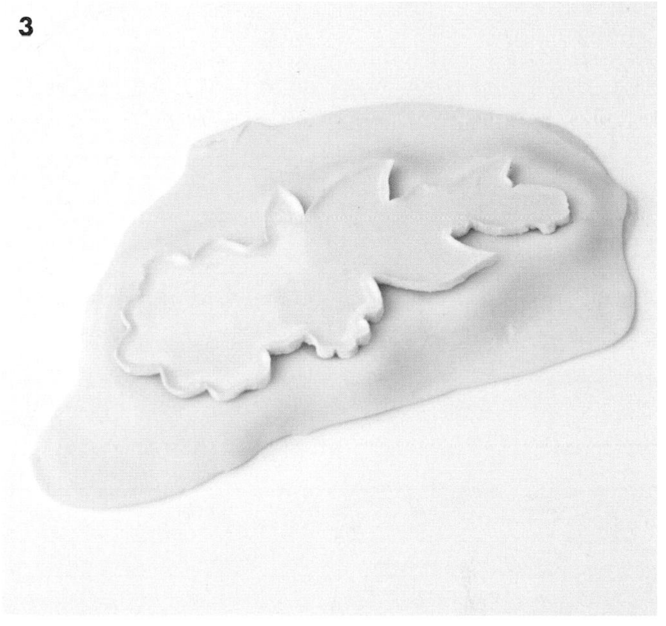

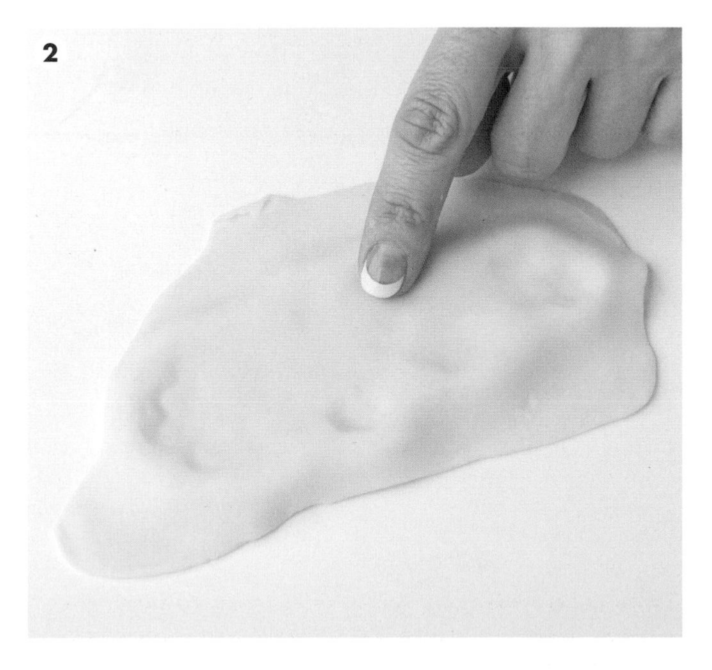

MOLDES DE ENCAJE

Estos moldes de encaje son de la marca CK Products y tienen dos partes (véase Recursos, pág. 324). La pieza inferior es más gruesa que la superior, más fina y encajable dentro de la pieza inferior.

1 Espolvorea generosamente el molde con maicena si deseas un acabado mate, o con polvo nacarado extra si deseas un acabado nacarado.

2 Amasa y ablanda el fondant o la pasta de goma. Extiende la pasta hasta un grosor de unos 3 mm. Coloca la pasta sobre la pieza inferior, presionando ligeramente para grabar los detalles.

3 Cubre la pasta con la pieza superior y procura alinear bien los bordes.

(sigue)

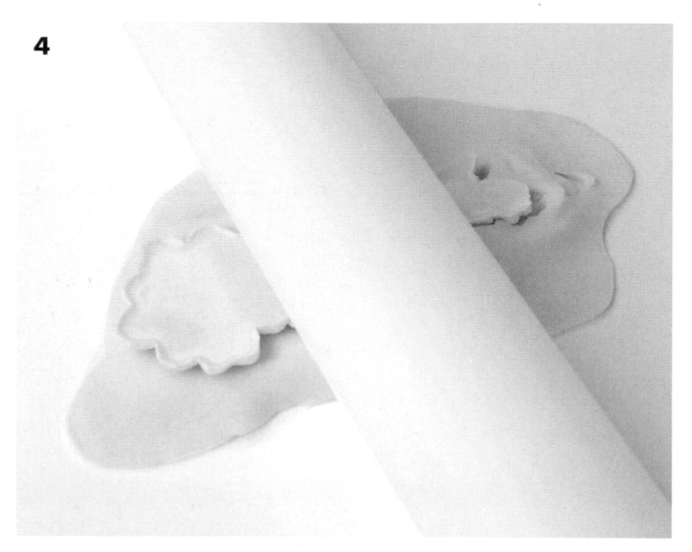

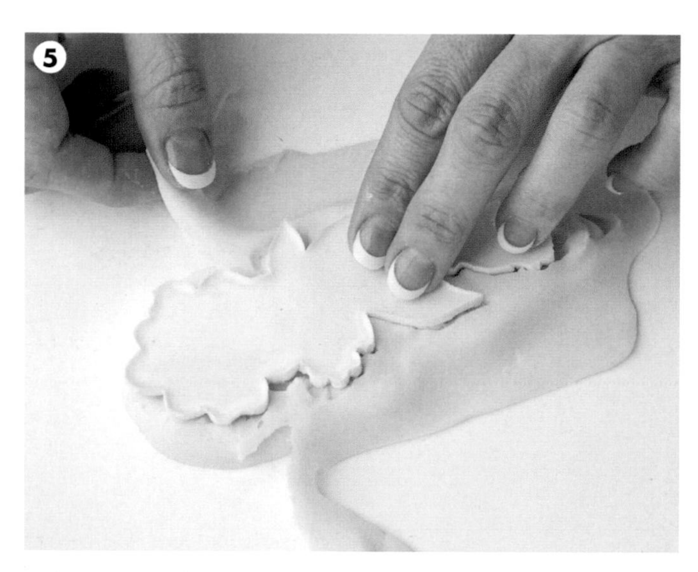

4 Empieza por un extremo del molde y pasa el rodillo por encima presionando uniformemente para grabar el fondant y recortar los bordes.

5 Retira la pasta sobrante.

6 Retira la pieza superior del molde. Arregla y suaviza los bordes con los dedos.

7 Coloca el molde de encaje lleno sobre la superficie de trabajo y dale la vuelta. Deja reposar un extremo del molde sobre la superficie de trabajo mientras flexionas el otro extremo del molde para soltar la pieza de encaje.

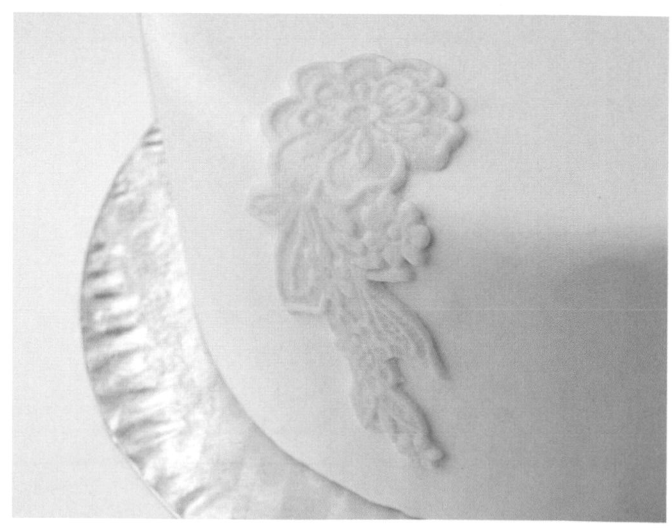

Si la pieza de encaje debe amoldarse a la forma del pastel, pégala al pastel inmediatamente, mientras aún esté flexible, con gel para decorar.

Adornos con moldes para golosinas

Los moldes de plástico para golosinas son baratos y los hay de cientos de formas diferentes. Estos moldes no son flexibles como los moldes de silicona, por lo que desprender el fondant y la pasta de goma puede ser más difícil.

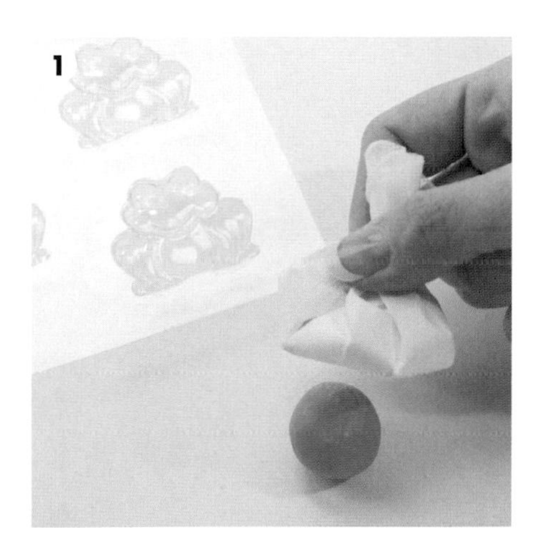

1

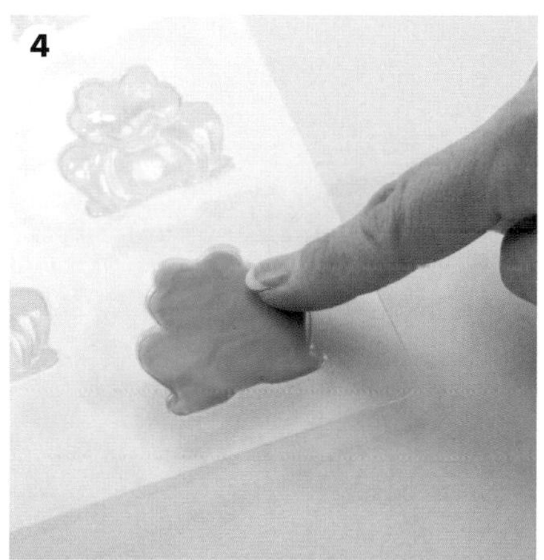

4

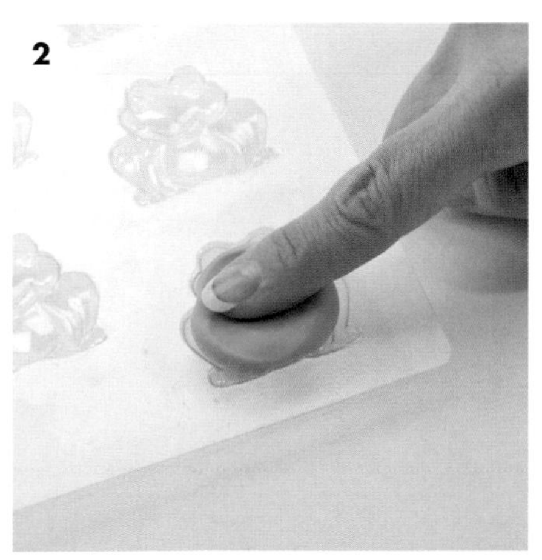

2

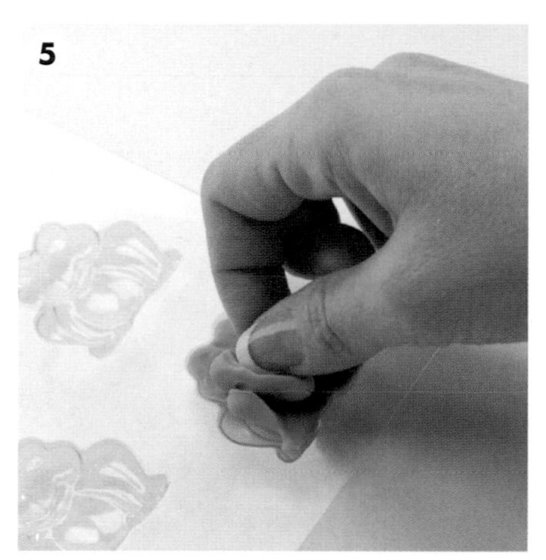

5

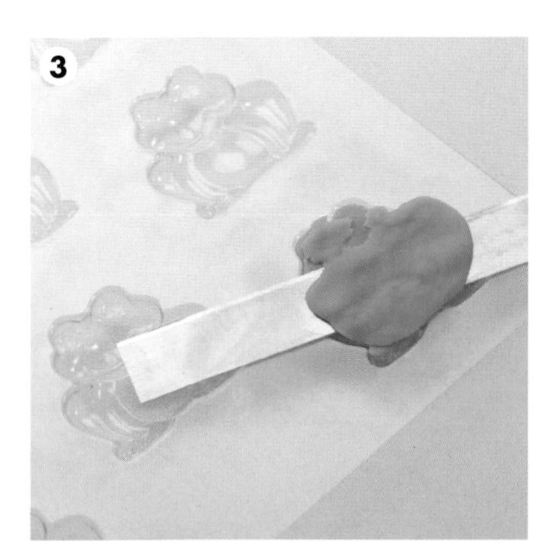

3

6

1 Amasa y ablanda el fondant o la pasta de goma, forma una bola y espolvoréala con maicena.

2 Presiona la bola en el molde, llenando por completo la cavidad.

3 Retira el exceso con una cuchilla o una espátula fina.

4 Utiliza el dedo índice para suavizar los bordes de la pasta.

5 Utiliza un poco de la pasta sobrante para tirar de los lados del molde. Una vez apartados los lados, utiliza la pasta sobrante para retirar el adorno del molde.

6 Pégalo al pastel con cola alimentaria o gel para decorar.

Extracción fácil

Si el fondant o la pasta de goma no se desprenden, rocía los moldes para golosinas con un espray de grasa para cocinar y luego retira el exceso de grasa con papel de cocina. Esto hará que las piezas se desprendan más fácilmente, pero pueden perderse detalles.

Instrucciones generales para extender y cortar fondant y pasta de goma

Muchas de las instrucciones de las siguientes páginas requiren fondant y pasta de goma muy finos y cortadores de diferentes formas. El grosor requerido para la pasta dependerá del proyecto. Normalmente, cuanto más fina sea la pasta, mayor será la delicadeza y el aspecto profesional del pastel. Con un ajuste del 5 (0,4 mm) en la máquina de pasta o el accesorio mezclador se obtiene el grosor ideal para la mayoría de piezas que se pegan directamente sobre el pastel. Un ajuste del 4 (0,6 mm), un poco más grueso que el 5, es perfecto para las piezas que se aguantan sobre un cupcake o un pastel.

La pasta de goma es ideal para flores y adornos de aspecto más delicado, puesto que es más elástica y puede extenderse más finamente que el fondant. También se puede usar una mezcla 50/50 de ambos.

Sigue las instrucciones de extender y cortar siguientes. Es importante que la superficie de trabajo esté libre de restos o pequeñas partículas.

1 Amasa y ablanda la pasta de goma o el fondant. Espolvorea la superficie de trabajo con maicena. Extiende la pasta bien fina utilizando tiras niveladoras de 2 mm (o de un tamaño inferior) o utiliza una máquina de pasta con un ajuste fino. Cubre la superficie de un CelBoard o de un mantel individual de plástico con una fina capa de manteca vegetal sólida, y también el lado afilado del cortador. La manteca no debe ser visible sobre la superficie de trabajo ni sobre el cortador.

2 Coloca la pasta sobre el CelBoard o el mantel individual de plástico.

1

2

3 Corta las formas con el cortador deseado.

4 Retira la pasta sobrante con una espátula pequeña.

5 Desliza una espátula grande de hoja fina bajo la pieza cortada y levántala suavemente.

6 Coloca la pieza sobre el pastel con gel para decorar o cola alimentaria.

Para dar volumen a la pieza cortada, colócala sobre un molde de flores justo después de cortarla y deja que se seque durante la noche.

Recortes con cortadores de galletas

Hay cortadores de galletas de fondant o de pasta de goma de muchas formas y estilos. Estos recortes son una decoración rápida y sencilla para cualquier pastel.

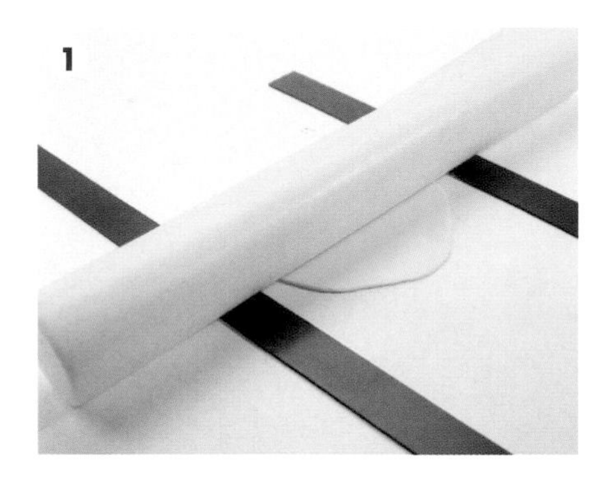
1

2

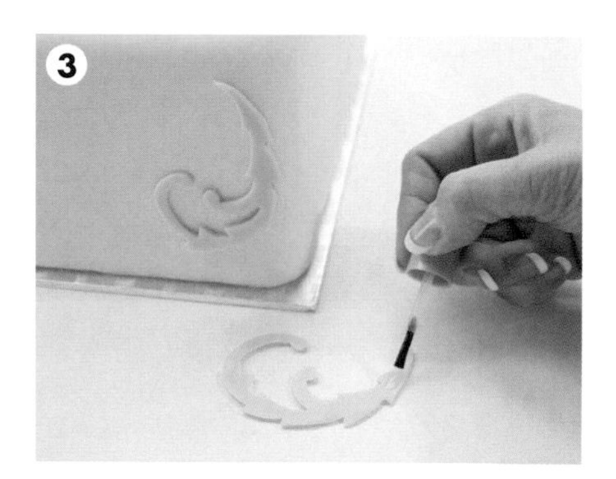
3

1 Amasa y ablanda el fondant o la pasta de goma y extiende la pasta a unos 2 mm de grosor.

2 Corta las formas.

3 Coloca las formas sobre el pastel con gel para decorar o cola alimentaria justo después de cortarlas para que se amolden al contorno.

4 Haz capas con los recortes formando un atractivo dibujo.

5 Crea un dibujo incrustado con colores contrastados y cortadores más pequeños. Haz pequeños recortes con una forma más larga y sustitúyelos por recortes en color de contraste.

Corte fino

Para conseguir un corte fino, asegúrate de que el borde del cortador esté siempre limpio y libre de fondant o pasta de goma endurecida. Limpia el cortador con un paño húmedo para retirar la pasta endurecida.

Cortadores de letras de pasta de goma

Con estos cortadores puedes crear fácilmente una caligrafía de aspecto profesional sobre pasteles y cupcakes.

La pasta de goma es la más adecuada para las letras, pero también puedes utilizar fondant o una mezcla 50/50.

1 Amasa y ablanda la pasta de goma. Espolvorea la superficie de trabajo con maicena. Extiende la pasta de goma bien fina con un ajuste del 5 (0,4 mm) en la máquina de pasta. Cubre la superficie de un CelBoard o de un mantel individual de plástico con una fina capa de manteca vegetal sólida, y también el lado afilado del cortador. La manteca no debe ser visible sobre la superficie de trabajo ni sobre el cortador.

2 Corta las letras y retira los cortadores. Si la letra se queda en el cortador, retírala con un alfiler.

3 Retira la pasta de goma sobrante con una espátula de hoja pequeña y fina.

4 Utiliza una espátula fina para levantar la letra y pégala sobre el pastel con cola alimentaria.

Evitar el estiramiento

Para evitar que una letra cortada se estire al levantarla para pegarla al pastel, deja que se seque unos minutos.

Cortadores Patchwork

Los cortadores Patchwork son un tipo de cortadores importados de Reino Unido (véase Recursos, pág. 324). Se pueden usar para cortar una sola pieza con un diseño grabado apretando suavemente, o bien para recortar el dibujo en varias piezas si se presiona más fuerte. Esta gama también posee cortadores de letras (pág. 173) y de repujado (pág. 223). La pasta de goma es la mejor opción para los cortadores patchwork, pero también puede utilizarse fondant o una mezcla 50/50 de ambos.

RECORTES DE PATCHWORK

1 Amasa y ablanda la pasta de goma. Espolvorea la superficie de trabajo con maicena. Extiende la pasta bien fina, (5 [0,4 mm] en una máquina de pasta). Cubre la superficie de un CelBoard o de un mantel individual de plástico con una fina capa de manteca vegetal sólida, y también el lado afilado del cortador Patchwork. La manteca no debería ser visible. Coloca la pasta de goma extendida sobre el CelBoard o el mantel.

2 Presiona suavemente sobre toda la superficie del cortador para grabar el dibujo. Presiona con firmeza alrededor de los bordes para cortar el borde exterior de la pieza de pasta de goma.

3 Retira el cortador.

4 Retira el exceso de pasta de goma. Levanta la pieza cortada utilizando una espátula con una hoja fina. La pieza puede pintarse siguiendo las instrucciones de la página 280, o bien decorarse con la técnica del aplique según las instrucciones que aparecen a continuación. Pega la pieza en el pastel con cola alimentaria.

1

2

3

4

Controlar la presión

Si las piezas se desmoronan al levantarlas, eso significa que se ha aplicado demasiada presión sobre ellas al cortarlas. Solo debes presionar fuerte alrededor de los bordes exteriores cuando emplees la técnica del aplique. Para grabar hay que presionar con suavidad.

PATCHWORK CON TÉCNICA DEL APLIQUE

1

2

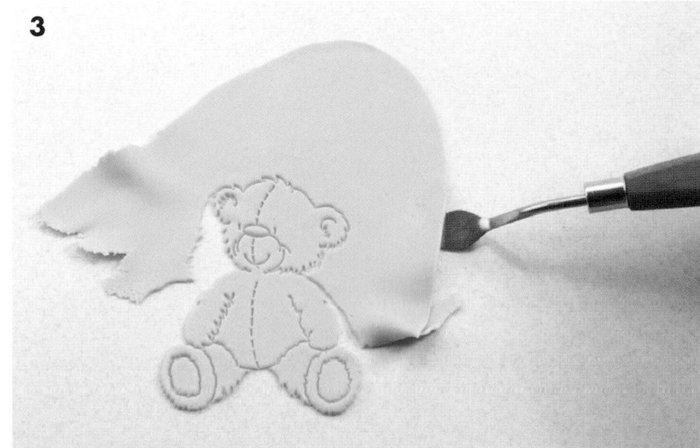

3

4

5

1 Amasa y ablanda la pasta de goma. Espolvorea la superficie de trabajo con maicena. Extiende la pasta bien fina, (5 [0,4 mm] en una máquina de pasta). Si la forma recortada estará de forma independiente sobre un pastel o un cupcake, extiende la pasta de goma con un grosor algo superior, como por ejemplo, (4 [0,6 mm] en una máquina de pasta). Cubre la superficie de un CelBoard o de un mantel individual de plástico con una fina capa de manteca vegetal sólida, y también el lado afilado del cortador Patchwork. La manteca no debería ser visible.

2 Presiona suavemente sobre toda la superficie del cortador para grabar el dibujo. Presiona con firmeza alrededor de los bordes para cortar el borde exterior de la pieza de pasta de goma.

3 Retira el exceso de pasta de goma con la ayuda de un cuchillo de hoja pequeña y fina.

4 Repite el paso con una pieza de pasta de goma de un color de contraste. Presiona con firmeza sobre todo el cortador para recortar las piezas. Retira individualmente las piezas cortadas con un cuchillo de hoja pequeña y fina.

5 Pinta con un poco de cola alimentaria las zonas donde desees pegar las piezas y coloca las piezas recortadas sobre la forma recortada previamente. Pega la pieza al pastel con cola alimentaria o deja que se seque durante algunas horas si la pieza debe ir de pie.

Hacer soportes

Los adornos para pasteles que se colocan solos deberían tener un soporte. Se puede usar un palillo, pero habrá que advertir al destinatario del pastel sobre los palillos. No cortes nunca un palillo más pequeño que el pastel, pues habría peligro de ahogamiento. Otra alternativa es hacer un soporte con pasta de goma. Los adornos deberán estar completamente secos antes de añadir un soporte. Las siguientes instrucciones están pensadas para adornos pequeños, pues los adornos grandes requieren más soporte.

SOPORTES CON PALILLOS

1 Coloca el adorno de pasta de goma o fondant endurecido boca abajo y pincela una línea de cola alimentaria en la parte central del dorso. Coloca un palillo sobre la línea de cola. Extiende pasta de goma amasada y ablandada hasta unos 3 mm de grosor y corta un cuadrado ligeramente inferior que el adorno de pasta de goma.

2 Pincela con cola alimentaria la parte trasera del cuadrado y pégalo al dorso del adorno. Presiona suavemente para que el cuadrado se adhiera, presionando bien todo el palillo.

3 Deja que se seque y se endurezca unas horas o durante la noche. Inserta el palillo en el pastel o el cupcake glaseado.

SOPORTES CON PASTA DE GOMA

1 Amasa y ablanda fondant o pasta de goma y extiende la pasta hasta unos 3 mm de grosor. Corta un triángulo de 6,5 cm de largo y 1,3 cm de ancho. Pincela con cola alimentaria la mitad superior del triángulo.

2 Pega el triángulo en el dorso del adorno de pasta de goma ya endurecido y presiona suavemente para que el triángulo se adhiera.

3 Deja que se seque y se endurezca unas horas o durante la noche. Inserta el soporte de pasta de goma en el pastel glaseado.

Uso de los soportes

- No cortes el palillo, hay peligro de ahogamiento.
- Al insertar el soporte de pasta de goma en un pastel recubierto de fondant, es preciso que esté recién recubierto, pues si el fondant está duro, el soporte o el adorno podrían romperse.

Piezas de pasta de goma en 3D

Hay cortadores que permiten crear piezas tridimensionales: monederos, zapatos, patucos... La pasta de goma es la mejor opción para proyectos tridimensionales, pues es mucho más fuerte que el fondant. Los juegos de cortadores suelen incluir instrucciones. A continuación ofrecemos unas instrucciones generales para hacer una pieza de pasta de goma tridimensional.

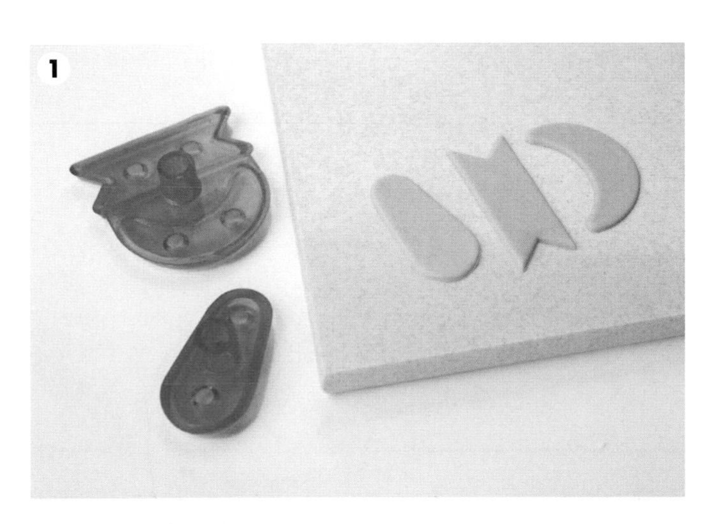

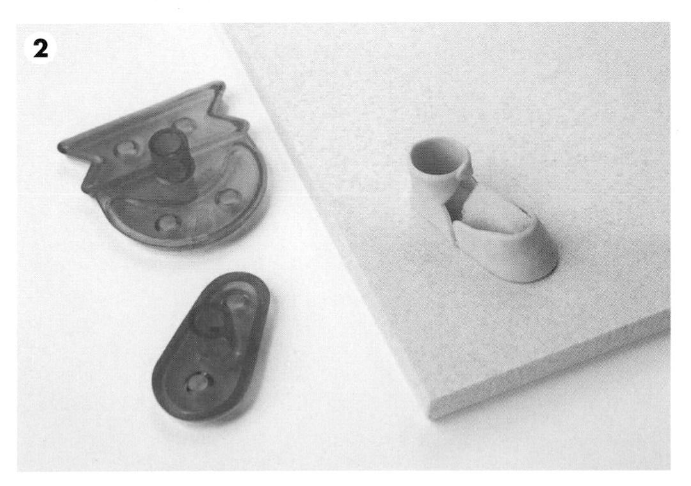

1 Amasa y ablanda la pasta de goma y corta las piezas tridimensionales.

2 Monta la figura tridimensional añadiendo piezas pequeñas de espuma para evitar que la figura se desmonte.

3 Deja secar la figura unas horas o durante la noche y luego retira las piezas de espuma. Añade adornos adicionales si lo deseas. Estos patucos se han pincelado con polvo nacarado extra y los cordones se han hecho con glasa real en manga pastelera. Se ha añadido una pequeña flor de fondant en la punta del zapato, y una vez secos, se han colocado sobre un cupcake grande.

Cortadores de émbolo

Los cortadores de émbolo son cortadores de pasta de goma para cortar flores y otros adornos. Puedes recortar flores sencillas para decoraciones rápidas de todo tipo. La pieza se corta y luego se empuja el émbolo para desprenderla. Muchos de los cortadores llevan vetas o detalles que añaden más encanto a la pieza cortada. Puedes usarlos con pasta de goma o fondant. Para hacer piezas delicadas, extiende la pasta de goma o el fondant muy finos.

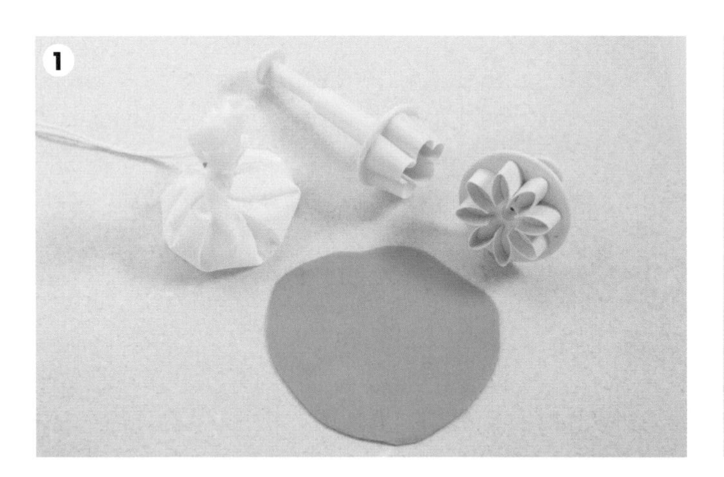

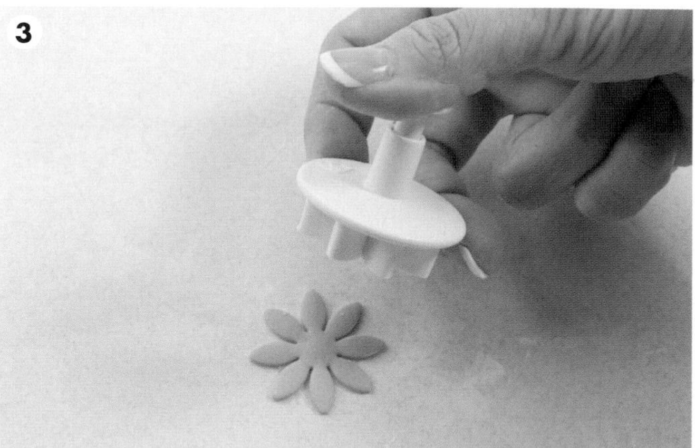

CORTADORES DE ÉMBOLO DE FLORES SENCILLAS

1 Amasa y ablanda el fondant o la pasta de goma y espolvorea la superficie de trabajo con maicena. Extiende la pasta muy fina (5 [0,4 mm] en una máquina de pasta). Espolvorea la superficie de un CelBoard o un mantel individual de plástico con maicena y coloca encima la pasta extendida.

2 Sujeta el émbolo por la base y corta la forma. Levanta el cortador. Mientras la pasta esté aún en el cortador, pasa el pulgar sobre los bordes del cortador para que el corte sea limpio.

3 Presiona el émbolo para desprender las flores. Pégalas al pastel con cola alimentaria o bien ahueca los pétalos según las instrucciones posteriores.

4 Coloca las flores pequeñas sobre una pieza de espuma y ahueca los pétalos con una esteca de bola. Coloca las flores más grandes en un molde de flores para ahuecar los pétalos y déjalas secar. Pega las flores en el pastel con cola alimentaria.

CORTADORES DE ÉMBOLO CON VETAS Y DETALLES

1 Amasa y ablanda el fondant o la pasta de goma y espolvorea la superficie de trabajo con maicena. Extiende la pasta muy fina (4 [0,6 mm] en una máquina de pasta). Espolvorea la superficie de un CelBoard o un mantel individual de plástico con maicena y coloca encima la pasta extendida.

2 Sujeta el émbolo por la base y corta la forma.

3 Levanta el cortador. Con la pasta aún en el cortador, pasa el pulgar sobre los bordes del cortador para que el corte sea limpio.

4 Vuelve a colocar el cortador sobre la superficie de trabajo y presiona el émbolo para repujar las vetas.

5 Levanta y presiona el émbolo para desprender la forma. Pega las formas al pastel con cola alimentaria. Si la forma cortada se pega a la mesa, pasa una espátula de hoja fina por debajo de la forma cortada para levantarla de la superficie de trabajo.

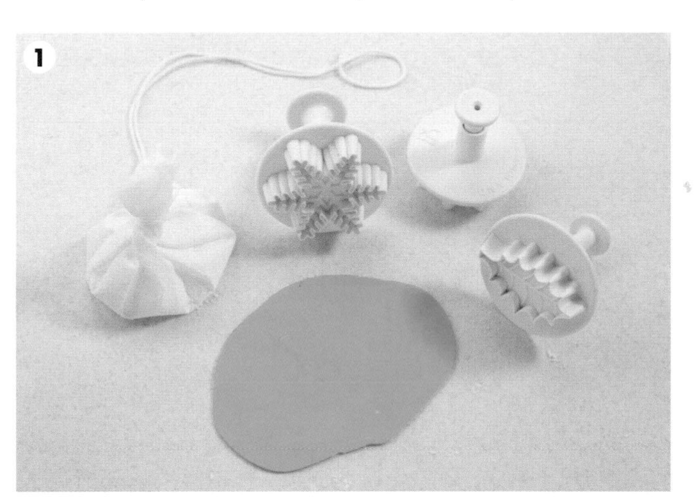
1

2

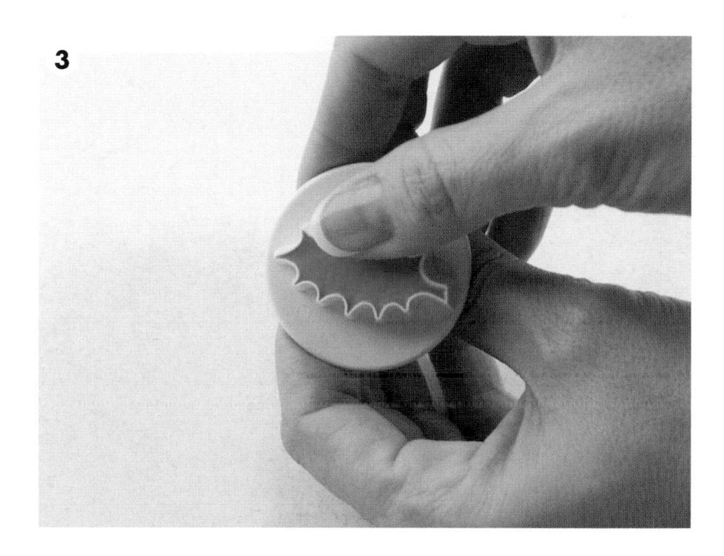
3

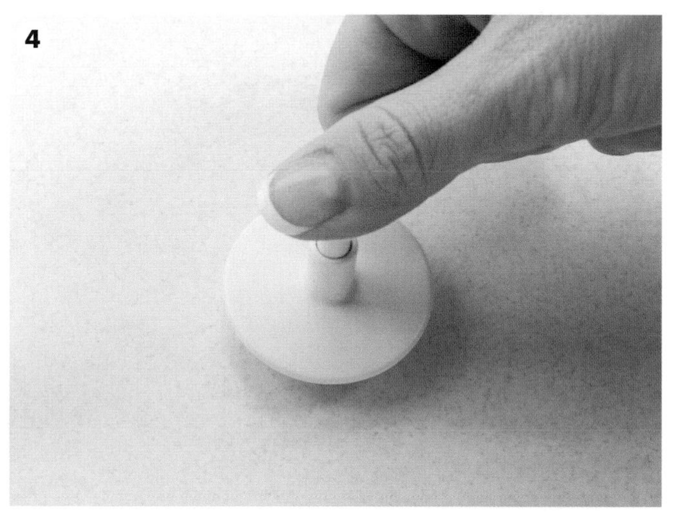
4

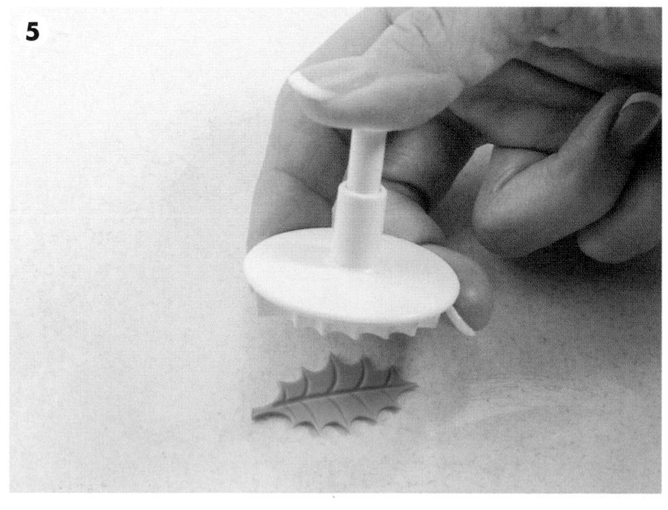
5

Información básica sobre cómo hacer flores

Los siguientes capítulos ofrecen instrucciones sobre cómo hacer las flores más conocidas en pasta de goma. La pasta de goma permite confeccionar pétalos muy finos. Este capítulo cubre las técnicas básicas para la mayoría de flores. Las instrucciones paso a paso muestran cómo hacer margaritas, alcatraces, rosas y jazmines de Madagascar. Si disfrutas con estas flores básicas, seguro que querrás aprender más. Hay muchos más cortadores de flores en el mercado, y multitud de libros de decoración centrados exclusivamente en flores de pasta de goma.

Sigue las instrucciones básicas para confeccionar la mayoría de flores. Si es posible, compra una flor de verdad para imitar los pétalos y los colores con la mayor fidelidad posible. Si la flor no es de temporada, busca en Internet flores que te ayuden a imitarla. Las claras de huevo pueden emplearse como cola para pegar las flores cuando las piezas de pasta de goma aún están blandas. Si las piezas son duras, deberás usar cola alimentaria (pág. 36).

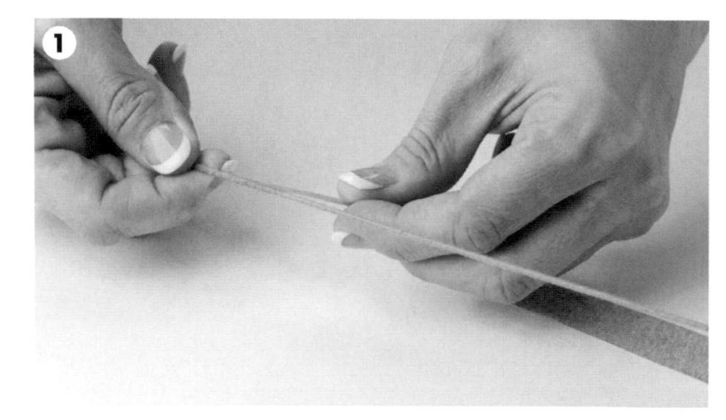

REVESTIR ALAMBRE FLORAL

Algunas flores de pasta de goma requieren alambre, que debería revestirse de cinta floral para ocultarlo. La cinta floral es una tira reversible y estrecha de papel crepé recubierto de cera en color blanco, verde o marrón. Reviste el alambre en blanco si quedará oculto o si se insertará en un pastel recubierto de blanco. Envuelve el alambre con verde si se verá y debe emular un verdadero tallo. Utiliza cinta marrón para las ramas y los tallos de las flores que florecen en los árboles, como la flor del cerezo silvestre.

2

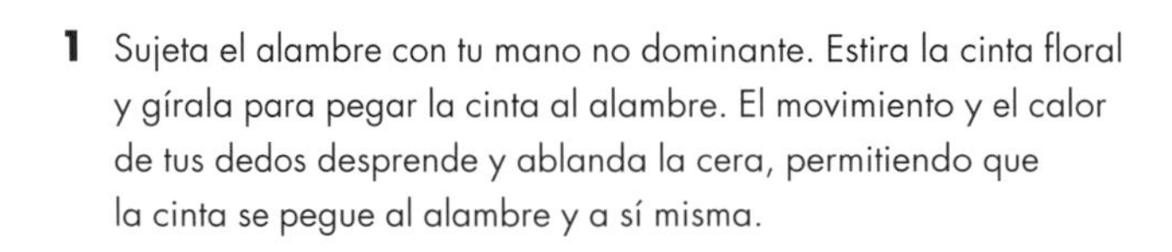

1 Sujeta el alambre con tu mano no dominante. Estira la cinta floral y gírala para pegar la cinta al alambre. El movimiento y el calor de tus dedos desprende y ablanda la cera, permitiendo que la cinta se pegue al alambre y a sí misma.

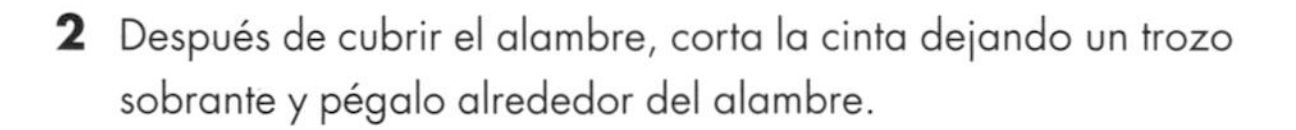

2 Después de cubrir el alambre, corta la cinta dejando un trozo sobrante y pégalo alrededor del alambre.

La cinta floral puede pasarse a través de un cortador de cinta para hacerla más estrecha. Esto es ideal para flores pequeñas y delicadas: así el alambre no se vuelve demasiado voluminoso con la cinta.

CORTAR Y DAR FORMA A LOS PÉTALOS

1 Amasa y ablanda la pasta de goma y extiéndela muy fina (ajuste 5 en una máquina de pasta) hasta que quede translúcida, o los pétalos no quedarán finos. Cuánto más gruesa la pasta, más fácil resulta hacer las flores, pero los pétalos no quedarán tan bonitos. Coloca la pasta de goma extendida sobre un CelBoard o una tabla de plástico y corta los pétalos.

2 Coloca el pétalo sobre espuma blanda o un CelPad. Afina y forma los pétalos frotando con una esteca de bola los bordes, que deben ser muy finos. No afines el centro de las flores.

3 Haz nervaduras en cada pétalo repujándolo suavemente con una herramienta para nervaduras. Si la espuma es demasiado firme, la pasta de goma se romperá al añadir las nervaduras.

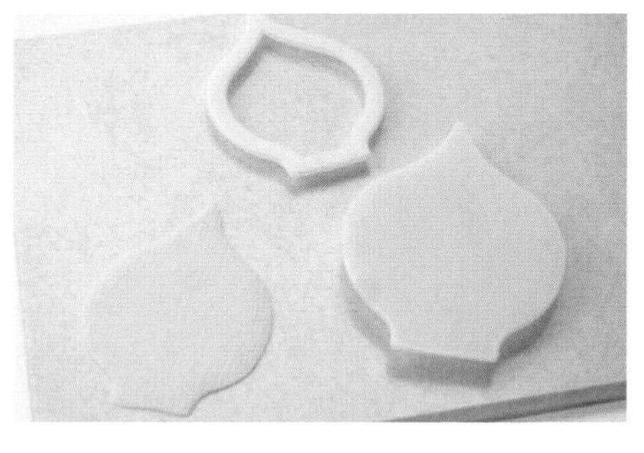

Muchas flores tienen bases de nervaduras a juego. Presiona la base en la flor cortada después de ablandar y afinar los pétalos.

Coloca los pétalos cortados sin afinar y sin nervaduras bajo un CelFlap (hoja transparente) o ciérralos en una bolsa de plástico en una sola capa.

Algunas flores tienen pétalos rizados. Para rizar los pétalos, la pasta de goma debe extenderse con un ajuste del 4 (0,6 mm). Si los pétalos son demasiado finos, los bordes se romperán al rizarlos. Para rizar los pétalos, coloca el pétalo en el borde de un CelPad. Con un mini rodillo hacia delante y atrás riza el borde. La presión empleada determinará el volumen del rizo.

Solución de problemas con flores

- Si los pétalos se pegan al CelBoard al cortarlos, engrasa ligeramente la base con manteca vegetal sólida y luego límpiala con un papel de cocina. Un exceso de grasa ralentiza el proceso de secado, y pueden aparecer manchas de grasa al espolvorear colores sobre los pétalos.
- Amasa y ablanda cuidadosamente la pasta de goma antes de extenderla. Si la pasta está pegajosa, úntate los dedos con un poco de manteca, sin que sea visible. Como último recurso puedes añadir más azúcar glas a la pasta de goma. Si está seca y dura, ablándala con un poco de clara de huevo fresca.

HOJAS

Utiliza estas instrucciones para la mayoría de los cortadores de hojas. Muchos van acompañados de un molde a juego y también hay moldes generales.

1 Amasa y ablanda la pasta de goma. Espolvorea la superficie de trabajo con maicena. Extiende la pasta de goma bien fina, dejando un borde grueso.

2 Corta la pasta de goma con un cortador de hojas con el extremo grueso en la base de la hoja.

3 Coloca la hoja sobre espuma blanda o un CelPad. Suaviza los bordes de la hoja con una esteca de bola.

4 Haz un gancho con el extremo de un alambre y sumérgelo en clara de huevo. Introduce el extremo del gancho en la parte gruesa de la hoja.

5 Coloca la hoja cortada sobre un molde ligeramente espolvoreado con maicena y presiona con firmeza para grabar las nervaduras.

1

2

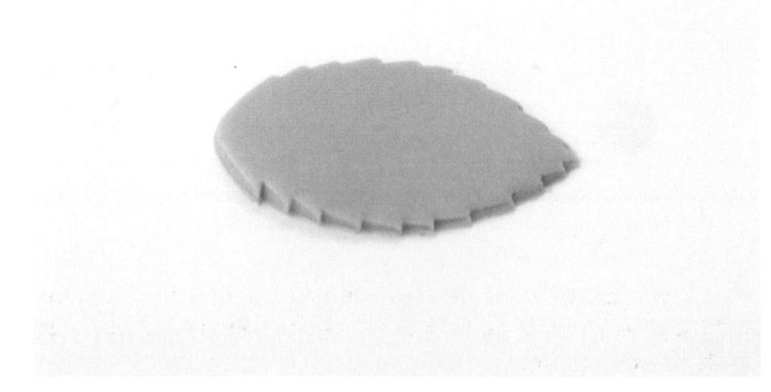

3

4

5

1

2

3

4

HOJAS CON CELBOARD

1 Haz un gancho con el extremo de un alambre y sumérgelo en clara de huevo. Moldea un pequeño cilindro con pasta de goma verde y dale forma sobre el alambre. Coloca el cilindro en una de las cavidades del CelBoard. Pincela la parte superior del cilindro con clara de huevo.

2 Amasa y ablanda la pasta de goma. Espolvorea la superficie de trabajo con maicena. Extiende la pasta de goma bien fina, (5 [0,4 mm] en una máquina de pasta) y colócala sobre el CelBoard, cubriendo el cilindro.

3 Centra el cortador de hojas sobre el alambre y corta la hoja.

4 Coloca la hoja cortada sobre un CelPad. Suaviza los bordes con una esteca de bola y colócala sobre un molde. Presiona con firmeza para grabar las nervaduras.

Los moldes de dos caras repujan nervaduras a ambos lados de la hoja. Algunos moldes de dos caras también pueden dar algo de forma a las hojas.

TONOS FLORALES

Pinta diferentes tonos en las flores para conseguir un efecto realista. Empieza con pasta de goma de un tono pálido de la flor u hoja en cuestión para añadir después una amplia gama de colores. Pinta los pétalos con colorantes en polvo para añadir otros tonos. Los colorantes en polvo tienen acabado mate o brillante. Hay polvos para pétalos de muchos colores, y también pueden personalizarse. Aclara los colores con polvo para pétalos blanco. Los polvos con brillo aportarán a las flores un acabado reluciente y elegante pero no necesariamente natural.

Utiliza un pincel suave para dar un sutil toque de color por toda la flor.

Utiliza un pincel plano y duro para añadir una cantidad de color intensa o para añadir color a los bordes de los pétalos.

Cargar el pincel

Golpea con el pincel el borde del tarro para que el exceso de polvo vuelva a caer dentro. Un exceso de polvo en el pincel podría formar motitas de color o una capa desigual.

AÑADIR BRILLO A FLORES Y HOJAS

Las hojas, así como las flores tales como el jazmín de Madagascar, quedan muy hermosas y realistas con un ligero brillo que puedes añadir con una vaporera o con glasé de confitería. También existe glasé comestible en espray aerosol, que proporciona un brillo natural. Como el glasé es pegajoso, la boquilla puede atascarse y dejar motas de glasé sobre los pétalos. Prueba el glasé sobre una hoja de papel de hornear antes de rociar los pétalos para comprobar que el espray está limpio. Al pasar las flores o las hojas por el vapor de una vaporera se fijará el color y les dará una apariencia brillante y encerada. No dejes la flor o la pasta de goma parada sobre la vaporera o empezará a disolverse. Mueve la mano hacia adelante y atrás frente a la vaporera unos segundos o hasta que la flor se ponga brillante. El glasé de confitería es una sustancia de calidad alimentaria que aporta mucho brillo. Diluye el glasé con un alcohol de grano, mezclando alcohol y glasé a partes iguales. Sumerge las flores en la mezcla o pinta cada petalo con ella. También puedes pintar la flor o la hoja, pero ten cuidado, pues el pincel puede dejar trazos o manchas de color.

SECAR FLORES

Existen moldes de flores de diferentes marcas. Los moldes de flores en forma de bol se utilizan para ahuecar las flores. Los portamoldes de flores se usan para colgar las flores al revés cuando se secan.

La mayoría de moldes de flores tienen un agujero en cada cavidad para que pase el alambre. Aguanta el molde de flores con cubos para separarlo de la superficie de trabajo.

Haz un colgador de flores sencillo colocando un palo sobre dos vasos medidores de igual tamaño.

MONTAR FLORES

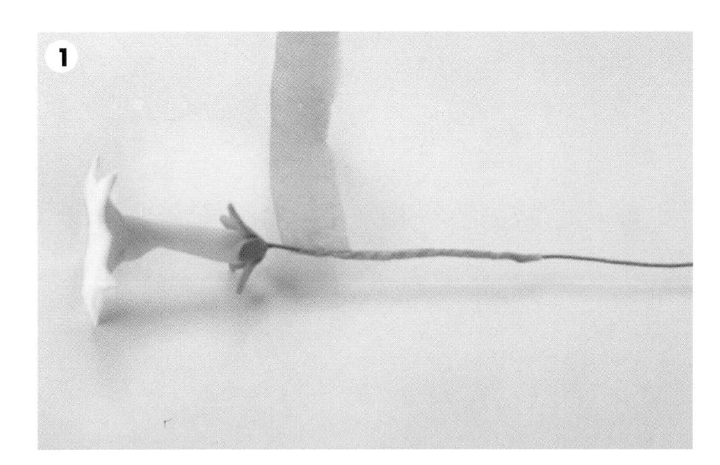

1 Envuelve cada tallo de la flor con cinta floral.

2 Coloca las flores y fíjalas con cinta floral.

Gerberas

Las gerberas son muy populares en Estados Unidos, especialmente en bodas y fiestas. Poseen una amplia gama de colores hermosos y brillantes que armonizan con multitud de temas. Colorea la pasta de goma con un tono pastel suave y matízalo con polvos para darle un aspecto realista. La gerbera puede ser una flor difícil de dominar, pero su acabado es extraordinario. Los cortadores utilizados para este proyecto son cortadores de margarita de 35 mm (cáliz), 44 mm (pétalos centrales) y 85 mm. El cortador circular empleado es de 2,5 cm.

1

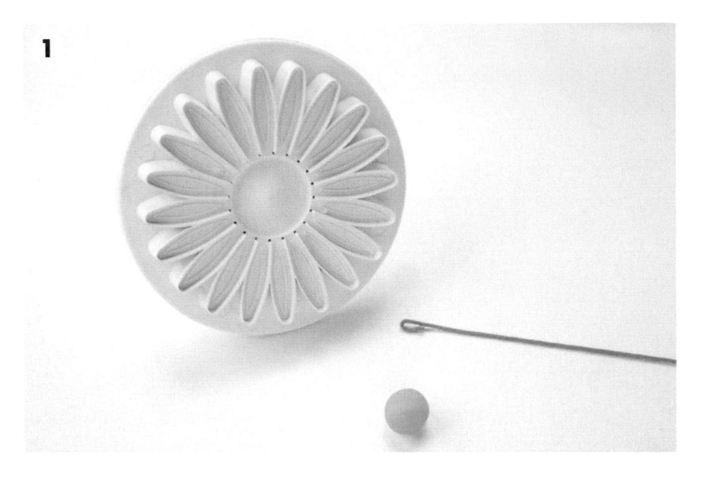

3

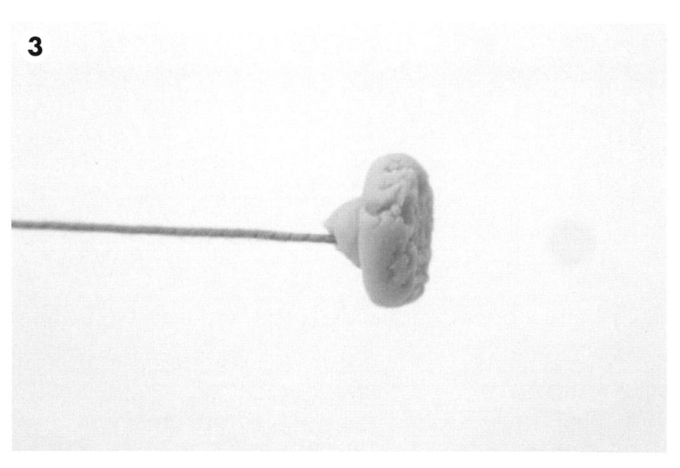

2

4

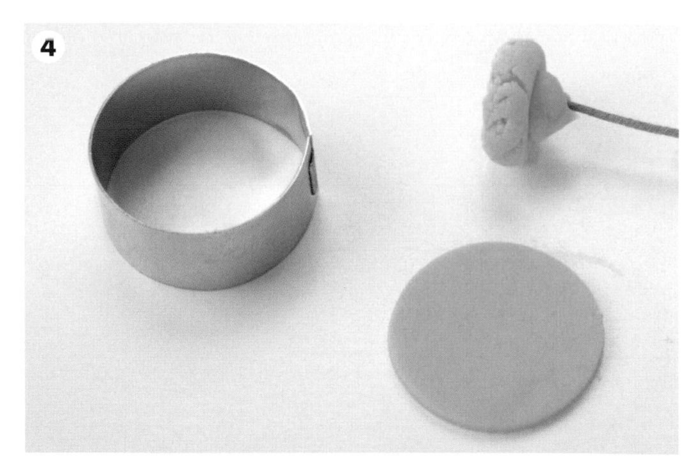

1 Amasa y ablanda la pasta de goma y forma una bola de aproximadamente la mitad del tamaño del centro del cortador de margaritas. Haz un círculo en el extremo de un alambre de calibre 18.

2 Aplana la bola y haz una segunda bola la mitad de grande que la primera. Pinta con clara de huevo el extremo del alambre.

3 Presiona la bola pequeña dentro del alambre en círculo y pellizca la bola formando un cono. Aplica clara de huevo en la parte superior del cono. Presiona la bola aplastada encima del cono y pellizca la parte superior aplanada con unas pinzas para dar textura al centro. Deja que el centro de la flor se endurezca unas horas o toda la noche.

4 Amasa y ablanda la pasta de goma. Corta un pequeño círculo algo más grande que el centro.

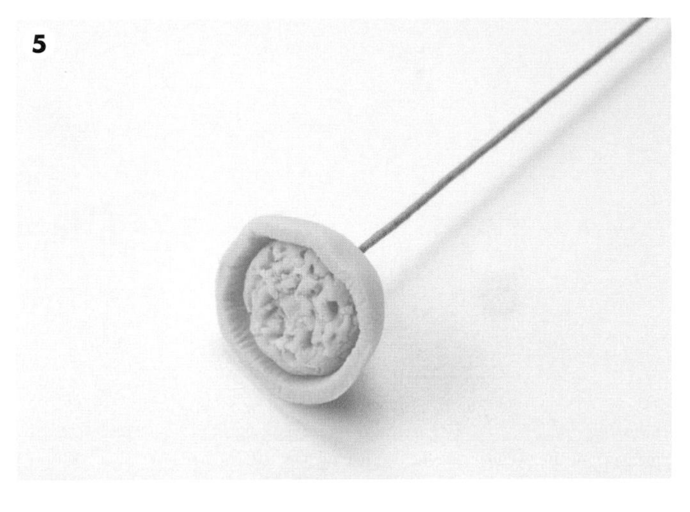

5 Pinta con clara de huevo el círculo. Perfora el centro del círculo con el alambre y haz subir el círculo, rodeando el centro de la flor ya endurecido.

6 Utiliza unas tijeras finas para cortar un par de filas de pétalos pequeños alrededor de la parte exterior de la bola aplanada.

7 Amasa y ablanda la pasta de goma y extiéndela bien fina (5 [0,4 mm] en una máquina de pasta). Corta dos flores pequeñas con un cortador de margaritas pequeño.

8 Coloca una flor bajo un CelFlap o cúbrela con plástico para evitar que se seque. Coloca la segunda flor sobre un CelPad. Suaviza los pétalos con una esteca de bola y repite el proceso con la otra flor.

9 Pinta el centro de una de las margaritas cortadas con cola alimentaria y perfóralo con el tallo de alambre. Haz subir la margarita hasta arriba, rodeando el centro de la flor. Repite el proceso con la segunda flor cortada. Colócala en un molde para flores de forma cónica.

(sigue)

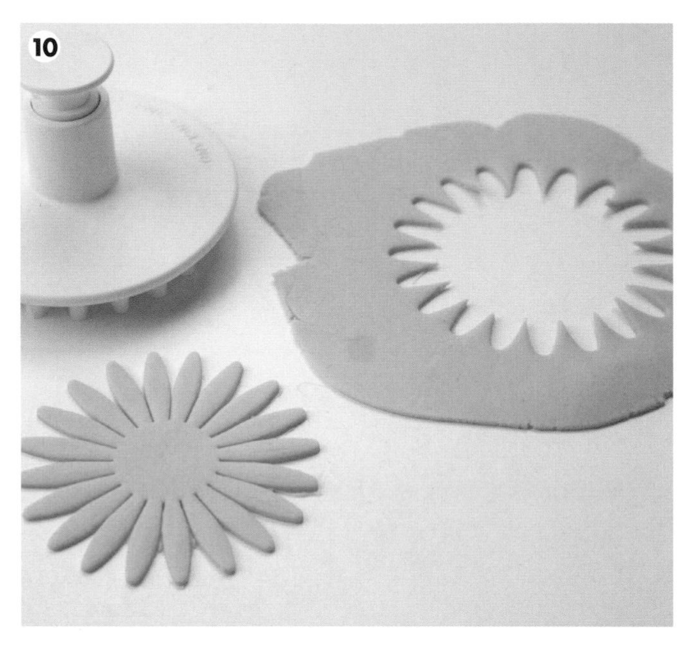

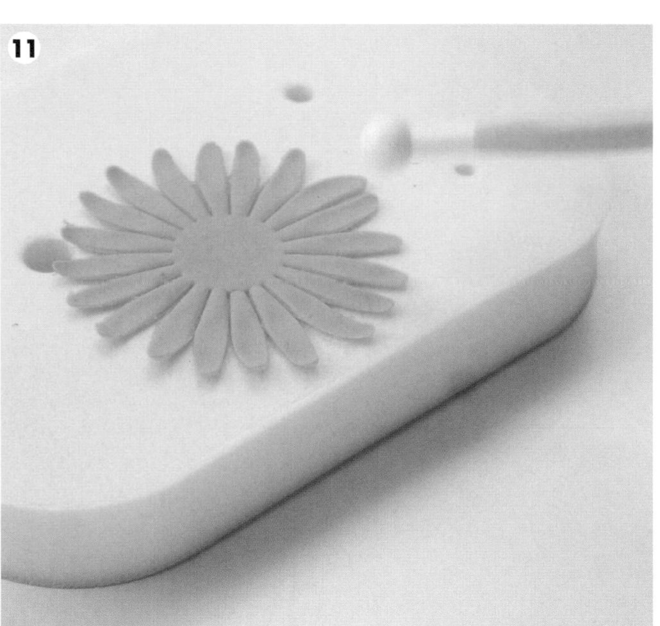

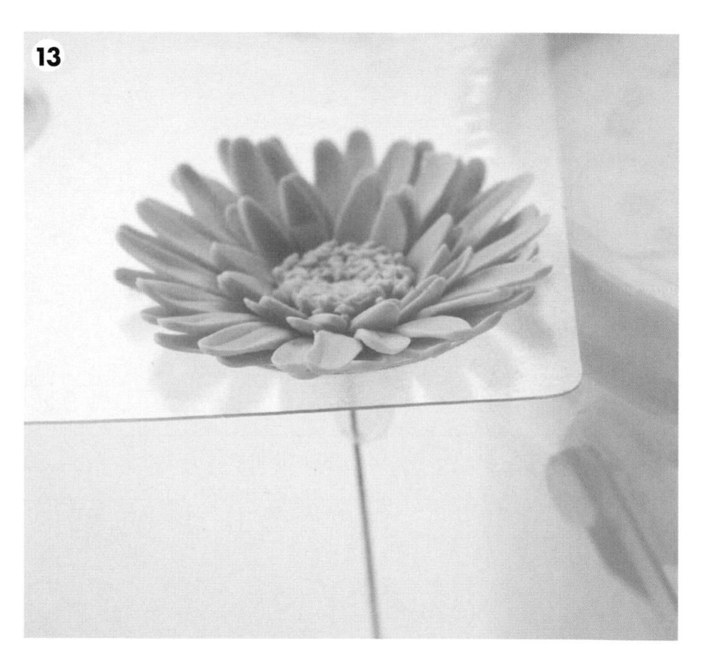

10 Extiende bien fina la pasta de goma amasada y ablandada, o pásala por la máquina de pasta (5 [0,4 mm]). Corta dos flores grandes con un cortador de margaritas grande. El cortador para pétalos grandes deberá doblar aproximadamente el tamaño del cortador pequeño.

11 Coloca una flor bajo un CelFlap o cúbrela con plástico para evitar que se seque. Coloca la segunda flor sobre un CelPad y suaviza los pétalos con una esteca de bola.

12 Haz nervaduras en cada pétalo con la herramienta para nervaduras. Pinta con clara de huevo el centro de la flor, perfóralo con el tallo de alambre y haz subir la flor, rodeando los pétalos del centro.

13 Repite los pasos 11 y 12 con la segunda margarita grande. Coloca la margarita en un molde de flores cónico y deja que se seque un mínimo de 24 horas.

14 Cuando esté seca, espolvorea la flor con diferentes tonos de polvos para pétalos.

15 Para hacer el cáliz, extiende bien fina pasta de goma verde aguacate y corta una margarita pequeña. Corta cada pétalo con una hoja fina, con cortes pequeños y finos.

16 Pinta con cola alimentaria el dorso del cáliz, perfora el centro del dorso con el tallo de alambre y haz subir el cáliz, rodeando la base de la margarita.

17 Las gerberas tienen un aspecto estupendo en multitud de colores brillantes.

Algunas pistas

- El molde para flores transparente que se muestra aquí tiene agujeros para dejar pasar los alambres (véase Recursos, pág. 324). Si los agujeros no son lo suficientemente grandes para el tamaño del alambre usado, haz un agujero más grande con unas tijeras puntiagudas. Sostén el molde de flores alto para dejar que los alambres se extiendan por debajo.
- Suavizar y hacer las nervaduras de cada pétalo de la margarita requiere mucho tiempo: trabaja rápido para evitar que la pasta de goma se rasgue. Si haces la pasta de goma partiendo de cero, y tienes problemas con el tiempo, usa menos polvo Tylose.

Rosas

La rosa es la flor de pasta de goma más popular. En estas instrucciones se emplea un cortador de cinco pétalos. También hay cortadores de pétalos individuales, pero el de cinco pétalos es un método más sencillo para principiantes.

CAPULLO DE ROSA

1 Haz un círculo con un alambre de calibre 18 y pinta el extremo con clara de huevo. Amasa y ablanda la pasta de goma y forma una bola en forma de cono. Inserta el círculo de alambre en el extremo más ancho del cono y estrecha el extremo del cono alrededor del alambre. El cono debería ser aproximadamente de la longitud de un pétalo. Reserva el tallo por unas horas o toda la noche.

2 Amasa y ablanda la pasta de goma y extiéndela muy fina o pásala por la máquina de pasta (4 [0,6 mm]). Corta una forma de flor con un cortador de cinco pétalos.

3 Coloca la flor cortada sobre un CelPad. Suaviza y afina los bordes de cada pétalo con la esteca de bola.

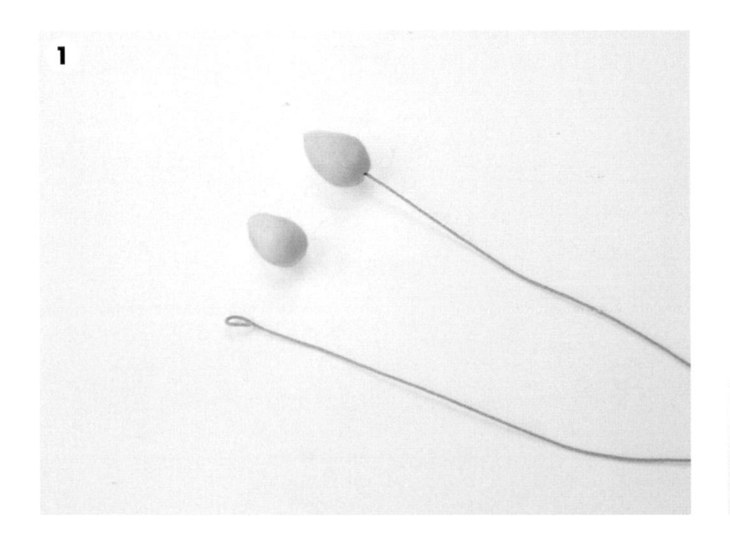

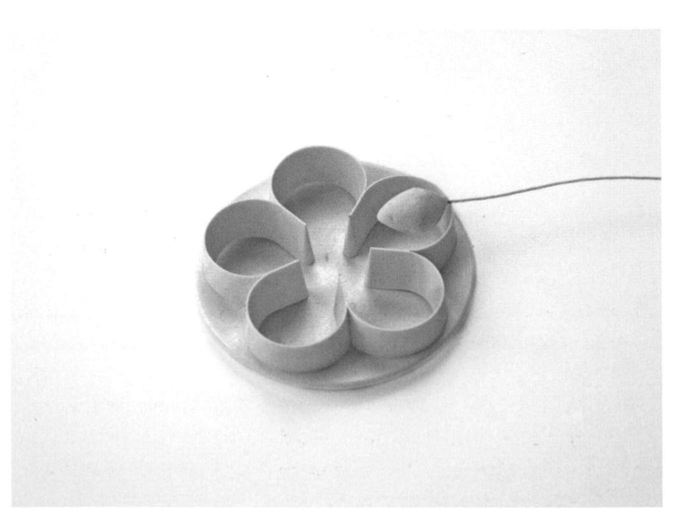

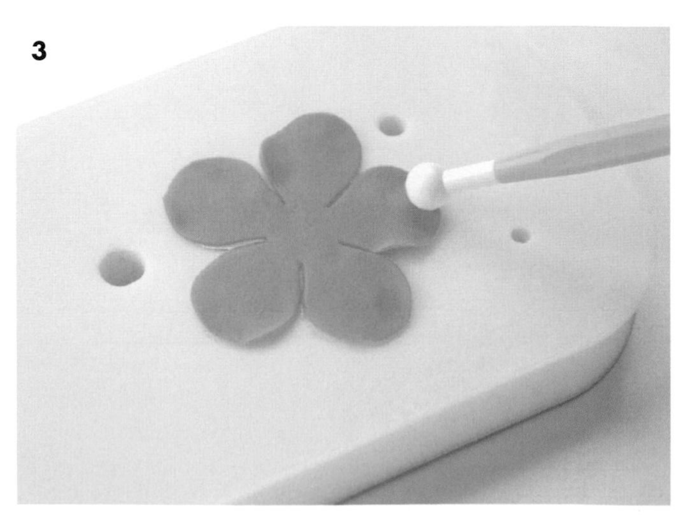

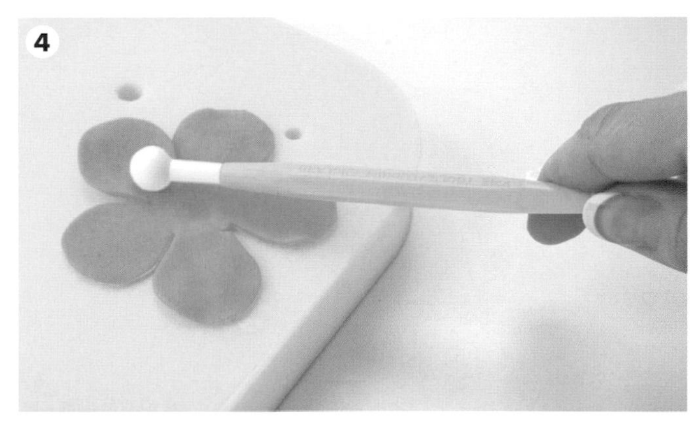

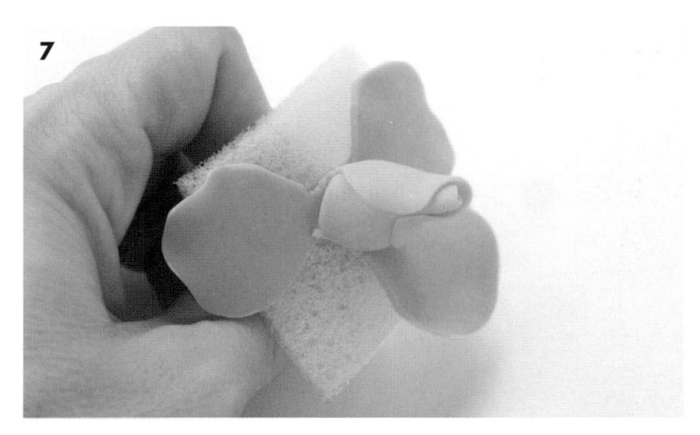

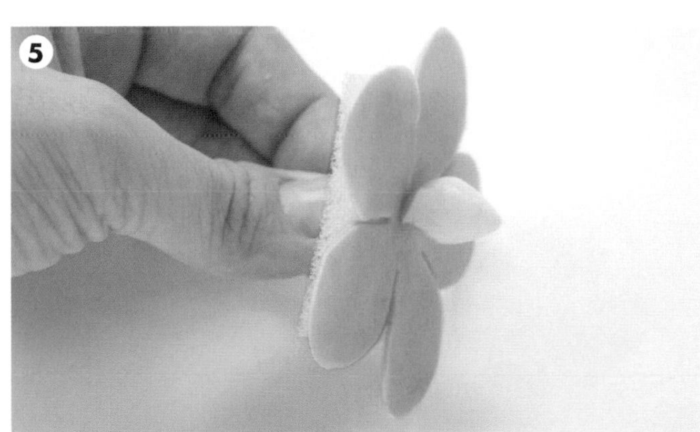

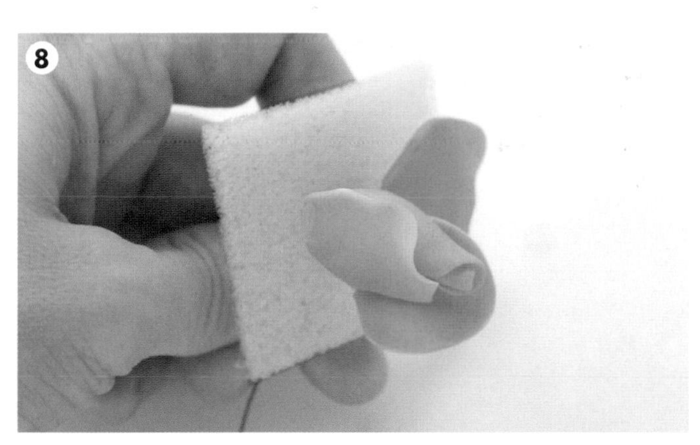

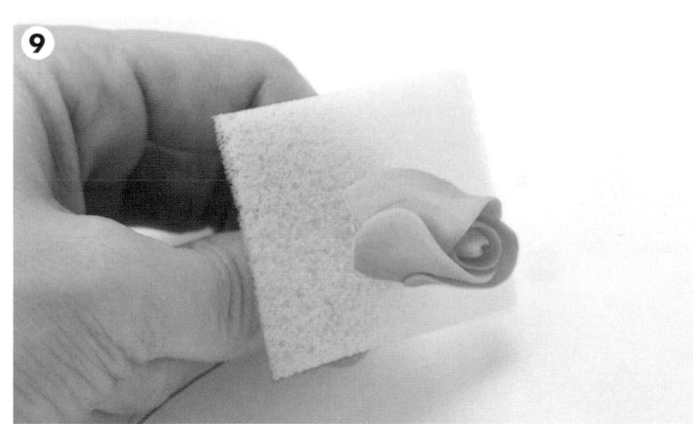

4 Coloca el extremo redondeado de la esteca de bola sobre cada pétalo, presionando y haciendo rodar la herramienta ligeramente para ahuecar los pétalos.

5 Coloca la flor de pasta de goma sobre un cuadrado de 7,5 cm de espuma fina como soporte. Pinta con clara de huevo el cono que hiciste anteriormente. Empuja el tallo de alambre a través del centro de la flor cortada y la espuma.

6 La flor cortada tiene cinco pétalos. Elige un pétalo como el número 1 y rodea con él el cono.

7 Contando en el sentido contrario a las agujas del reloj, pinta con clara de huevo la base del pétalo número 3 y rodea con él el cono.

8 Pinta con clara de huevo la base del pétalo número 5 y rodea con él el cono.

9 Finalmente rodea el cono con el pétalo 2 y el 4, completando así el capullo de rosa. Retira el capullo de la espuma y añade un cáliz (véase la pág. 193), o sigue con los siguientes pasos para hacer una rosa completa.

(sigue)

ROSA

10 Haz un capullo de rosa siguiendo los pasos 1 a 9. Corta una segunda flor de cinco pétalos y colócala sobre un CelPad. Ablanda y afina los bordes de cada pétalo con la esteca de bola. Ahueca los pétalos 1 y 3. Voltea la flor cortada y ahueca los pétalos 2, 4 y 5. Vuelve a voltear la flor y ahueca el centro para que los pétalos 1 y 3 queden cara arriba. Coloca la flor sobre un trozo de espuma de 7,5 cm y pinta con clara de huevo la base. Empuja el alambre del capullo de rosa a través del centro de la flor recién hecha y la espuma. Rodea el capullo con el pétalo 1.

11 Pinta con clara de huevo la mitad inferior del pétalo 3 y rodea con él el capullo. Pinta con clara de huevo la parte inferior de los pétalos 2, 4 y 5 y rodea con ellos el capullo.

12 Haz una tercera flor y rodea la rosa con ella siguiendo los pasos 10 y 11.

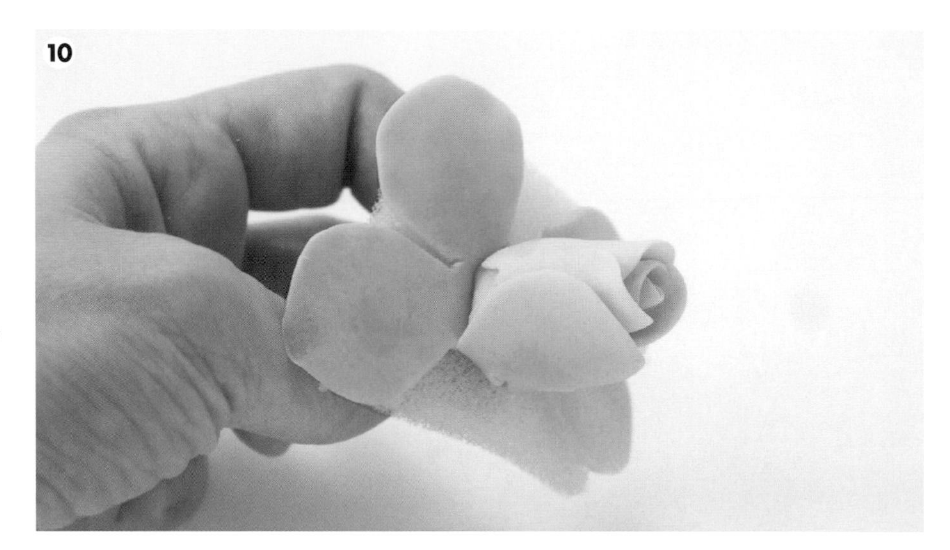
10

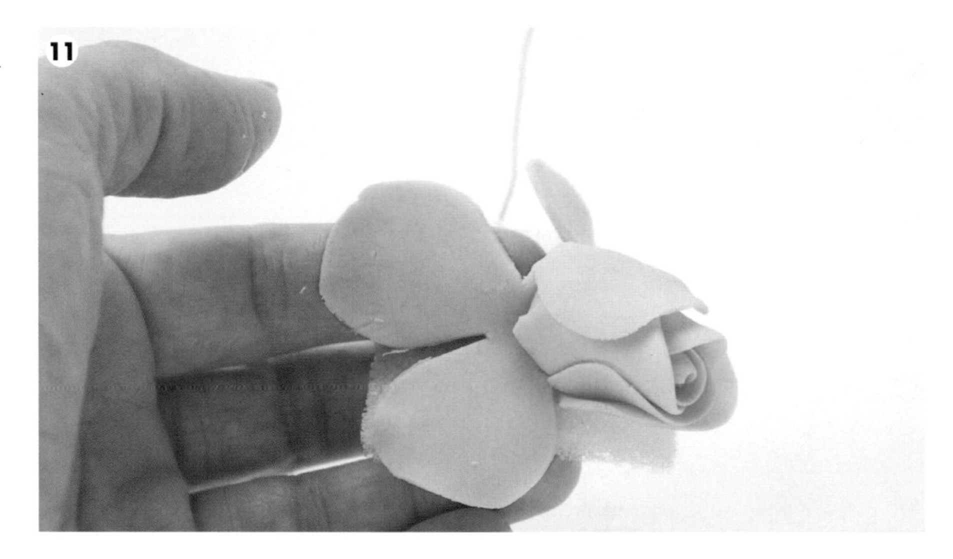
11

12

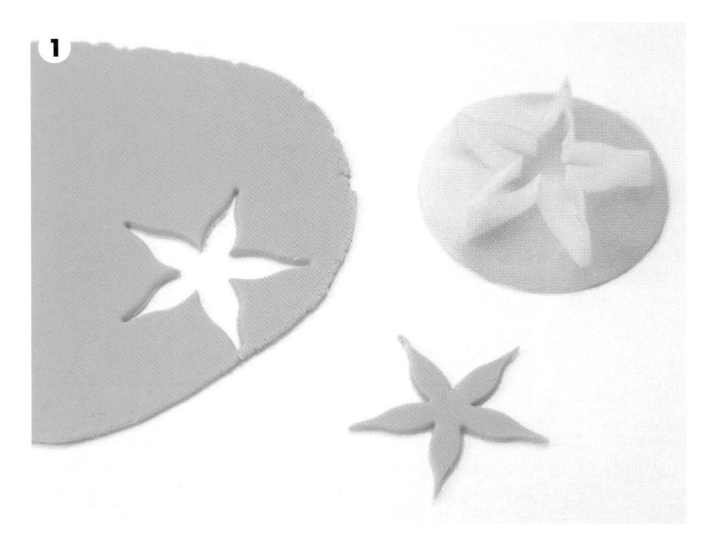

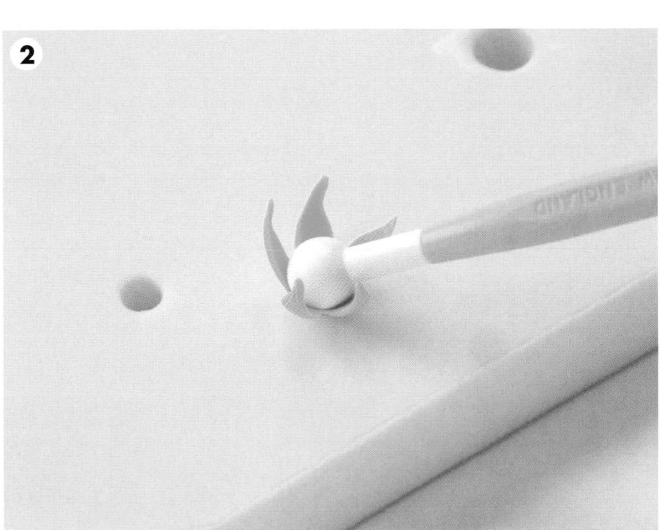

3

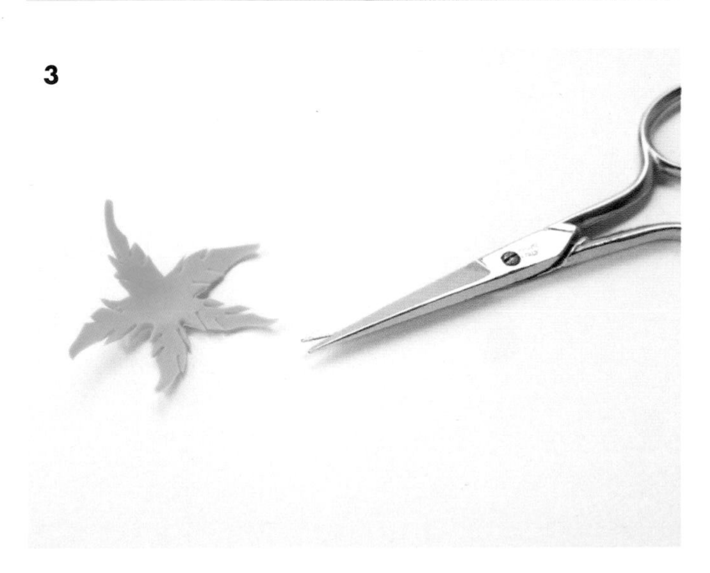

4

5

CÁLIZ

1 Amasa y ablanda la pasta de goma. Extiéndela fina, o pásala por la máquina de pasta con el ajuste 4. Corta el cáliz.

2 Afina los bordes y ahueca el centro con una esteca de bola.

3 Corta los lados del cáliz con unas tijeras finas.

4 Pinta el centro del cáliz con clara de huevo. Empuja el alambre con el capullo de rosa o la rosa hasta el centro del cáliz y presiónalo contra la rosa para fijarlo. Moldea una bola de pasta de goma verde y súbela por el alambre, formando un cono. Pega el cono a la base del cáliz, suavizándolo para que parezca una sola pieza.

5 Añade hojas según las instrucciones de la página 182. Monta la rosa y las hojas según las instrucciones de la página 185. Espolvorea la rosa y las hojas con diferentes tonos de colorante en polvo.

Jazmín de Madagascar

El jazmín de Madagascar es una flor pequeña y adorable por sí sola, aunque suele utilizarse como flor de relleno en los arreglos florales. Se puede utilizar una perla comestible para el centro, pues los floristas suelen añadir perlas en los ramos con jazmines de Madagascar.

1 Coloca un CelPad con agujeros sobre la superficie de trabajo con el lado duro hacia arriba. Pon un poco de manteca vegetal sólida alrededor de la abertura del agujero de tamaño medio. Amasa y ablanda pasta de goma blanca y forma un cono, colocando el extremo puntiagudo en el agujero del CelPad.

2 Extiende el cono un par de veces. Gira el CelPad un cuarto de vuelta y vuelve a extender el cono. Sigue extendiendo y girando para formar un círculo.

3 Retira el jazmín del CelPad y colócalo sobre un CelBoard. Centra un cortador de cáliz sobre el cuello moldeado y corta la forma de jazmín.

4 Coloca la flor en el lado blando del CelPad y pasa un CelStick hacia delante y hacia atrás para afinar el dorso de cada pétalo.

5 Levanta la flor y presiona cada pétalo con el CelStick para afinar y hacer las nervaduras de la parte superior de cada pétalo.

6 Inserta el extremo puntiagudo del CelStick a través del cuello del jazmín. Dobla los pétalos ligeramente hacia atrás. Retira la flor del CelStick. Si el CelStick se pega, frota con un poco de manteca vegetal sólida el extremo del CelStick.

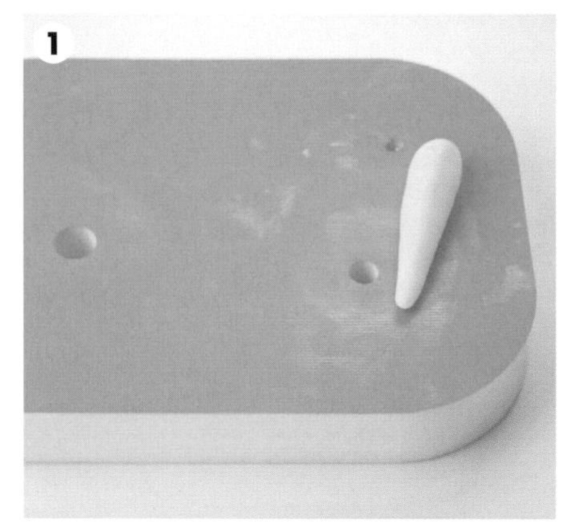

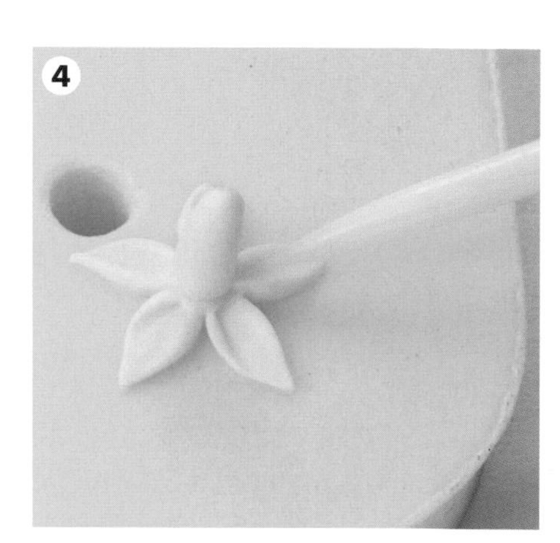

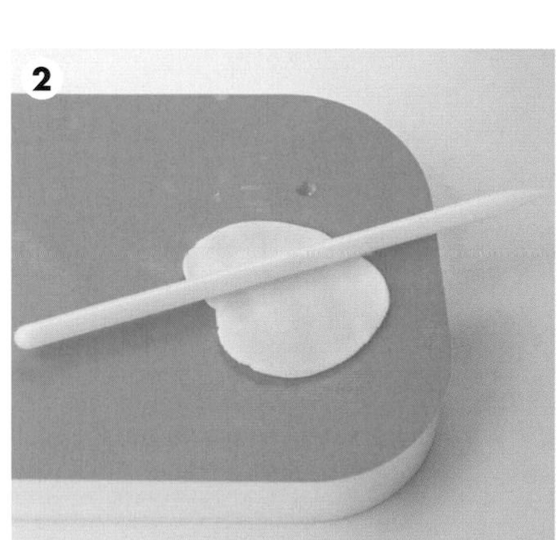

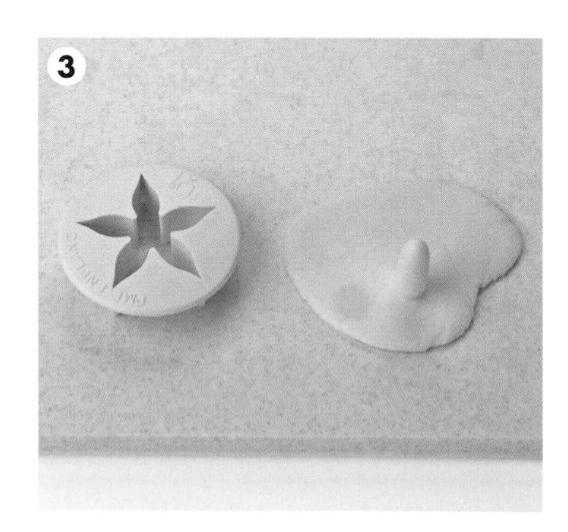

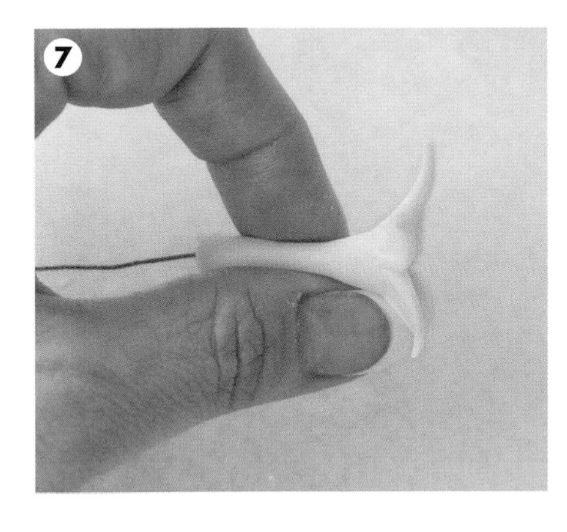

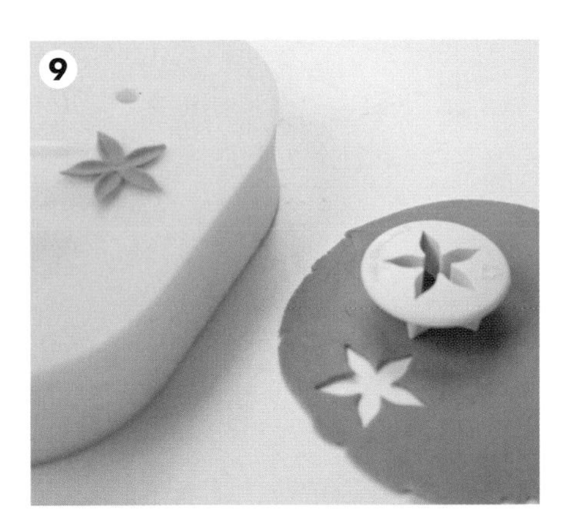

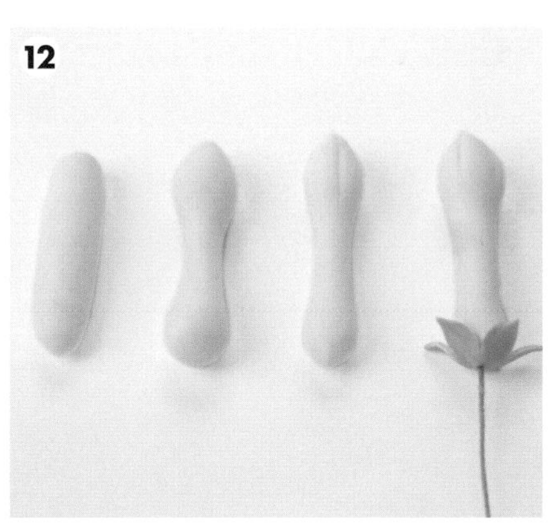

Blanco integral

Los jazmines completamente blancos son muy populares en las bodas. Si vas a hacer los jazmines de blanco integral, utiliza alambre cubierto de tejido blanco. El polvo verde no es necesario y podría desviar la atención de la elegancia que posee un ramo de blanco integral.

7 Dobla un alambre cubierto de tejido del calibre 22 para formar un gancho y píntalo con clara de huevo. Inserta el alambre en el centro de la base de la flor, ocultando el gancho. Pellizca los extremos donde la base de la flor se encuentra con el alambre. Haz rodar la flor entre el pulgar y el índice para crear una base esbelta que se ensancha justo por debajo de los pétalos.

8 Pinta el centro con un poco de cola alimentaria y pega una perla comestible.

9 Extiende fondant verde oscuro muy fino y corta el cáliz con un cortador de cáliz pequeño. Afina el cáliz con el CelStick.

10 Pon un poco de cola alimentaria alrededor de la base y desliza el cáliz por el alambre.

11 Cuelga la flor boca abajo para que se seque. Cuando esté dura, espolvorea la base con colorante en polvo verde.

12 Los pequeños capullos complementan los ramilletes de jazmines. Haz un cilindro y moldea el centro del cilindro con el índice para crear curvas. Acaba un extremo en punta y practica cinco cortes en la punta con un cuchillo de mondar para hacer los pétalos del capullo. Dobla un alambre cubierto de tejido formando un gancho y píntalo con clara de huevo. Inserta el alambre en la base de la flor y pellizca los extremos donde la base de la flor se encuentra con el alambre. Haz rodar la flor entre el pulgar y el índice para crear una base esbelta.

Añade un cáliz siguiendo los pasos 9 y 10.

Cala (lirio de agua)

La cala es otra flor muy popular en las bodas. La más usada en una boda es la flor blanca con un espádice (centro) amarillo, pero puede hacerse de muchos otros colores. Es una de las flores más fáciles de hacer con pasta de goma, pero tanto el interior como el exterior permanecen visibles, así que mantén la superficie de trabajo muy limpia y libre de polvo mientras trabajas. Los cortadores de pasta de goma empleados suelen conocerse como cortadores de lirio. También pueden usarse cortadores de corazón, pero la forma es algo diferente.

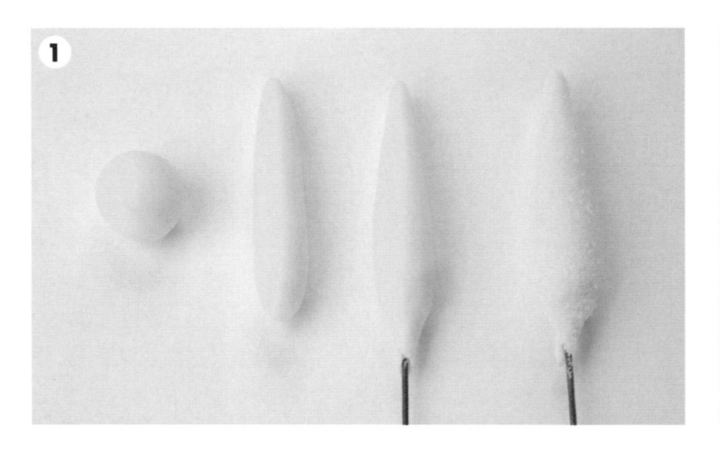

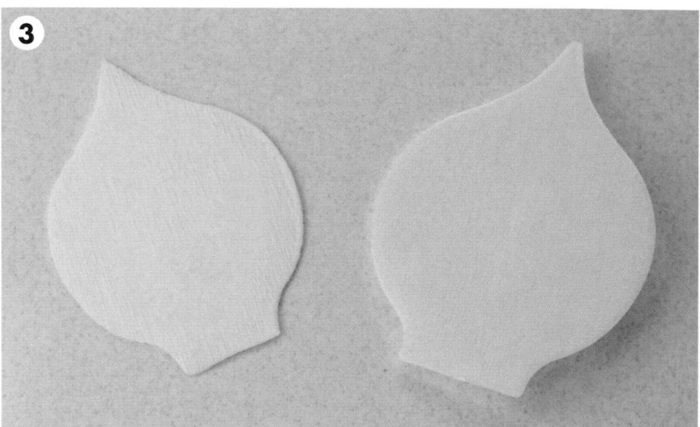

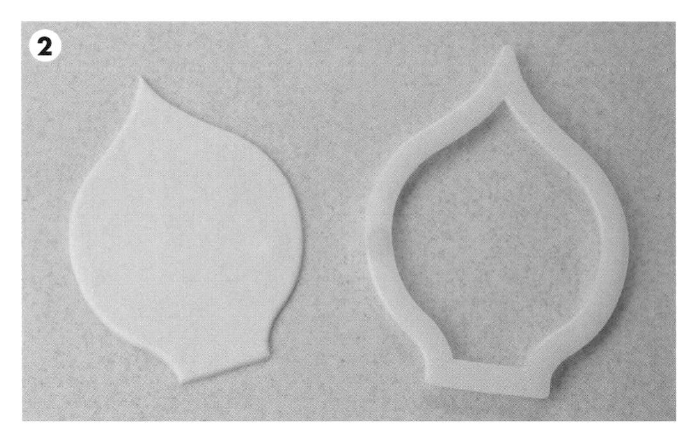

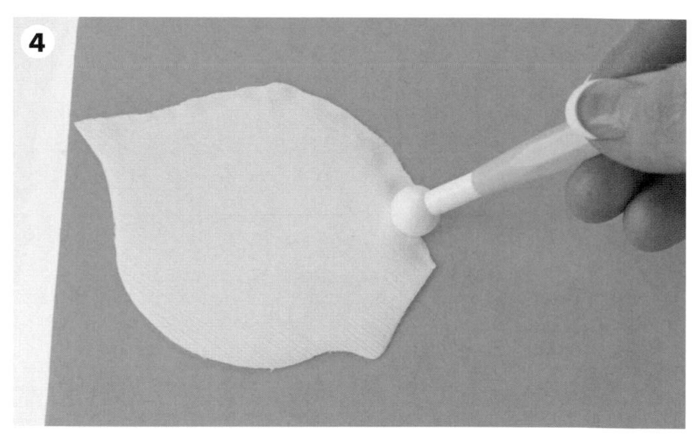

1 Para hacer el centro (espádice), amasa y ablanda pasta de goma amarilla y forma un cono delgado de unos ⅔ de la longitud del cortador de lirio. Forma un gancho con el extremo de un alambre de calibre 18 y píntalo con cola alimentaria. Forma un cono alrededor del alambre. Estrecha el extremo del cono para fijar el alambre. Pinta con cola alimentaria el cono y pásalo por azúcar granulado. Reserva el centro y deja secar unas horas.

2 Amasa y ablanda la pasta de goma blanca. Espolvorea la superficie de trabajo con maicena. Extiende bien fina la pasta de goma (3 [0,95 mm] en una máquina de pasta). Espolvorea la superficie de un CelBoard o una tabla de plástico con maicena. Coloca la pasta de goma sobre el CelBoard o la tabla y corta la cala.

3 Coloca la cala cortada sobre un molde y presiona firmemente para marcar las nervaduras. Gira la cala y marca las nervaduras del otro lado. Con una herramienta para nervaduras, haz las nervaduras del centro de la cala.

4 Coloca el pétalo de la cala sobre un CelPad y suaviza los bordes con una esteca de bola.

5 Pinta con un poco de cola alimentaria la base de la flor y coloca el espádice en el centro.

6 Rodea con un lado de la cala la base del espádice.

7 Rodea firmemente la base con el otro lado de la cala.

8 Moldea la base de la flor y suaviza la zona alrededor del alambre. Dobla ligeramente los bordes e inclina el pétalo, separándolo del tallo.

9 Coloca la flor sobre espuma de poliestireno para que se endurezca. Cuando esté dura, añade tres alambres adicionales de calibre 18 para hacer más grueso el tallo. Envuelve todos los alambres juntos con cinta floral.

10 Pincela con polvo para pétalos verde amarillento la base de la flor y con polvo para pétalos verde manzana sobre el verde oscuro, mezclándolo hacia arriba. Pincela con polvo para pétalos verde manzana el interior de la flor, en la base del espádice. Aplica vapor sobre la flor para darle un aspecto encerado.

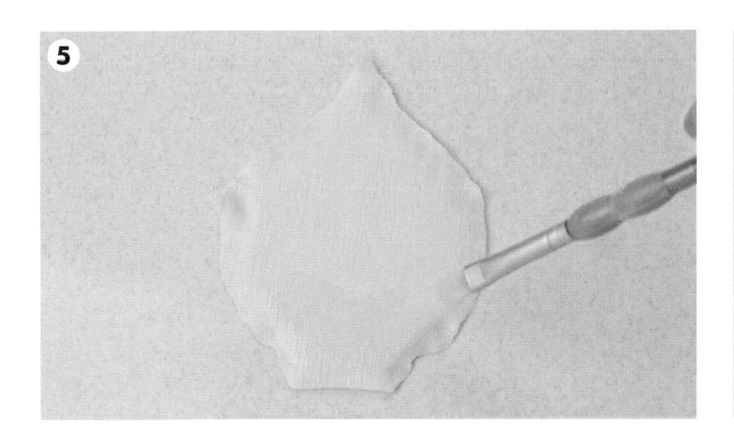

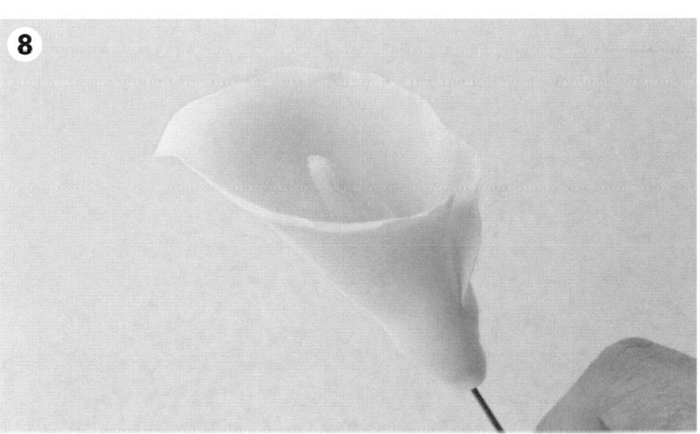

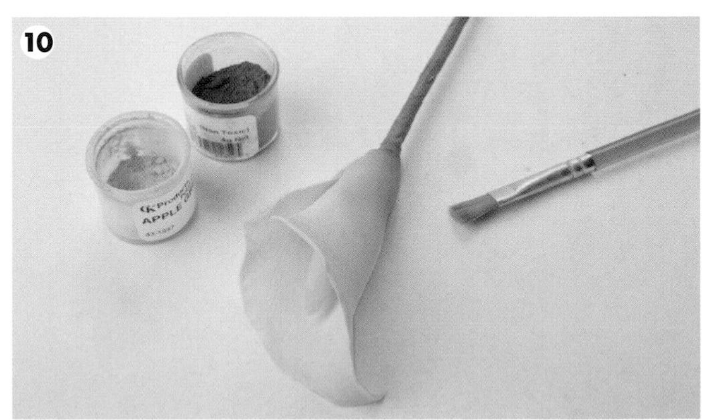

Rosas y hojas de falso tejido

Las rosas y hojas de falso tejido aportan un diseño floral caprichoso, y quedan estupendas en los pasteles con drapeado de fondant.

HOJAS DE TEJIDO

1. Amasa y ablanda pasta de goma. Espolvorea la superficie de trabajo con maicena. Extiende bien fina la pasta de goma (5 [0,4 mm] en una máquina de pasta). Corta una tira de 5 x 7,5 cm de pasta de goma.

2. Gira la tira y pinta una línea de cola alimentaria a lo largo del borde más largo.

3. Dobla la tira de modo que la cola se pegue en los extremos. No hagas el pliegue, debe quedar ligeramente abombado.

4. Empieza en el centro y haz pliegues de abanico hacia un lado.

1

3

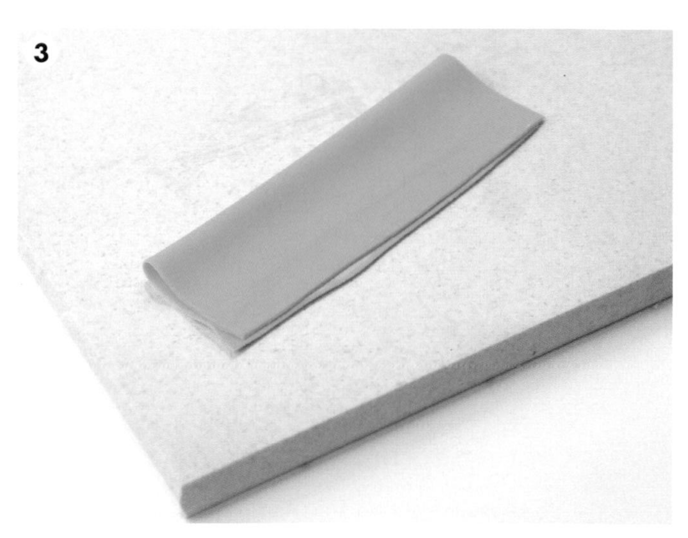

2

4

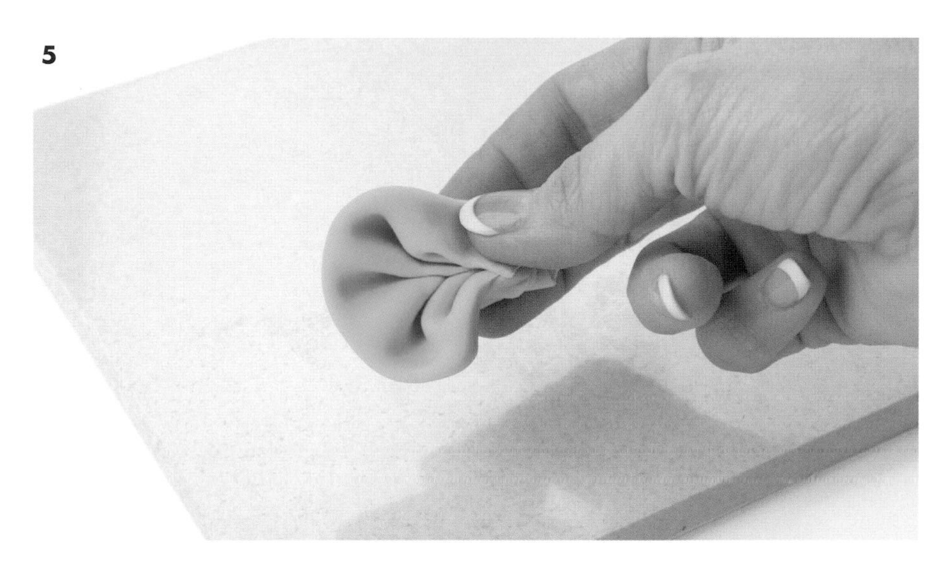

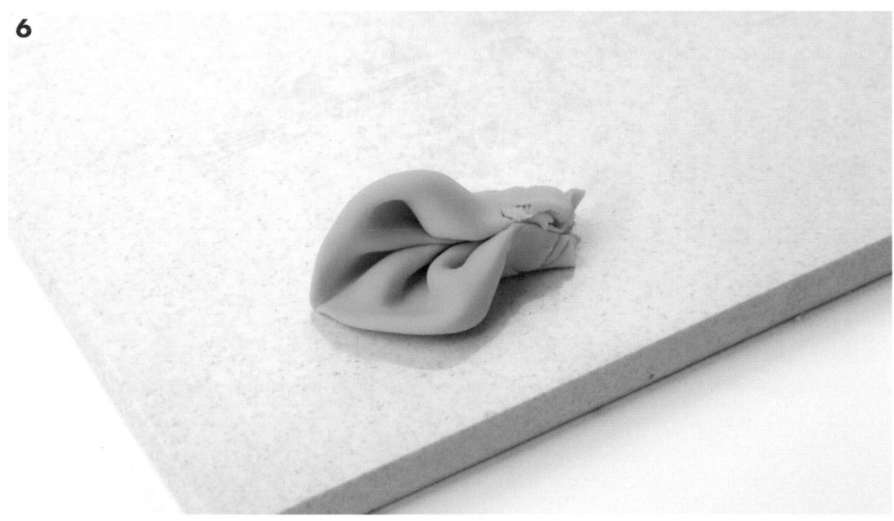

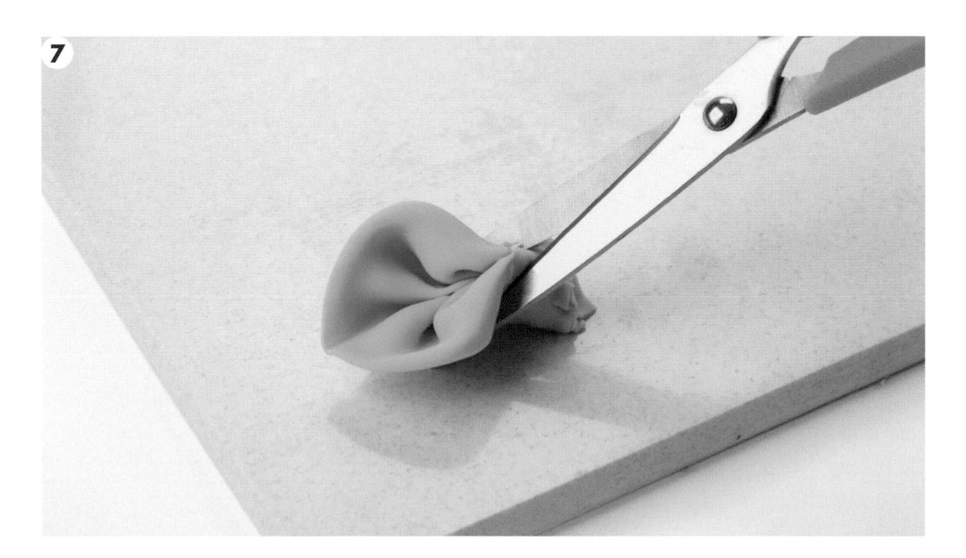

5 Haz pliegues hacia el otro lado y une los dos extremos pellizcándolos.

6 Añade el punto de la hoja pellizcando el centro del semicírculo.

7 Corta el exceso de pasta de goma de la base y pega el adorno al pastel con gel para decorar.

ROSAS DE FALSO TEJIDO

1 Amasa y ablanda la pasta de goma. Espolvorea la superficie de trabajo con maicena. Extiende bien fina la pasta (5 [0,4 mm] en una máquina de pasta) y corta una tira de 5 x 30,5 cm de pasta de goma.

2 Gira la tira y pinta una línea de cola alimentaria a lo largo del tercio superior de la parte más larga.

3 Dobla la tira para pegar el lado a la cola. No hagas el pliegue, debe quedar ligeramente abombado.

4 Dobla uno de los extremos en ángulo: será el centro de la rosa.

5 Con el extremo doblado y abombado mirando hacia arriba, empieza a enrollar la tira. Mantén apretada la base y deja que el borde abombado se expanda.

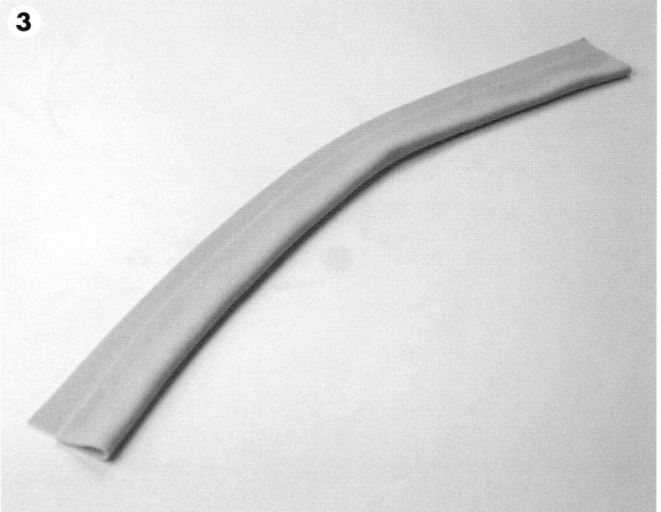

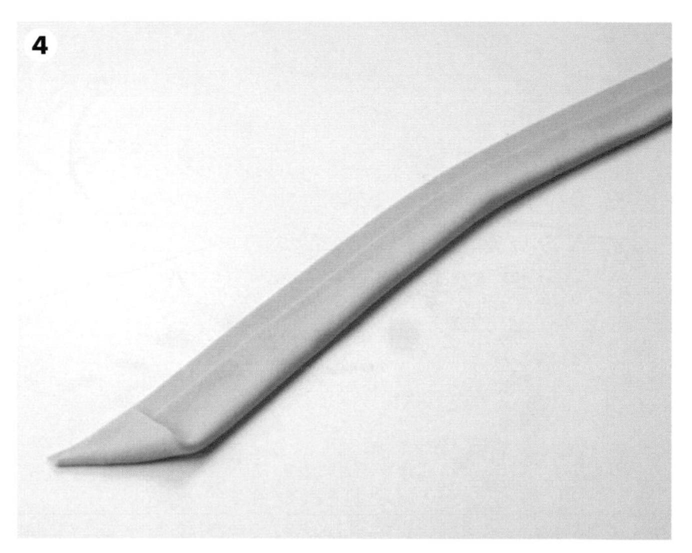

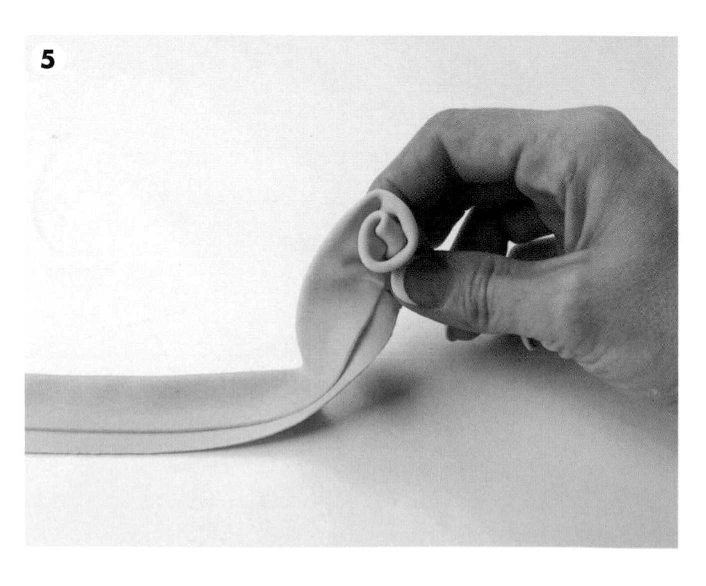

6 Sigue enrollando, formando la rosa. Si los pétalos de la rosa se ven demasiado ceñidos, dobla la tira como si fuera un abanico antes de apretar la base.

7 Después de formar la rosa, la base será muy gruesa.

8 Corta el exceso de pasta de goma de la base.

9 Pega la rosa al pastel con gel para decorar.

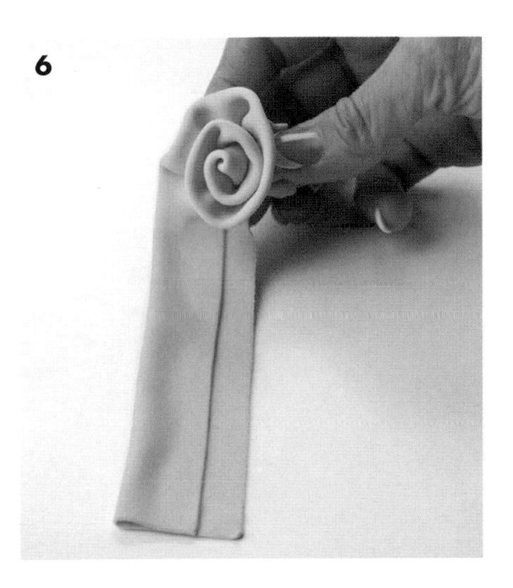

6

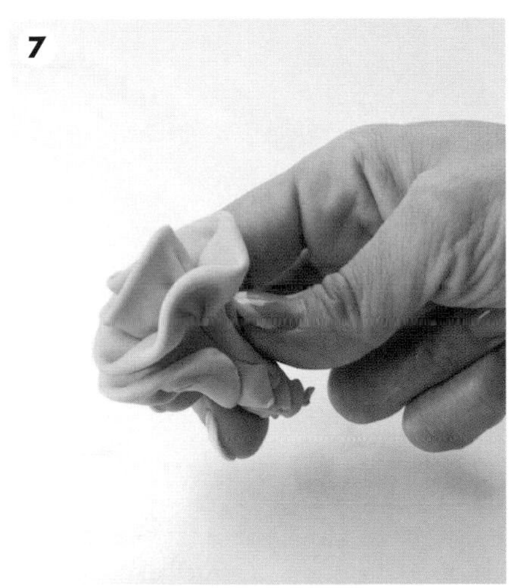

7

8

9

Lazo de serpentina rizada

Estas serpentinas dan un toque de alegría a los pasteles. Puedes hacer un lazo largo y rizado con unas cuantas cortadas de la misma longitud, o utilizar diferentes longitudes y distribuirlas con un diseño festivo. Estas son de 6 mm, pero se pueden hacer más anchas para pasteles más grandes, o más pequeñas para mini pasteles o cupcakes. La pasta de goma es lo más indicado, pero puede emplearse fondant o una mezcla 50/50.

1 Amasa y ablanda la pasta de goma. Espolvorea la superficie de trabajo con maicena. Extiende bien fina la pasta (5 [0,6 mm] en una máquina de pasta) y corta tiras de 6 x 25 cm de pasta de goma.

2 Coloca las tiras alrededor de palos de madera.

3 Deja que las serpentinas se endurezcan unos minutos (5-10 minutos bastarán). Retira las serpentinas del palo. Si vas a hacer un lazo, corta las serpentinas para que midan 7,5 cm. Si vas a colocar las serpentinas libremente por todo el pastel, puedes cortarlas de tamaños diferentes. Dobla algunas serpentinas mientras aún sean flexibles para darles una curva natural.

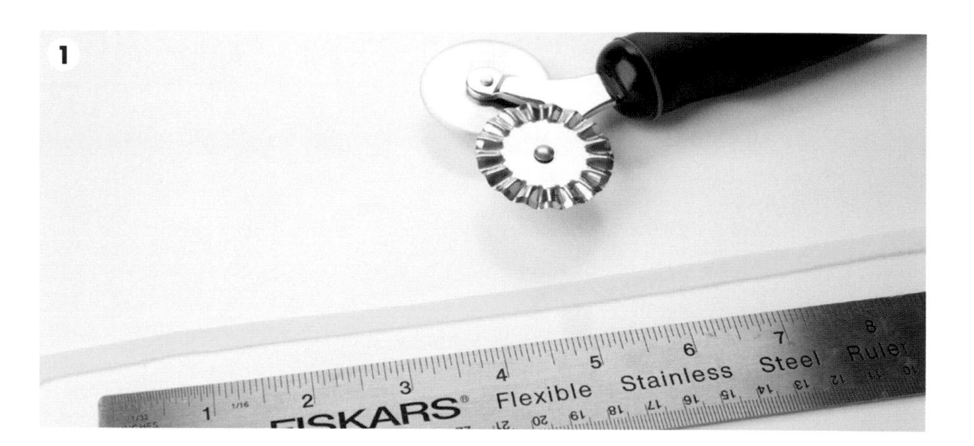

5

4 Deja que las serpentinas se endurezcan unas horas o toda la noche. Cuando estén secas, haz una bola de glaseado en el centro del pastel del mismo color que la cobertura y coloca las serpentinas en círculo, presionándolas sobre el fondant para fijarlas. Coloca las serpentinas rectas en la primera capa.

5 Añade otra capa de serpentinas, esta vez las curvadas, colocándolas con el arco hacia abajo o a un lado, para que se vean naturales.

6 Sigue añadiendo capas de serpentinas hasta llenar el lazo.

Trucos para serpentinas

- Si las serpentinas se rompen al curvarlas, déjalas menos tiempo en los palos. Si se desmoronan al curvarlas, déjalas unos minutos más enroscadas en los palos.
- Si cortas varias tiras a la vez, cúbrelas con film transparente para evitar que se sequen hasta enroscarlas en los palos.

Las tiras más cortas o rotas pueden usarse como adornos adicionales.

Lazos de pasta de goma

Las instrucciones de este capítulo sirven para hacer un lazo simple de 7,5 cm de anchura y un lazo rizado de 17,5, pero puedes aumentar o reducir las dimensiones de ambos lazos. En ambos casos se utiliza pasta de goma. El fondant funciona con lazos de adorno más pequeños en pasteles o cupcakes, pero los lazos mayores de 7,5 cm serán más estables si los haces de pasta de goma. También puedes emplear una mezcla 50/50 de pasta de goma y fondant.

LAZO SIMPLE

1 Amasa y ablanda la pasta de goma. Espolvorea la superficie de trabajo con maicena. Extiende bien fina la pasta (5 [0,4 mm] en una máquina de pasta). Engrasa la superficie de un CelBoard o de una tabla de plástico con una capa de manteca vegetal sólida y coloca encima la pasta de goma.

2 Corta dos tiras de 2,5 x 7,5 de pasta de goma.

3 Pinta los extremos de las tiras con cola alimentaria. Dobla las tiras por la mitad y pellizca los extremos, uniéndolos para formar los pliegues.

4 Para las cintas del arco, corta dos tiras de 2,5 x 7,5 de pasta de goma, corta en ángulo un extremo de cada tira y pellizca el otro extremo.

5 Coloca las cintas juntas con los extremos doblados encima de las cintas. Corta una tira de 1,3 x 2,5 cm para hacer el nudo y une los extremos pellizcándolos.

6 Pinta con cola alimentaria el dorso del nudo y pégalo al lazo, presionando los extremos bajo la vuelta del lazo.

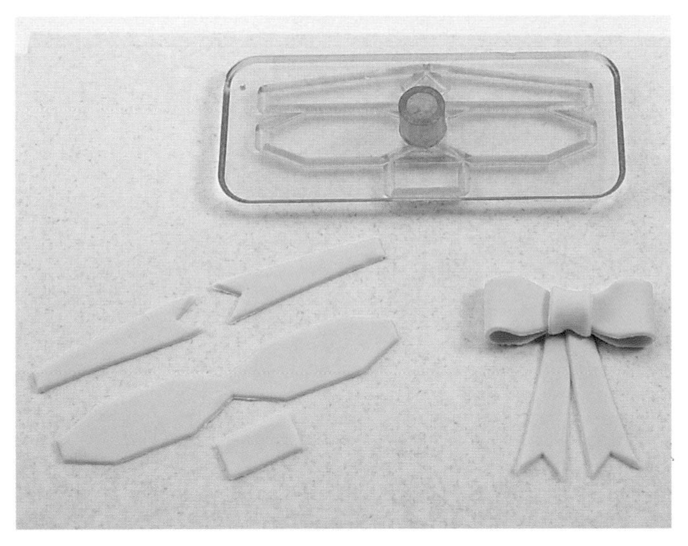

Existen cortadores de lazos para cortar de forma sencilla cada pieza.

Añade marcas con una rueda dentada antes de pellizcar los extremos de las piezas del lazo para conseguir un efecto de puntadas.

Soporte para el lazo

Si la vuelta del lazo se desmorona, llénala con relleno sintético para que mantenga la forma y retíralo una vez se haya secado.

LAZO RIZADO

1 Amasa y ablanda la pasta de goma. Espolvorea la superficie de trabajo con maicena. Extiende bien fina la pasta (4 [0,6 mm] en una máquina de pasta). Engrasa la superficie de un CelBoard o de una tabla de plástico con una capa de manteca vegetal sólida y coloca encima la pasta de goma extendida.

2 Corta tiras de 2,5 x 15 cm de pasta de goma. Un lazo completo precisa 18 tiras. Si las cortas todas a la vez, guárdalas en una sola capa bajo film transparente para evitar que se sequen mientras formas los rizos.

3 Pinta los extremos de las tiras con cola alimentaria, dóblalas por la mitad y deja el rizo a un lado para que se seque durante unas horas.

4 Cuando los rizos estén secos, colócalos en círculo sobre el pastel, dejando una abertura de 2,5 cm en el centro.

5 Haz una bola de glasa real del mismo color que el lazo en la abertura de 2,5 cm. Empuja un poco los rizos del círculo hacia la bola de glasa real.

1

2

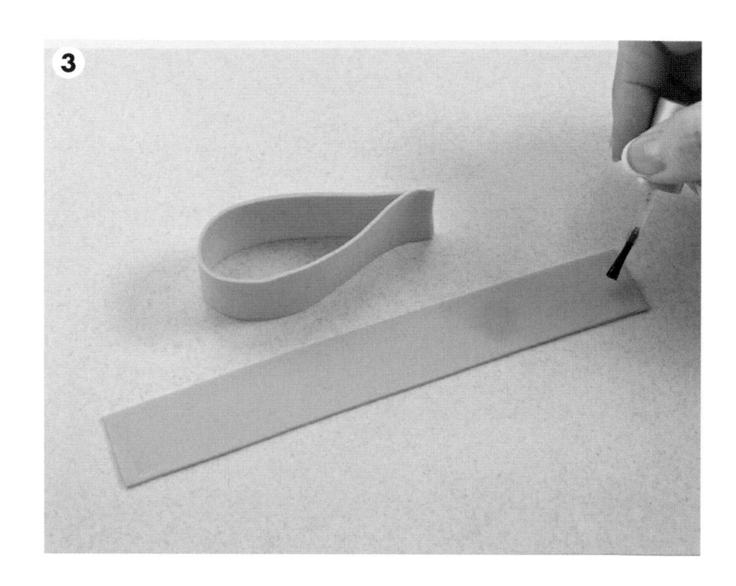

3

4

5

6 Añade la siguiente capa de rizos, insertándolos en la glasa real.

7 Añade una capa final de rizos.

Puedes texturizar la pasta de goma con esteras con textura y rodillos antes de cortar las tiras.

LAZO CON RIZOS BRILLANTES

1 Puedes cubrir con hojas de fondant comestible las tiras de pasta de goma. Pinta el dorso de la hoja de fondant con agua y coloca la cinta sobre la pasta de goma extendida.

2 Utiliza un cortador de pizza pequeño para cortar la tira y acaba el lazo siguiendo los pasos 3-7 anteriores.

Franjas de cinta

Utiliza la mezcla 50/50 para estas franjas de cintas. La mezcla de fondant y pasta de goma hace que las cintas sean más firmes al colocarlas alrededor del pastel, y que sea posible cortarlas después de que la pasta endurezca. Es importante trabajar rápidamente. Después de cortar la tira, levántala lo menos posible para evitar que se estire o se deforme.

FRANJAS DE CINTA

1 Amasa y ablanda la pasta de mezcla 50/50. Espolvorea la superficie de trabajo con maicena. Extiende bien fina la pasta (3 [0,95 mm] en una máquina de pasta). La longitud de la tira debería ser 1,3 cm más larga que la circunferencia del pastel.

2 Utiliza una regla para marcar la altura.

3 Corta la tira a la altura deseada.

4 Gira la tira y pinta el dorso con gel para decorar.

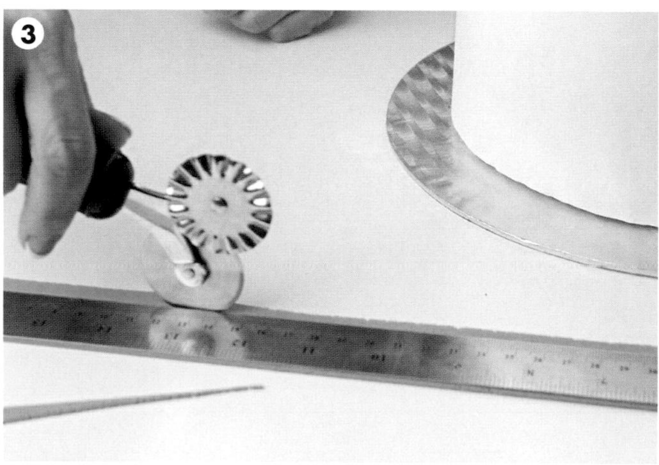

5 Desliza la tira cerca del borde del pastel.

6 Pega la tira al pastel.

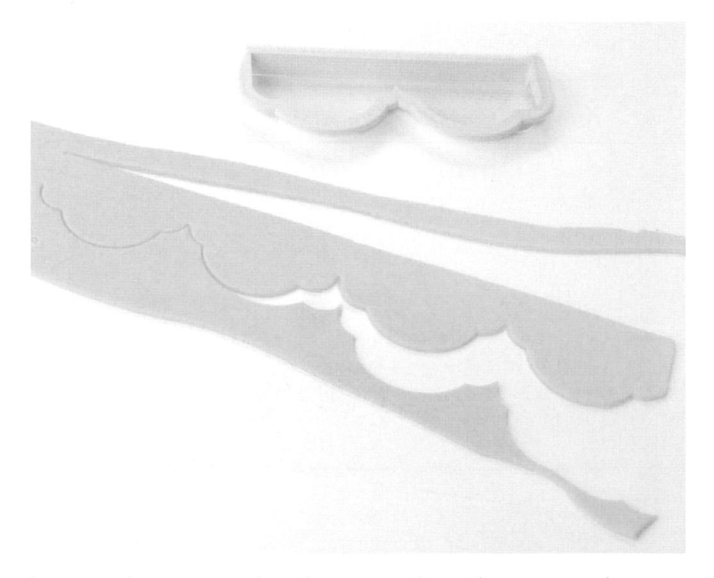

Los cortadores rectos de volantes pueden utilizarse para hacer una franja de cinta con borde decorativo.

Cuidado con el colorante en polvo

El polvo de brillo o el polvo nacarado aportan a las cintas una apariencia satinada, como de tela. Cuando espolvorees la cinta, procura que el polvo no se desperdigue por el lazo y los lados del pastel. Otra opción es espolvorear la tira antes de pegarla al pastel. Hay que pegar con mucho cuidado la franja de cinta, pues el lateral del pastel quedará mal si se ven huellas de dedos debido al colorante en polvo.

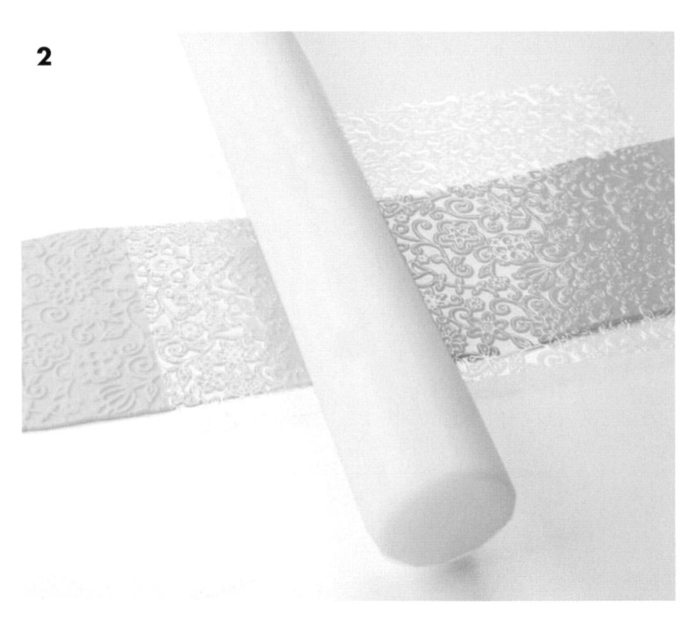

FRANJAS DE LAZO TEXTURIZADAS

1 Amasa y ablanda la pasta de mezcla 50/50. Espolvorea la superficie de trabajo con maicena. Extiende bien fina la pasta (2 [1,25 mm] en una máquina de pasta). La longitud de la tira debería ser 1,3 cm más larga que la circunferencia del pastel.

2 Coloca una estera de textura sobre la tira y pasa el rodillo sobre la estera presionando uniformemente. Deja de presionar unos 5 cm antes de llegar al borde de la estera. Desplaza la estera y colócala unos 5 cm antes de donde finaliza la textura del área ya texturizada y continúa hasta texturizar toda la estera.

3 Utiliza una regla para marcar la altura y corta la tira de la altura deseada, gírala y pinta el dorso con gel para decorar.

4 Pega la tira al pastel.

5 Presiona suavemente la tira contra el pastel y corta el extremo. Añade un borde para ocultar la unión si lo deseas.

Puedes usar un rodillo con texturas en lugar de una estera. Presiónalo uniformemente y no dejes de presionar hasta texturizar toda la tira.

Otra alternativa es una cinta de satén: pégala con puntitos de glasa real. Los pasteles con glaseado de crema de mantequilla no son adecuados para estas cintas, pues podrían aparecer manchas de grasa en el satén.

Dividir y marcar el pastel para formar drapeados y guirnaldas

Si vas a hacer guirnaldas alrededor del pastel, asegúrate de espaciarlas uniformemente y empezarlas a la misma altura, o las guirnaldas se verán desiguales. Si mides el pastel antes de añadir las guirnaldas te asegurarás su uniformidad.

SMART MARKER

Utiliza el Smart Marker sobre un pastel de crema de mantequilla cuajada o recién recubierto de fondant. Con este marcador debes usar todos los orificios si utilizas los marcadores laterales: esto te permitirá espaciar guirnaldas pequeñas. Si quieres hacer guirnaldas más grandes, deberás marcar cada dos orificios, pero la última guirnalda será más corta. Empieza a marcar desde la parte trasera del pastel para que la última guirnalda quede detrás.

1 Coloca el Smart Marker sobre el pastel. Alinea el anillo correspondiente en el Smart Marker según el tamaño del pastel. El Smart Marker tiene pequeños orificios a una distancia uniforme en círculo. Inserta en los orificios una herramienta afilada, como un trazador o un palillo, para marcar el pastel.

2 El Smart Marker incluye algunas plantillas para los lados del pastel que pueden grabarse como guía para seguir la guirnalda. También puedes hacer stringwork u otros diseños sobre el dibujo grabado.

GUIRNALDA DE PAPEL A MEDIDA

1 Rodea el pastel con una tira de papel de caja registradora y córtalo a la medida de la circunferencia del pastel recubierto.

2 Dobla el papel por la mitad, a lo largo.

3 Sigue doblando el papel por la mitad hasta el tamaño deseado para las guirnaldas.

4 Contornea un cortador de galletas redondo con un lápiz para crear un borde festoneado. Corta la guirnalda de papel. Si la tira es más grande de lo deseado, recorta la parte superior del borde festoneado.

5 Rodea el pastel con la tira de borde festoneado. La base de la guirnalda debería estar a unos 6 mm de la base. Coloca la tira en su sitio insertando alfileres en las esquinas de la guirnalda. Utiliza un punzón o un palillo para marcar puntitos a lo largo de los festones.

1

2

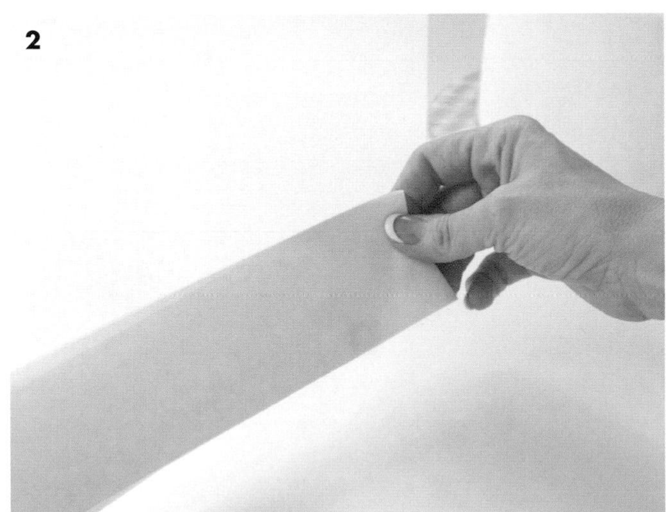

3

4

5

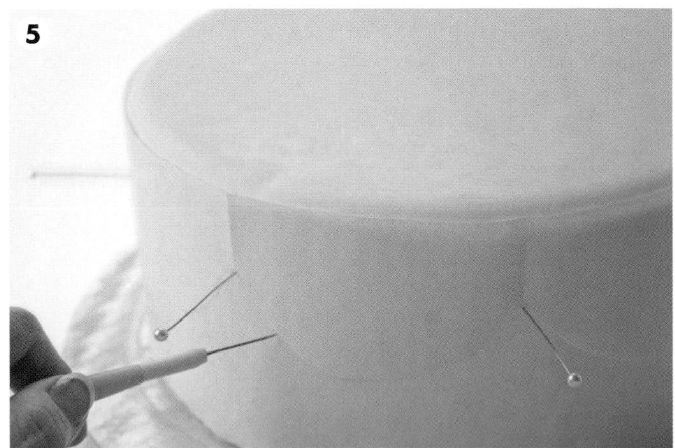

Volantes

Añade un toque refinado a los pasteles con estos volantes. Puedes hacerlos con una sencilla tira de pasta 50/50, o bien cortándola con diferentes cortadores de volantes. El cortador de volantes Garrett fue diseñado por la decoradora de pasteles Elaine Garrett para crear volantes elegantes de curvatura natural, pero el diseño de volantes es limitado. Hay cortadores rectos de volantes de diferentes estilos y anchuras. Para obtener los mejores resultados, usa la receta de pasta 50/50, aunque también puedes usar pasta de goma o fondant.

VOLANTES CON EL CORTADOR DE VOLANTES GARRETT

1 Marca el pastel con el Smart Marker (pág. 212) para espaciar uniformemente el volante. En este diseño hemos marcado uno de cada dos orificios.

2 Amasa y ablanda la pasta 50/50. Espolvorea la superficie de trabajo con maicena. Extiende la pasta bien fina (4 [0,6 mm] en la máquina de pasta).

3 Engrasa la superficie de un CelBoard o un mantel individual de plástico con una capa fina de manteca vegetal sólida y coloca encima la pasta. Usa el cortador de volantes Garrett para cortar la pasta y retira el círculo del centro.

4 Corta el anillo y ábrelo con un cuchillo de mondar o una espátula de hoja fina.

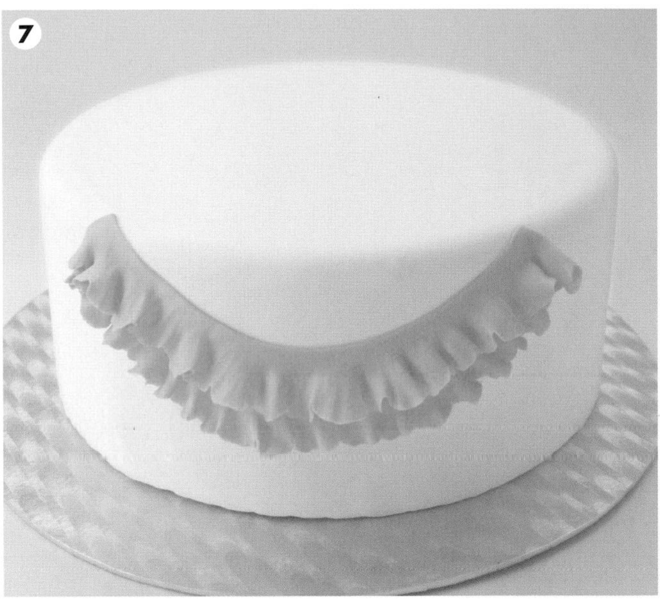

5 Coloca la tira cerca del borde de una almohadilla de espuma de modelado. Usa un CelStick y hazlo rodar para afinar y rizar el borde. La presión empleada determinará el volumen de los rizos del volante.

6 Haz puntos de gel para decorar sobre las marcas del punzón del pastel. Pega la guirnalda de volantes en los puntos de gel para decorar. La guirnalda debería colocarse en su lugar siguiendo una curva natural. Después de formar la curva, añade un par de puntos de gel para decorar en el centro del dorso de la guirnalda para fijarla.

7 Puedes añadir más guirnaldas haciendo una línea de gel para decorar justo por encima del borde superior del primer volante. Pega el segundo volante justo encima del primero, siguiendo la curva.

8 Haz un delicado borde de acabado para el volante.

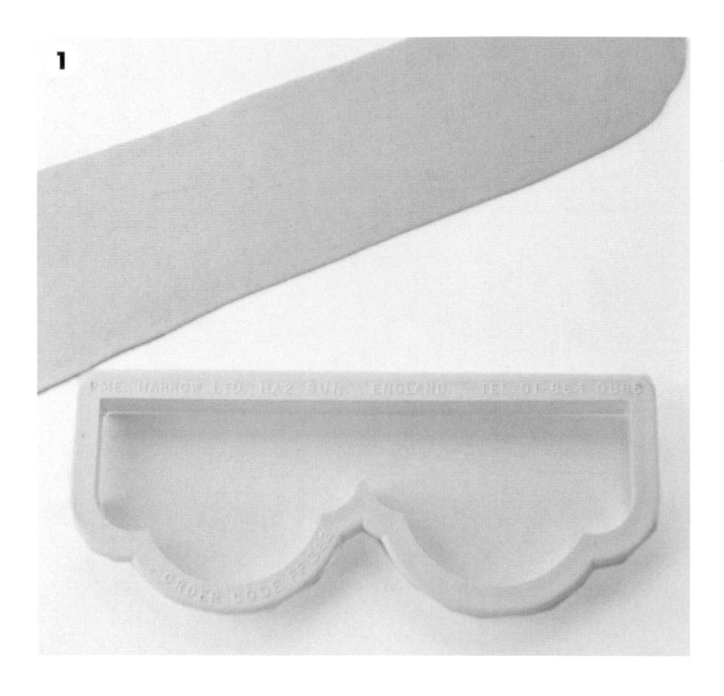

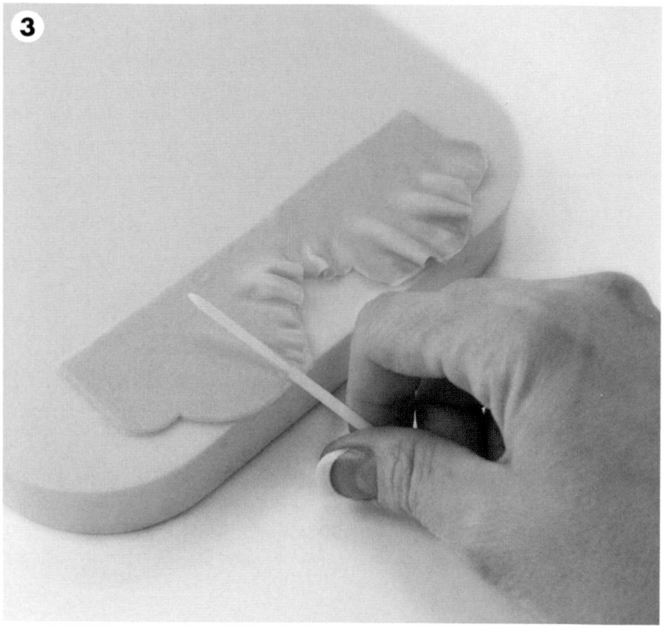

CORTADORES RECTOS DE VOLANTES

1 Amasa y ablanda la pasta 50/50. Espolvorea la superficie de trabajo con maicena. Extiende la pasta bien fina (4 [0,6 mm] en la máquina de pasta).

2 Engrasa la superficie de un CelBoard o una tabla de plástico con una capa fina de manteca vegetal sólida y coloca encima la pasta extendida. Corta una tira de pasta 50/50 con un cortador recto de volantes.

3 Coloca la tira cerca del borde del lado blando de una almohadilla de espuma de modelado. Usa un CelStick y hazlo rodar para afinar y rizar el borde. La presión empleada determinará el volumen de los rizos del volante.

4 Gira suavemente el volante. Haz puntitos de gel para decorar en el dorso del volante. No los hagas cerca del borde superior o el gel podría filtrarse al colocar el volante en el pastel.

5

7

6

8

5 Pega el volante en el borde superior del pastel.

6 Puedes añadir más volantes. Recorta el borde superior del segundo volante unos 6 mm.

7 Gira el segundo volante, pon un poco de gel para decorar en el dorso y pégalo al pastel.

8 Añade más volantes si lo deseas. Recorta el borde superior de cada pieza un poco más que en el volante anterior.

9 Haz puntos de gel para decorar en el dorso del volante adicional. Añade más volantes y remátalos con un borde delicado.

9

OTROS ESTILOS DE CORTADORES DE VOLANTES

Cortador de volantes con borde festoneado.

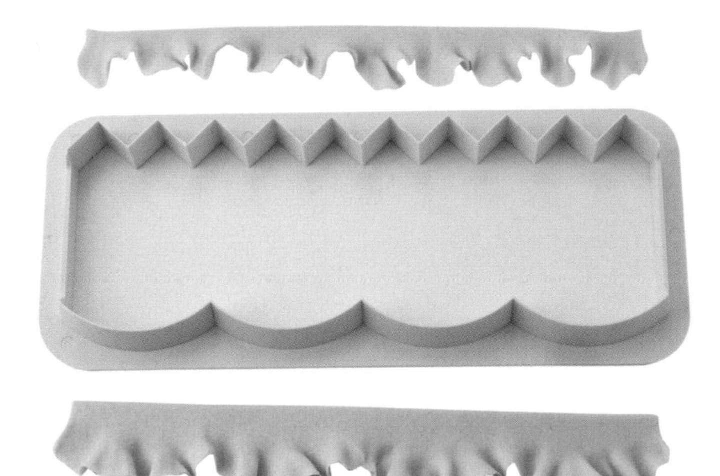

Algunos cortadores de volantes tienen dos caras: dos dibujos en un solo cortador.

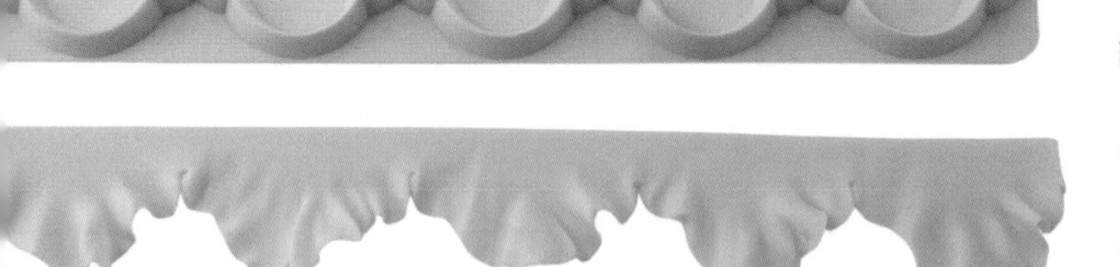

Cortador de volantes con un festón más pequeño y refinado.

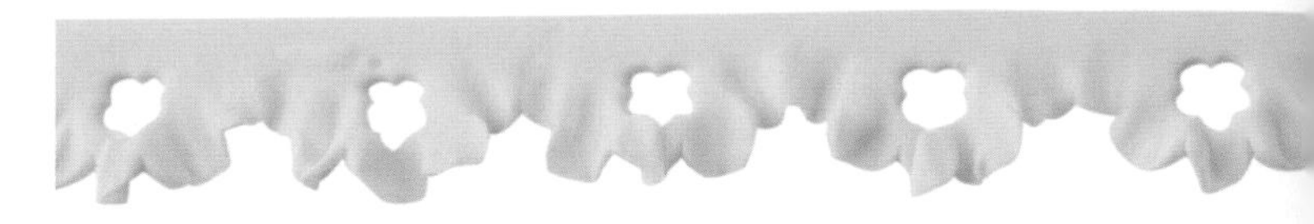

También los hay con recortes de dibujos especiales.

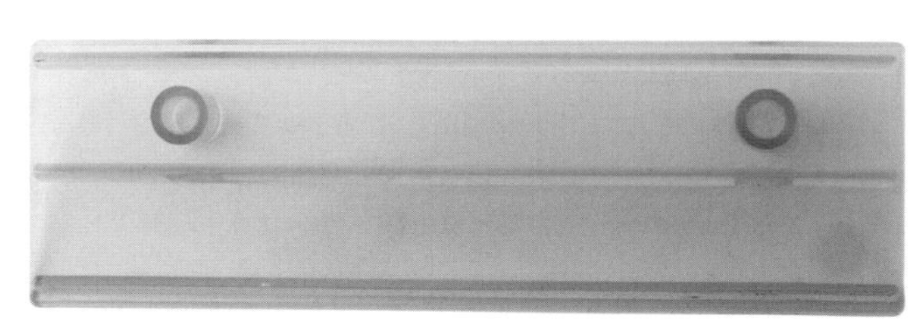

Un cortador de cinta sirve para hacer un volante básico y recto. Es la forma más sencilla de dominar los volantes.

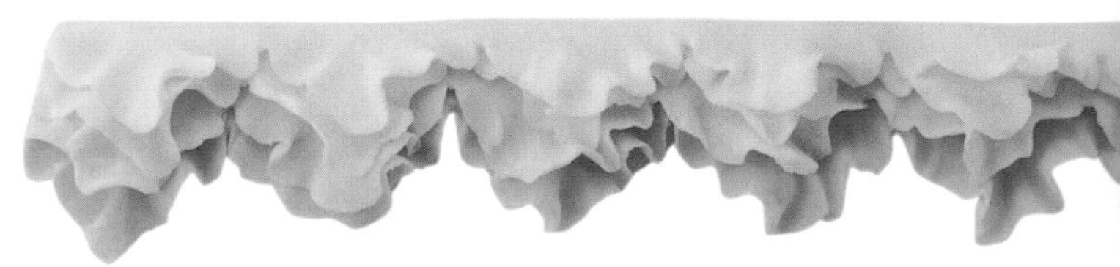

Se pueden hacer volantes por capas y decorarlos de muchos modos. Este volante tiene la capa inferior rosa oscuro y sigue con tonos más claros de rosa hasta acabar con un volante blanco.

Ajustar volantes

- Si la herramienta de decoración se pega al volante, espolvoréala con un poco de maicena.
- Cuando rices el volante, prueba con diferentes presiones hasta conseguir la textura de rizo deseada.

Este volante tiene delicados puntitos rosas de glasa real. El borde superior se ha marcado antes de que los volantes formaran una corteza.

Acentúa los volantes con recortes de flores pequeños y sencillos. Añade un toque de color a los bordes de los volantes con un pincel plano, pintando los bordes con colorante alimentario rosa diluido en agua. Un sencillo borde de glasa real rosa otorga a la parte superior del volante un acabado perfecto.

Los volantes pueden pintarse con colorante alimentario para conseguir una apariencia de tejido. Un borde de sutiles puntitos constituye un exquisito acabado para los volantes.

Drapeados

Los drapeados que imitan tejidos son una decoración muy elegante. La pasta 50/50 es la mejor opción, pues la pasta de goma se endurece demasiado y no es tan fácil cortar el pastel, mientras que la pasta 50/50 aporta más fuerza y flexibilidad que el fondant, sin ser tan difícil de cortar. Es importante que la pasta 50/50 sea muy fina para que el drapeado no se vea muy pesado.

Puedes variar la longitud de las guirnaldas y hacerlas más largas para los pisos más largos. Si quieres hacer una guirnalda más ancha, te será más fácil unir dos guirnaldas de 5 x 20 cm que cortar una de 10 x 20 cm. Cuanto más larga sea la guirnalda, más difícil será hacer guirnaldas con fruncidos proporcionales.

1 Amasa y ablanda la pasta 50/50. Espolvorea la superficie de trabajo con maicena. Extiende bien fina la pasta (5 [0,4 mm] en una máquina de pasta). Engrasa la superficie de un CelBoard o un mantel individual de plástico con una fina capa de manteca vegetal sólida y coloca encima la pasta. Corta una tira de 5 x 20 cm.

2 Coloca los palos de madera alineados sobre la superficie de trabajo, dejando aproximadamente 1,3 cm entre ellos.

3 Coloca la tira de pasta sobre los palos y pon palos adicionales entre los primeros palos. Empuja suavemente los palos, juntándolos para dejar poco espacio entre cada palo.

4 Levanta con cuidado todos los palos y gíralos con la pasta. Recoloca los palos si se han movido. Pinta con cola alimentaria los dos bordes del lado más largo del drapeado.

5 Dobla los bordes para crear un borde suave.

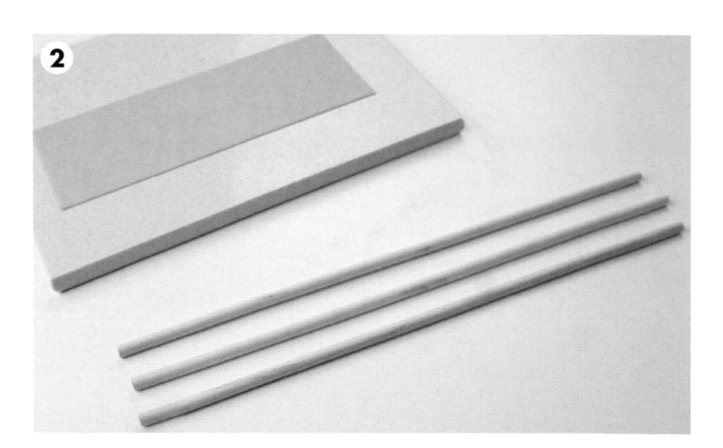

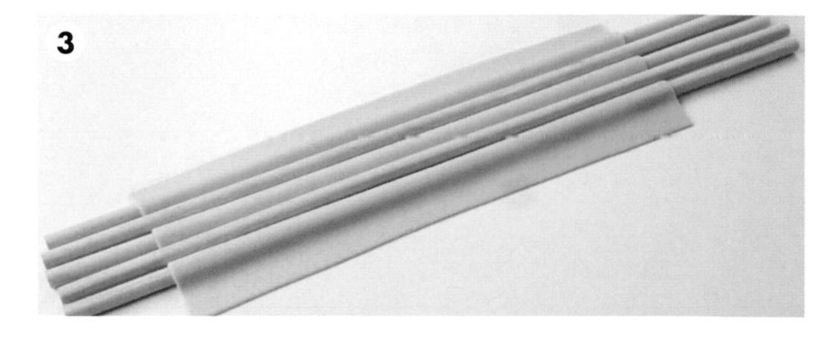

6 Gira el drapeado y retira los palos.

7 Pellizca los extremos para formar pliegues.

8 Pega el drapeado al pastel con cola alimentaria o gel para decorar.

9 Añade más drapeados. Pega flores o adornos con gel para decorar en los puntos de unión de los drapeados.

6

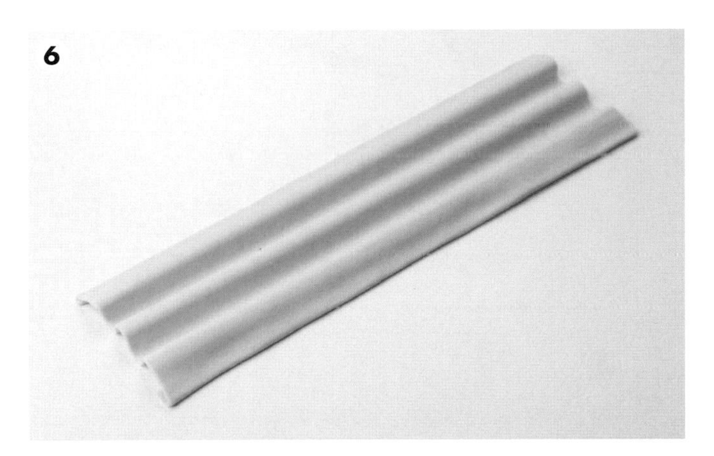

7

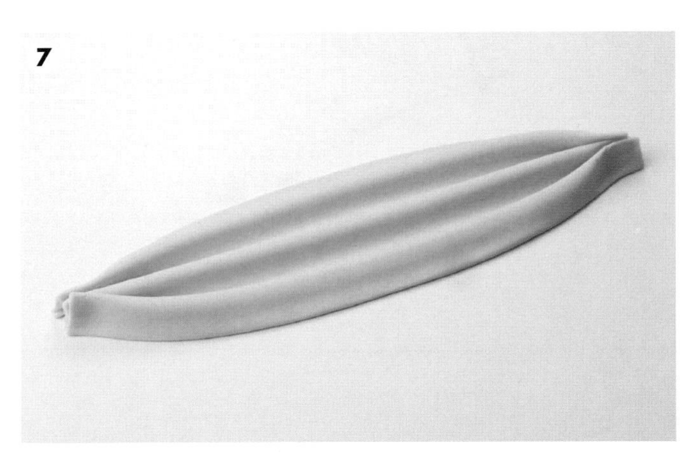

8

9

Espolvorea el drapeado con polvo nacarado o de brillo si deseas darle un acabado satinado. Aquí hemos usado polvo nacarado extra.

Utiliza un rodillo con texturas para añadir textura al drapeado después de extenderlo.

Nido de abeja

El nido de abeja es una técnica con pasta 50/50 para crear una tira acanalada. Si vas a colocarla alrededor del pastel, necesitarás varias tiras. La tira acanalada se decora con líneas y puntos diminutos para aparentan un trozo de tela bordada de nido de abeja. El método tradicional del nido de abeja se hace a mano. El fondant de nido de abeja hecho a mano es una técnica meticulosa que exige mucho tiempo. Existen diversas herramientas que simplifican el nido de abeja con pasta 50/50.

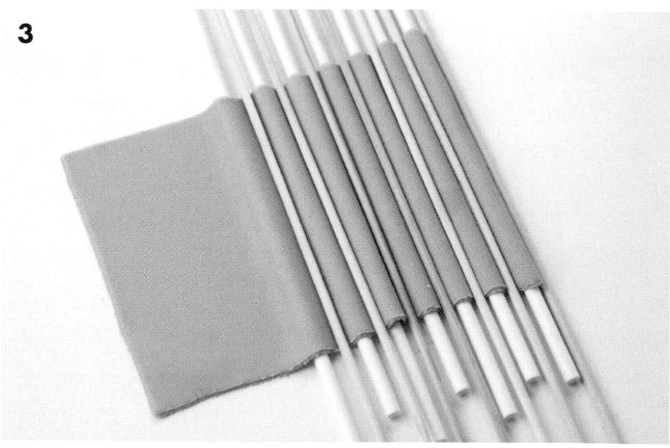

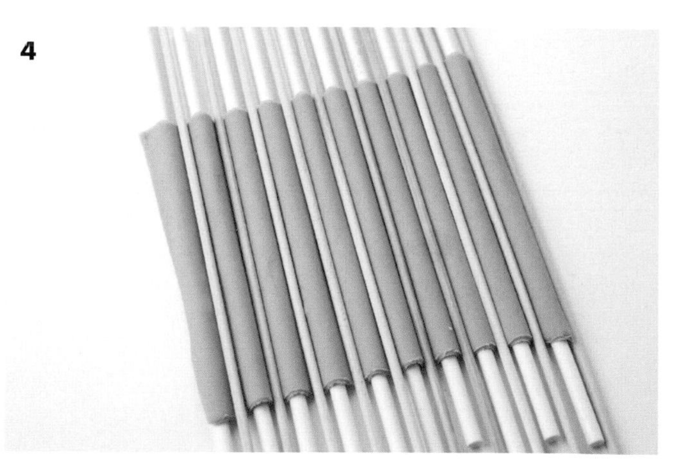

NIDO DE ABEJA A MANO

1. Amasa y ablanda la pasta 50/50. Espolvorea la superficie de trabajo con maicena. Extiende la pasta bien fina, (5 [0,4 mm] en una máquina de pasta). Corta la pasta a la altura deseada.

2. Enrolla el final de la tira alrededor de un palo de caramelo. Coloca un pincho encima de la tira de pasta.

3. Coloca más palos de caramelo bajo la pasta, siempre colocando un pincho encima para hacer el pliegue.

4. Sigue añadiendo palos de caramelo y palillos y deja secar todo unos minutos.

1 Retira los palos y gira con cuidado el fondant con pliegues. Pinta con una fina capa de gel para decorar el dorso de la pieza.

6 Pega la tira al pastel. Si colocas una tira de pasta de nido de abeja alrededor del pastel, une varias tiras superponiéndolas.

El tiempo perfecto

El tiempo es muy importante cuando se hace nido de abeja a mano. La pasta de goma necesita asentarse unos minutos para que la tira no se desmorone cuando la levantes para pegarla al pastel. Si ha pasado demasiado tiempo, la tira será demasiado dura para rodear el lateral del pastel y se romperá.

TEXTURIZADOR PARA AHORRAR TIEMPO

Los cortadores Patchwork tienen un texturizador que facilita la creación de nido de abeja.

1 Amasa y ablanda la pasta 50/50. Espolvorea la superficie de trabajo con maicena. Extiende suficiente pasta 50/50 para llenar el cortador Patchwork. Pasa el rodillo hasta que la pasta tenga

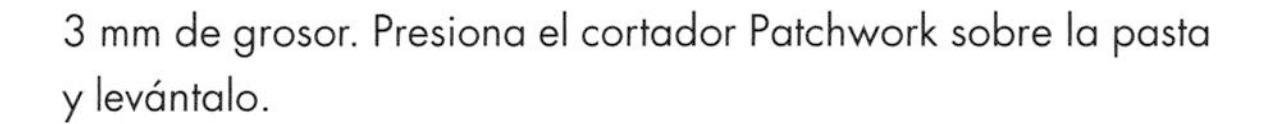

3 mm de grosor. Presiona el cortador Patchwork sobre la pasta y levántalo.

2 Corta la pasta repujada a la altura requerida del pastel y pégala al pastel con gel para decorar.

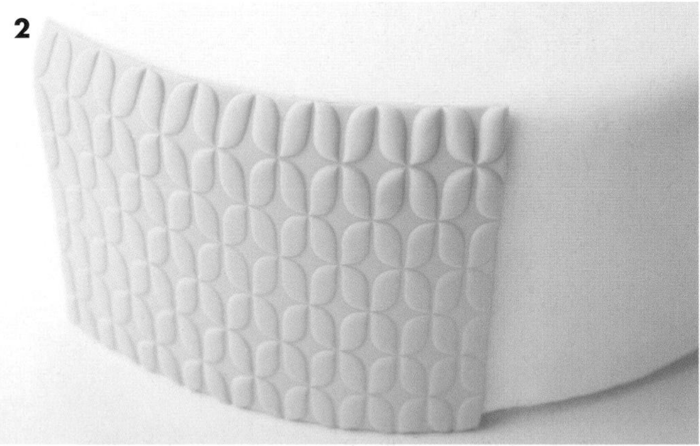

Estera con textura nido de abeja

1 Amasa y ablanda pasta 50/50. Espolvorea la superficie de trabajo con maicena. Extiende la pasta hasta alcanzar 3 mm de grosor. Coloca la pasta en la parte superior de la estera con textura nido de abeja. Presiona uniformemente, empezando por un extremo de la estera y pasando el rodillo hasta el otro extremo. No pases el rodillo hacia delante y hacia atrás.

2 Corta la pasta repujada a la altura requerida para el pastel.

3 Pinta una fina capa de gel para decorar en el dorso y pega la tira en el pastel.

Rodillo con textura nido de abeja

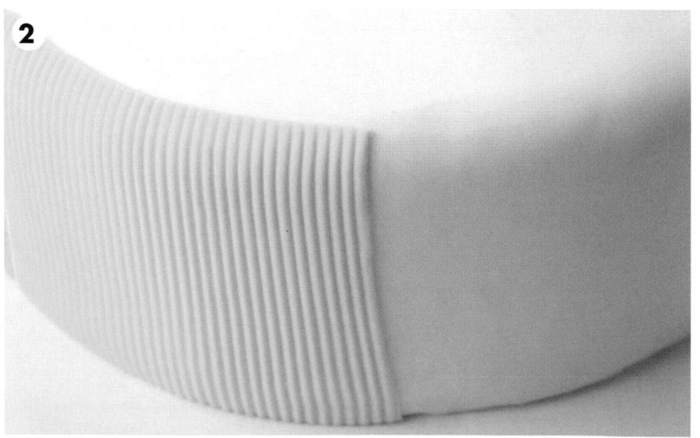

1 Amasa y ablanda pasta 50/50. Espolvorea la superficie de trabajo con maicena. Extiende la pasta hasta alcanzar 3 mm de grosor y luego pasa el rodillo sobre la pasta.

2 Corta la pasta repujada a la altura requerida para el pastel. Pinta una fina capa de gel para decorar en el dorso y pega la tira en el pastel.

DECORACIÓN EN FONDANT CON NIDO DE ABEJA

Puedes añadir detalles en colores de contraste de glasa real con una boquilla 1. Los puntos diminutos y las líneas forman hermosos detalles.

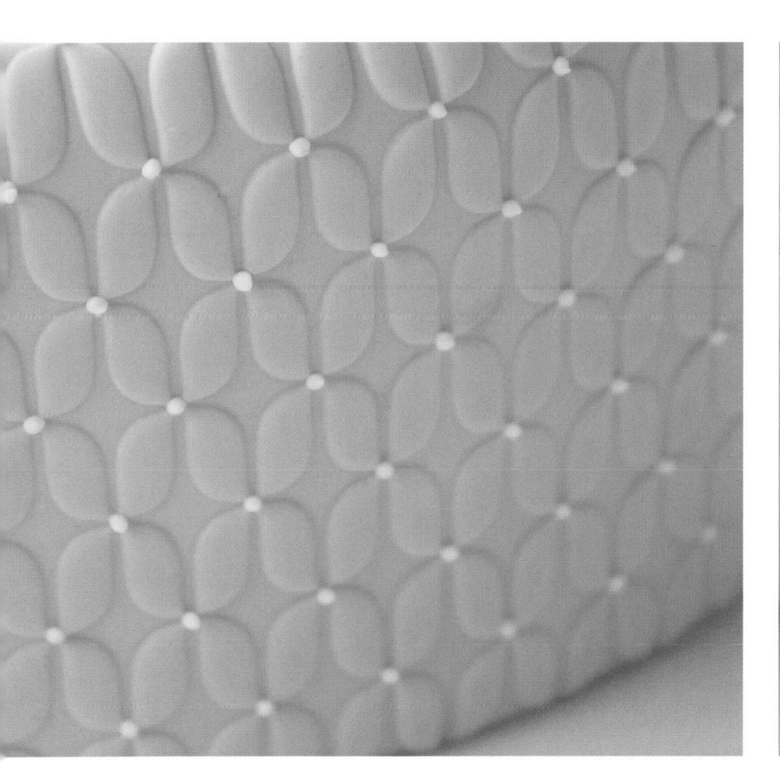

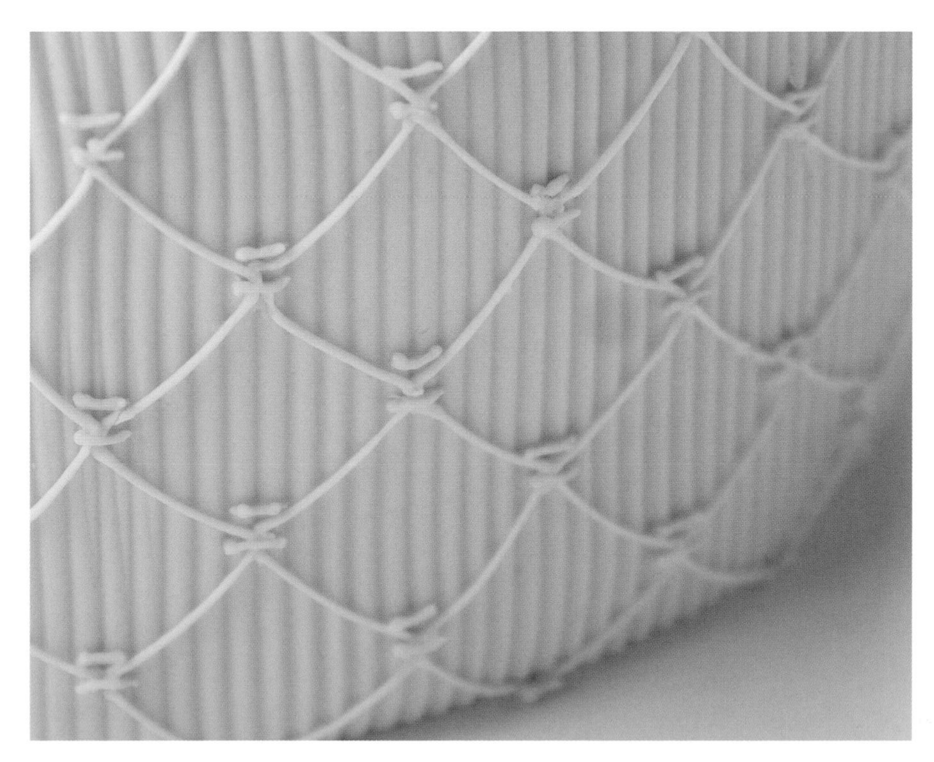

Decoración de punto de ojal

La decoración de punto de ojal, también conocida como bordado inglés, es una técnica que imita el encaje. El fondant se corta de la forma deseada y se coloca sobre el pastel glaseado. Mientras el fondant aún está blando, se utiliza una herramienta de punto de ojal para repujar el fondant.

1 Amasa y ablanda el fondant. Extiéndelo hasta un grosor de unos 3 mm y córtalo a la medida deseada.

2 Levanta la forma recortada, gírala y pinta con una fina capa de gel para decorar la pieza cortada. Colócala encima del pastel o en los lados, procurando no estirar la pieza.

3 Repuja un dibujo con la herramienta de punto de ojal.

4 Quita el exceso de fondant de la pieza con un alfiler.

5 Utiliza una esteca de bola pequeña para marcar el dibujo de modo que el repujado sea más suave y no parezca cortado con un cortador de galletas.

6 Contornea el dibujo repujado con glasa real y una boquilla muy fina (del 0).

7 Acaba el borde de la pieza cortada con puntitos alrededor del borde, o bien haz líneas a modo de «costura».

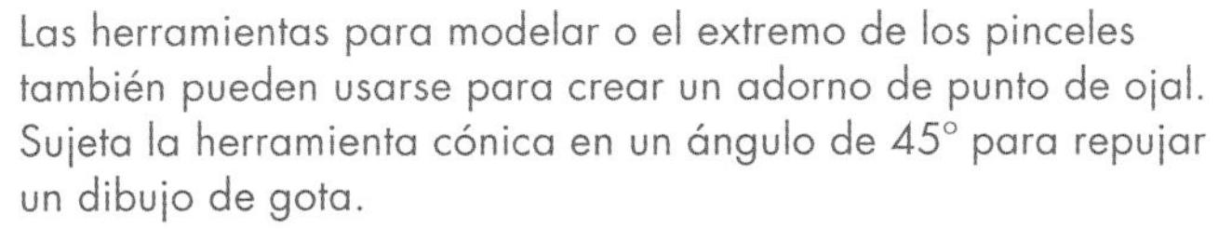

Las herramientas para modelar o el extremo de los pinceles también pueden usarse para crear un adorno de punto de ojal. Sujeta la herramienta cónica en un ángulo de 45° para repujar un dibujo de gota.

Repuja las marcas redondas con la esteca de bola. Sujeta la esteca de bola en un ángulo de 90° y repuja el fondant.

Impresiones

- Al repujar el diseño, presiona bien fuerte sobre la forma cortada. Si el pastel cubierto de fondant debajo de la pieza cortada aún está blando, la herramienta de punto de ojal puede atravesar la forma cortada y el pastel recubierto para lograr un diseño profundo e impresionante. Procura no presionar demasiado fuerte sobre el pastel recubierto, o el pastel horneado se verá debajo, y la humedad podría afectar su aspecto.
- Repuja con cuidado cuando uses la herramienta de punto de ojal, puede dejar un círculo de la base del cortador. Suaviza todas las líneas no deseadas que ha dejado el círculo justo después de repujar.

Filigrana de pasta de goma

El papel filigrana es una técnica manual utilizada desde hace siglos que consiste en enrollar tiras de papel para crear dibujos intrincados. Puedes emular esta técnica manual con pasta de goma enrollada del grosor de un papel. Crea flores, hojas, letras y florituras para crear un original dibujo.

1 Amasa y ablanda la pasta de goma. Espolvorea la superficie de trabajo con maicena. Extiende la pasta bien fina (6 [0,3 mm] de la máquina de pasta). Cubre con una fina capa de manteca vegetal sólida la superficie de trabajo. Corta una tira de pasta de goma de 6 mm x 25 cm con una cuchilla.

2 Pon un poco de cola alimentaria en un extremo de la tira y empieza a enrollarla.

3 Levanta la tira de un lado y sigue enroscándola alrededor del círculo. Pega el final de la tira con un poco de cola alimentaria para fijar el rollo.

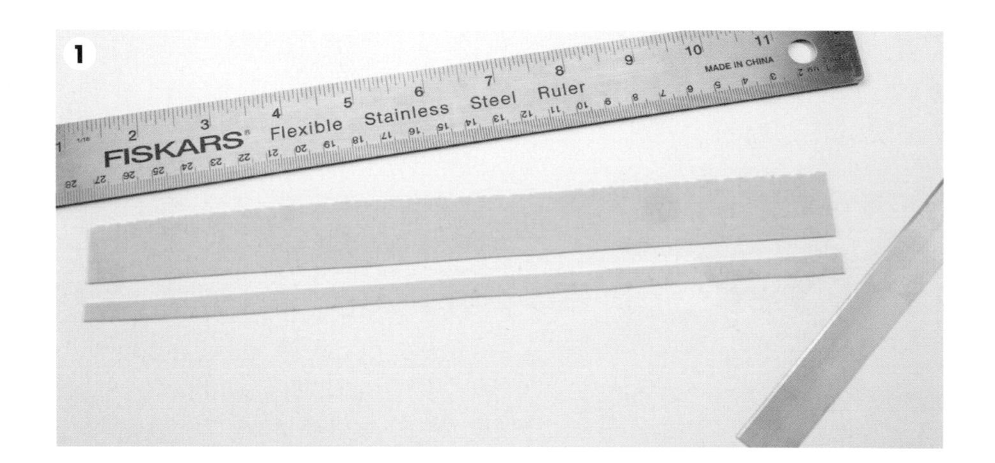

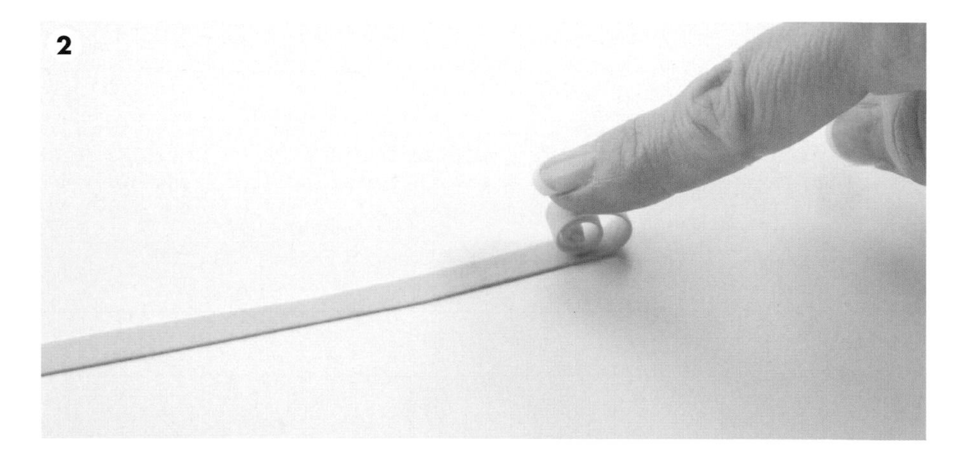

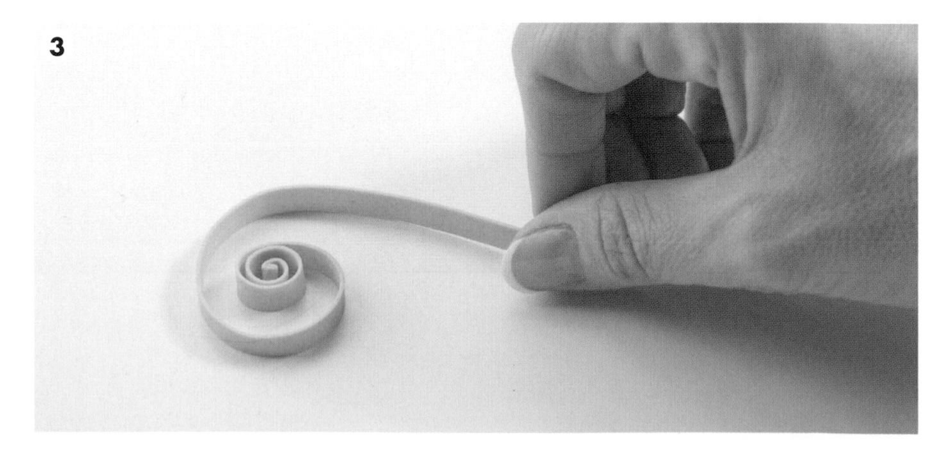

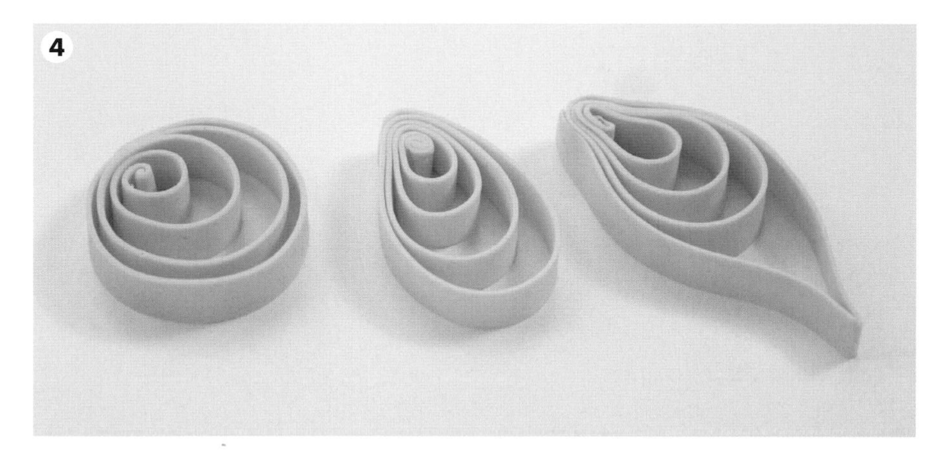

4

Consejos para filigranas

- Si la pasta de goma no es lo suficiente fina, la tira pesará y se caerá al levantarla sobre el lateral.
- Trabaja rápidamente, o las tiras se romperán si la pasta de goma se seca mientras las enrollas.

4 Pellizca el círculo para formar esquinas de diversas formas. Pellizca el círculo en una esquina para formar un pétalo de flor, o bien pellizca una esquina del círculo y luego la esquina opuesta para formar una hoja.

5 Al enrollar las tiras, puedes hacerlas más ceñidas o más holgadas. Crea círculos ceñidos para los centros de las flores, y rizos holgados para hacer tallos y letras.

6 Deja secar las formas unas horas o toda la noche. Coloca las formas sobre el pastel y añade un poco de cola alimentaria en el dorso de las piezas para fijarlas.

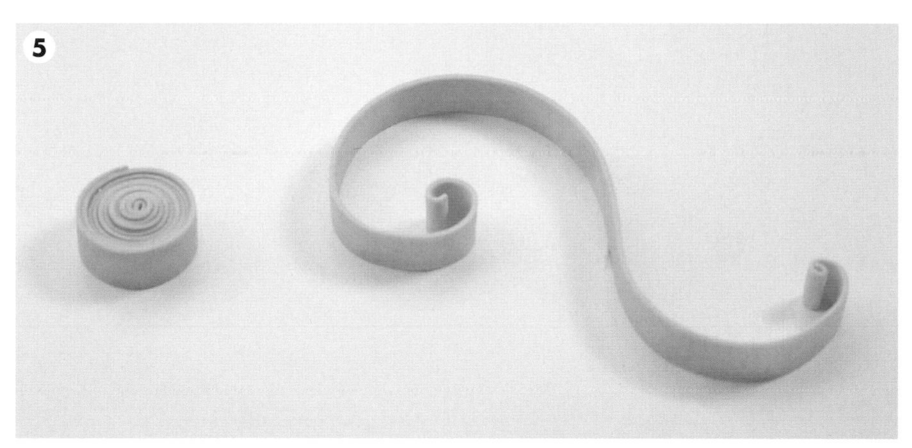

5

6

Formas básicas para el modelado a mano

Las siguientes secciones tratan del modelado a mano de animales y personas. La pasta de goma es la opción más adecuada para ello. Este capítulo trata las cinco formas básicas para modelar a mano que se emplean para modelar animales o personas. Antes de empezar a modelar, amasa y ablanda la pasta de goma hasta que esté lisa. Es muy importante que la superficie de trabajo y las manos estén limpias, pues la pasta de goma atrapa motas de polvo diminutas.

BOLA

Todas las formas empiezan con una bola. Amasa suavemente la pasta en tus palmas hasta formar una bola regular.

HUEVO

Haz una bola suave y forma una «V» con las manos. Haz rodar la bola deslizándola hacia atrás y hacia delante hasta que un extremo quede ligeramente afilado.

LÁGRIMA

La lágrima se hace como el huevo: forma una «V» con las manos y haz rodar la bola deslizándola hacia atrás y hacia delante hasta que un extremo quede ligeramente afilado. Cuanto más deslices atrás y adelante el huevo, más afilado se volverá.

CILINDRO

Haz una bola suave, colócala sobre la superficie de trabajo y hazla rodar con las palmas. Es importante presionar firmemente para que el cilindro sea regular. Si usas las puntas de los dedos, el cilindro será irregular.

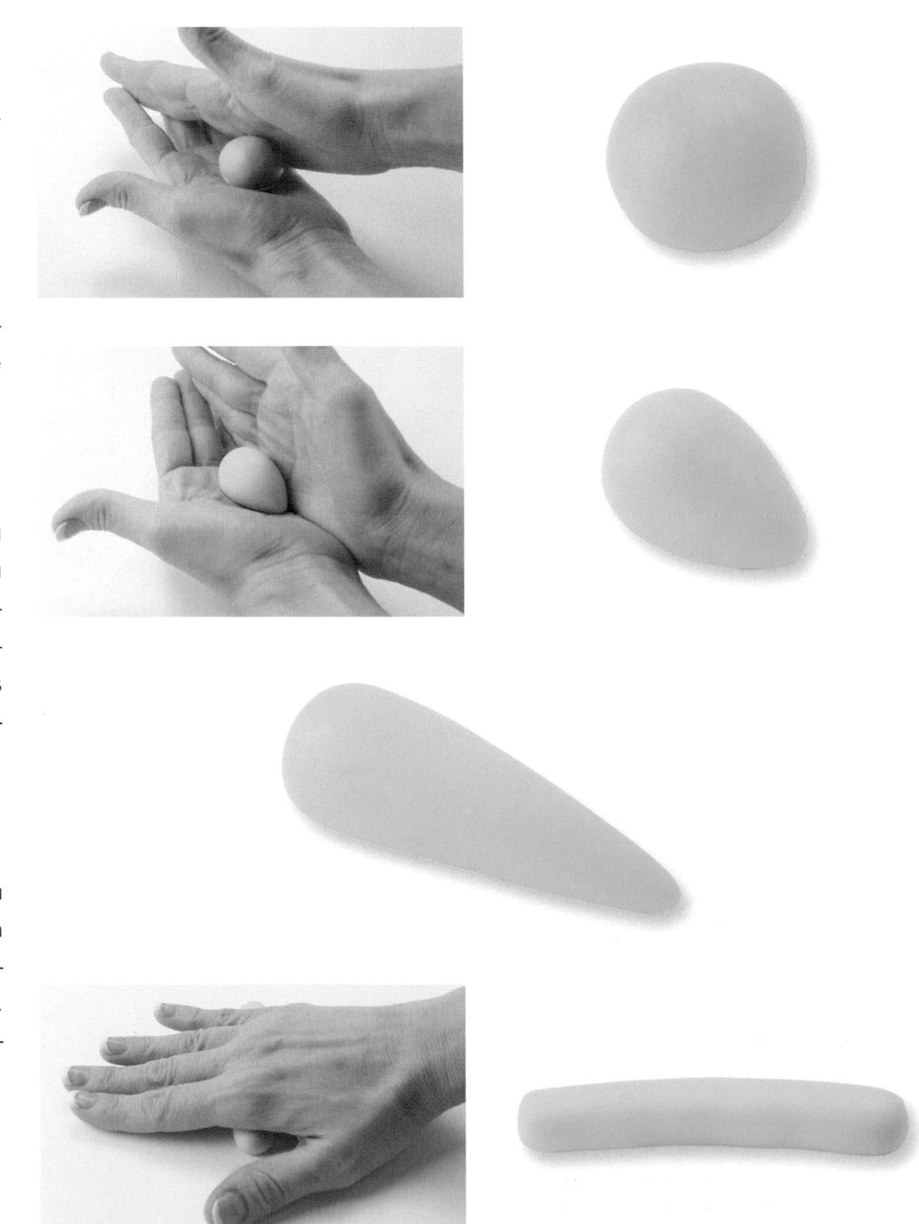

CILINDRO CURVADO

Es importante añadir curvas a brazos y piernas. Sin curvas parecerían espaguetis. Coloca el cilindro en la superficie de trabajo y hazlo rodar usando el dedo índice para crear curvas.

También puedes añadir curvas sujetando el cilindro y haciéndolo rodar entre el pulgar y el índice. Ten cuidado, pues si la pasta de goma es demasiado blanda, el cilindro se estirará.

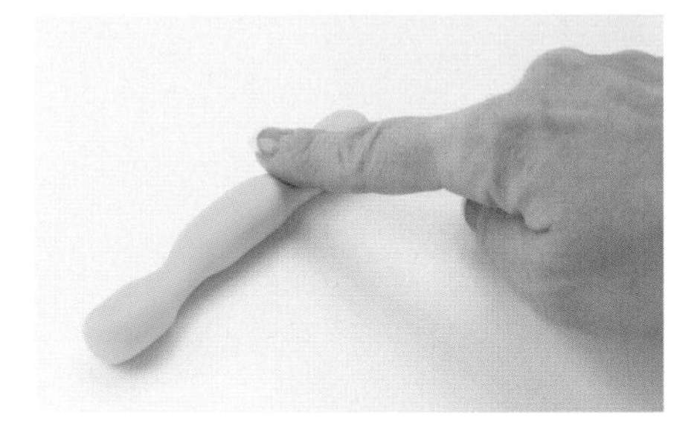

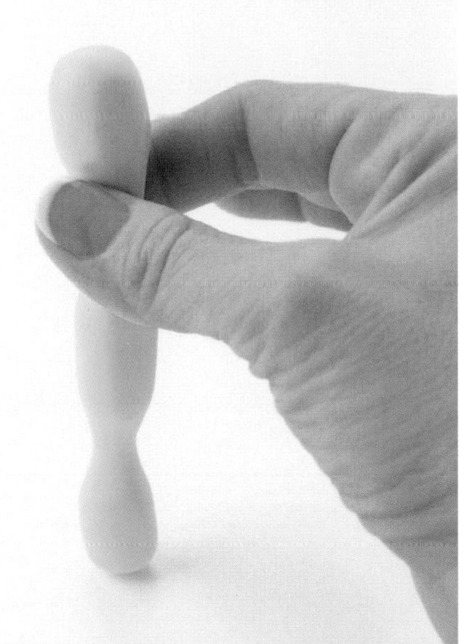

Sin arrugas

Si ves que se forman arrugas mientras moldeas, presiona la pasta de goma con firmeza entre tus palmas, aplanándola para alisarla. Cuando esté plana y lisa, forma una bola. Si aún siguen habiendo arrugas, pon un poco de manteca en tus palmas antes de amasar.

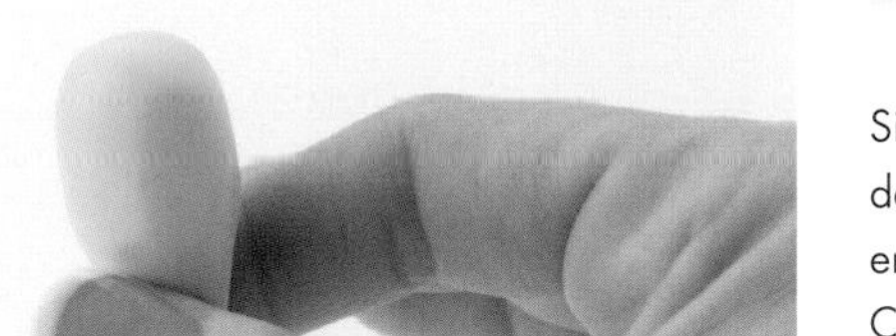

HERRAMIENTAS DE MODELAR

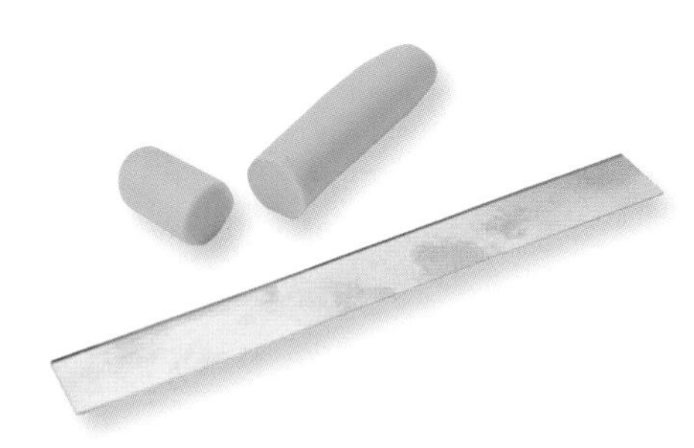

Una Polyblade es una herramienta muy útil para modelar. Se trata de una hoja fina y flexible que corta fácilmente la pasta de goma. Desliza la hoja atrás y adelante y corta suavemente la pasta de goma. No la cortes con un movimiento rápido y recto, pues tendría un borde aplanado.

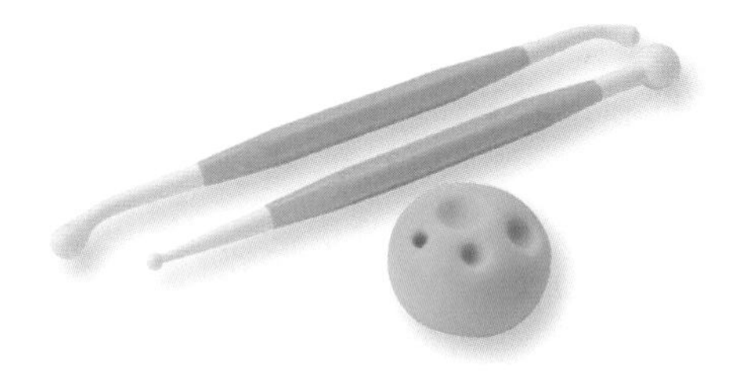

Existen multitud de estecas de bola para grabar la pasta.

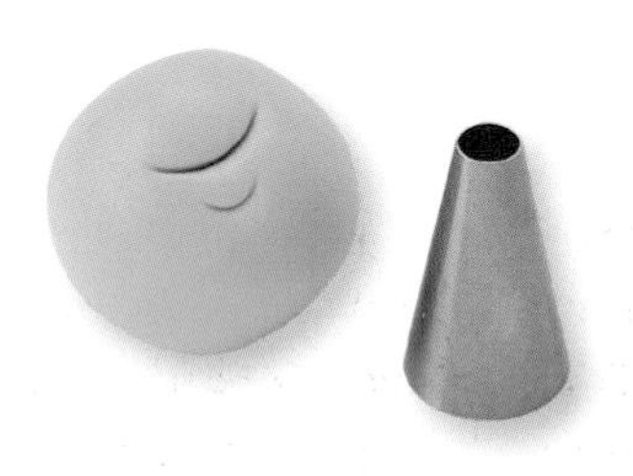

Utiliza boquillas redondas para grabar bocas. Utiliza cualquier extremo: uno servirá para grabar una boca pequeña y el otro una boca grande.

Modelado de animales

Los animales modelados o moldeados son un adorno fantástico para pasteles y cupcakes. Las siguientes instrucciones sirven para hacer cuerpos básicos de animales de pie y sentados que se diferenciarán por la cara, las orejas y la cola. La pasta de goma es la más indicada para animales modelados. La cantidad de pasta de goma necesaria para cada animal se indica en gramos, pues son más exactos que las onzas. La mayoría de balanzas digitales convierten onzas en gramos fácilmente y las hay de gran variedad de precios.

ANIMALES DE PIE

Los animales de pie son las figuras más fáciles, hasta un niño puede moldear estos sencillos personajes.

1 Amasa y ablanda la pasta de goma y forma una lágrima para el cuerpo (26 g).

2 Dobla la lágrima formando un cuello imitando un diseño de cachemira.

3 Moldea un cilindro (13 g).

4 Corta el cilindro en cuatro partes iguales con una hoja.

1

2

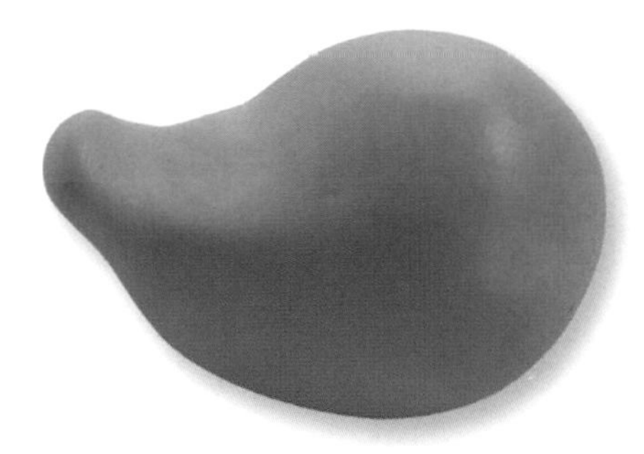

3

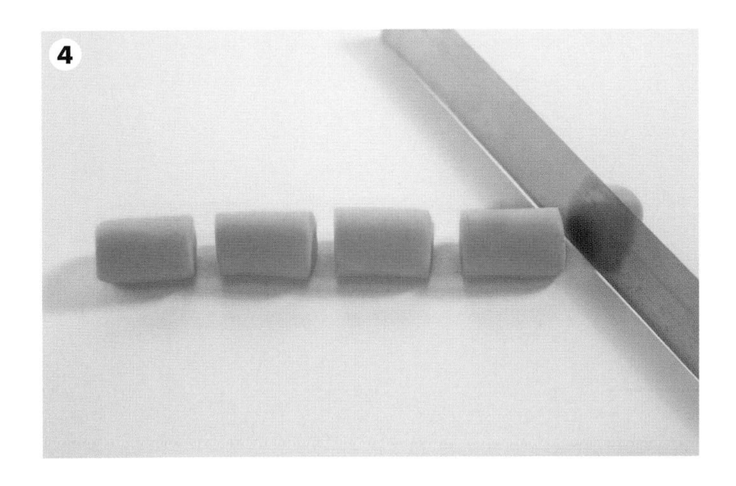

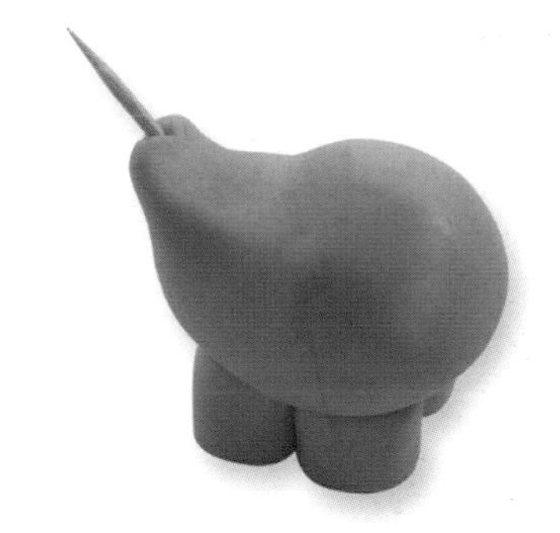

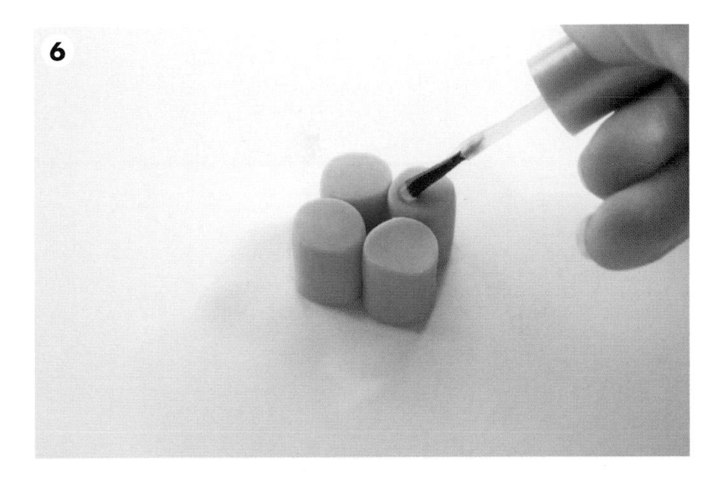

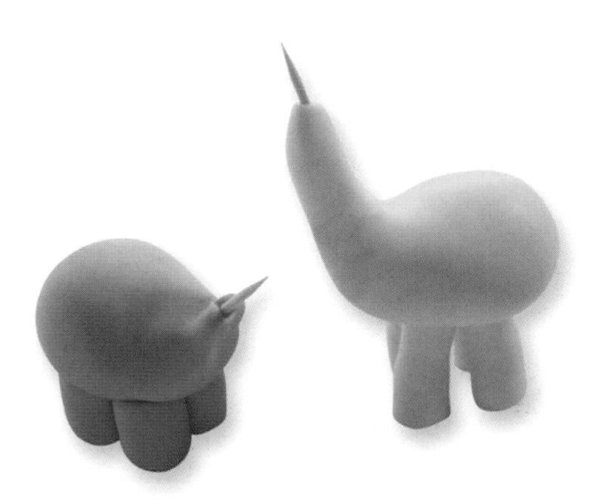

5 Levanta los cuatro cilindros para hacer las patas.

6 Pinta la parte superior de las patas con cola alimentaria.

7 Coloca el cuerpo encima de las patas.

8 Inserta un palillo o un trozo de espagueti seco en el cuello.

9 El cuerpo, el cuello y las patas pueden estirarse para hacer animales altos y delgados, como por ejemplo, una jirafa.

ANIMALES SENTADOS

Maravillosos y fáciles de modelar, estos personajes sentados parecen animales de peluche. Los cuerpos, brazos y piernas pueden estirarse para hacer animales con brazos largos como el mono, o dejarlos cortos para animales rechonchos, como un oso de peluche.

1

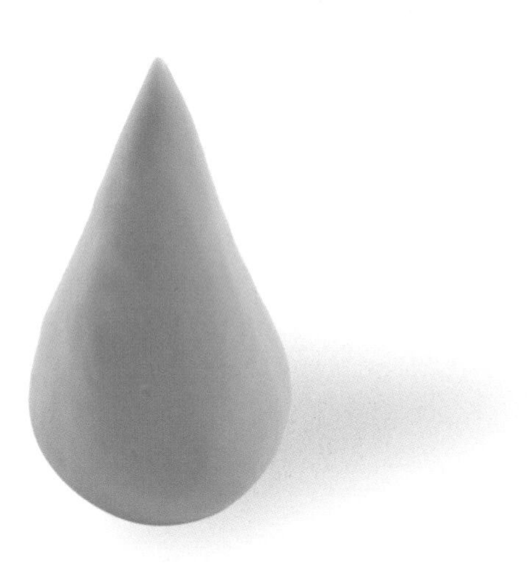

2

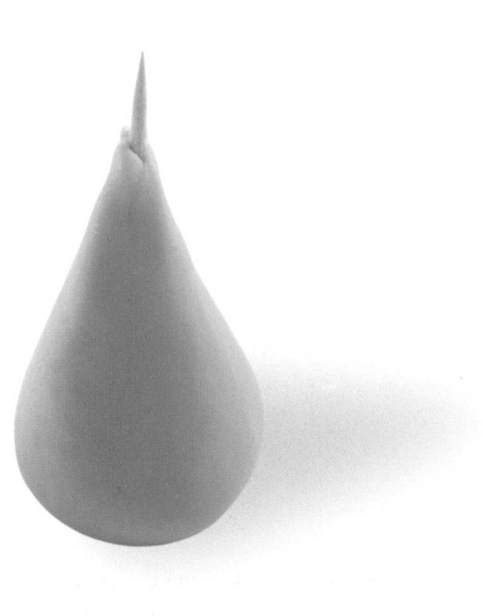

3

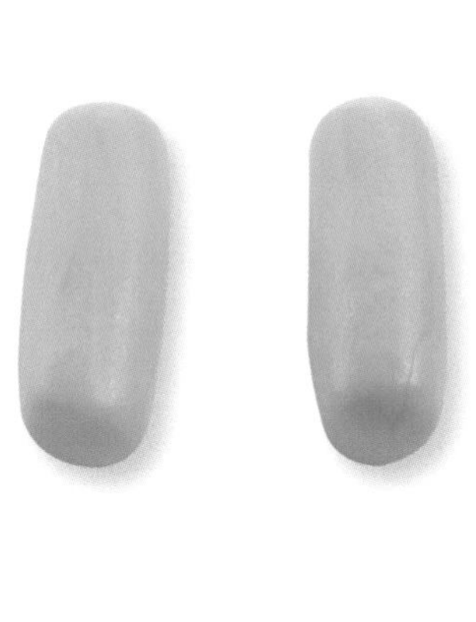

4

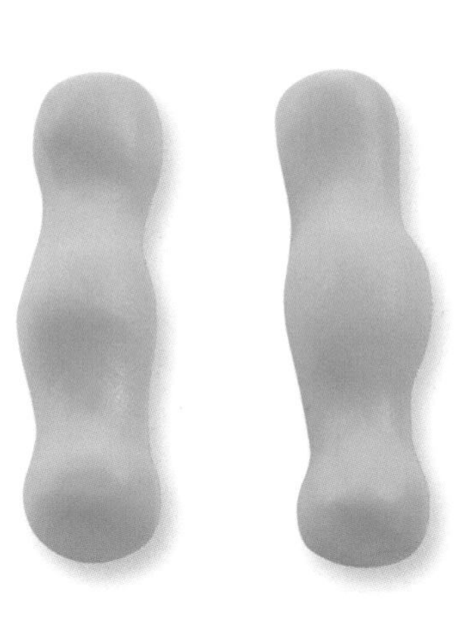

1 Haz el cuerpo en forma de lágrima (25 g) y coloca la parte cónica hacia arriba.

2 Inserta un palillo en la lágrima.

3 Haz dos cilindros para las patas (7 g c/u).

4 Añade curvas y volumen para formar los muslos, los tobillos y los pies.

5

6

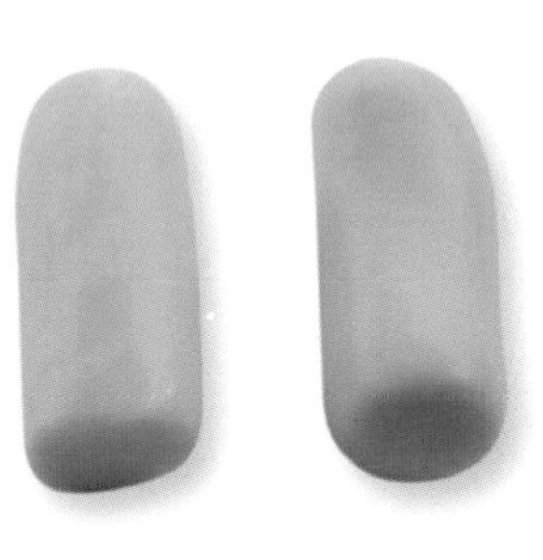

7

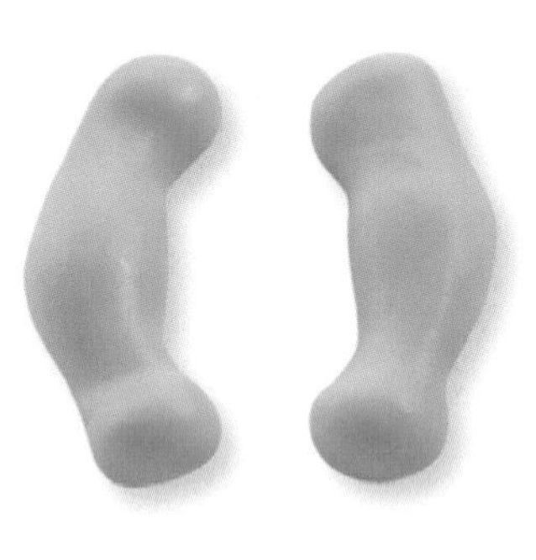

8

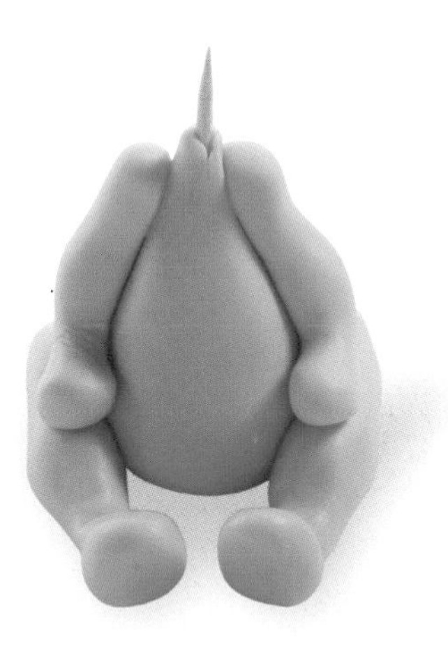

5 Pega las patas al cuerpo con cola alimentaria.

6 Haz dos cilindros para los brazos (de 3 g c/u).

7 Añade curvas y volumen para formar los hombros, las muñecas y las manos.

8 Pega los brazos al cuerpo con cola alimentaria.

Nada de encorvarse

- Si los animales se encorvan, la pasta de goma es demasiado blanda. Amasa un poco de polvo Tylose con la pasta de goma para endurecerla.
- Para dar estabilidad al animal moldeado se usa un palillo, pero hay peligro de asfixia. Siempre que uses un palillo, asegúrate de que aquellos a los que entregas el pastel lo saben. Aconséjales que retiren los personajes antes de servir el pastel. Nunca uses un palillo cortado o medio palillo. Los espaguetis secos u otras pastas finas pueden usarse como alternativa a los palillos, pero la pasta seca es más delicada y puede romperse al moldear el personaje.

CARAS REDONDAS

Después de formar los cuerpos de pie y sentados, el siguiente paso es la cara del animal. Las cabezas de 13 o 14 g son el tamaño apropiado para los cuerpos de las páginas 232 y 234. Las siguientes instrucciones sobre los ojos grabados se han hecho con una esteca de bola y fondant negro. Consulta la página 247 para ver otras formas de hacer ojos.

1 Haz una bola para la cabeza (13-14 g) y colócala en un molde para flores para mantener la forma redonda mientras añades los detalles.

2 Haz dos hendiduras para los ojos en el centro de la bola con una esteca de bola.

3 Haz una «V» al lado de las hendiduras de los ojos con un cuchillo de mondar o una espátula pequeña y fina.

4 Haz una bolita para el morro.

5 Aplana la bola y forma un óvalo.

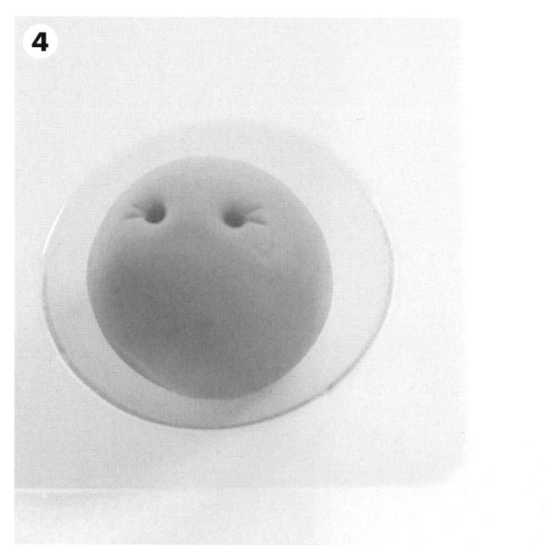

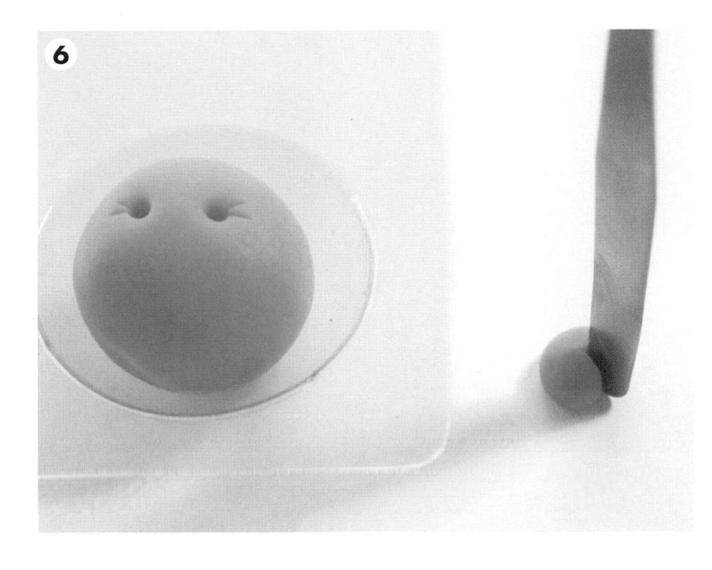

6

9

7

10

8

6 Corta el óvalo por el centro.

7 Pega el morro a la cara con cola alimentaria.

8 Haz dos bolitas para los ojos, añade un punto de pegamento comestible en las hendiduras de los ojos e inserta los ojos. Haz una bolita para la nariz, aplánala y dale forma de triángulo. Pégala al morro con cola alimentaria.

9 Pinta el palillo del cuerpo del animal con un poco de cola alimentaria y pega la cara al cuerpo.

10 Pega las orejas con cola alimentaria (a continuación vienen las instrucciones para hacer diferentes tipos de orejas). La mayoría de orejas de los animales se colocan a las 10 y a las 2. Las orejas de los monos quedan mejor más centradas sobre la cabeza (o a las 9 y a las 3).

CARAS OVALADAS

Los animales con caras largas como caballos, jirafas, cebras y ovejas se empiezan con una forma de huevo.

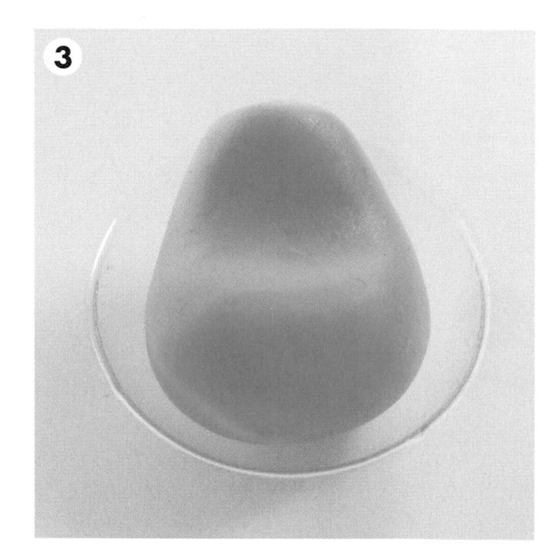

1 Moldea una bola en forma de huevo.

2 Coloca el huevo en un molde de flores y usa tu dedo meñique para marcar la nariz y la frente.

3 Sigue los pasos 2 a 11 de las instrucciones para caras redondas para acabar la cara del animal.

OREJAS DE ANIMALES

El tamaño y la forma de las orejas variarán en función del animal.

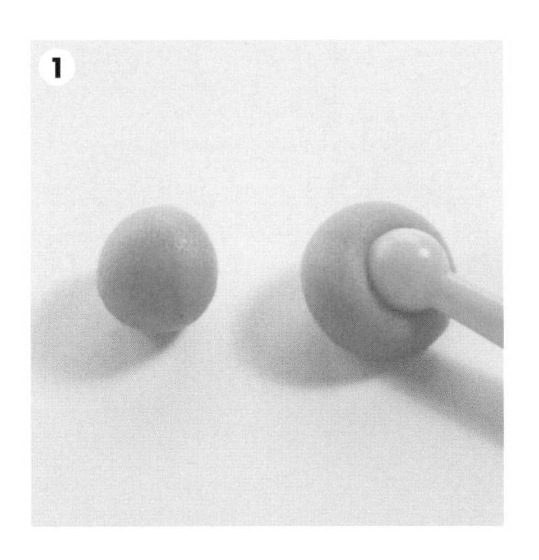

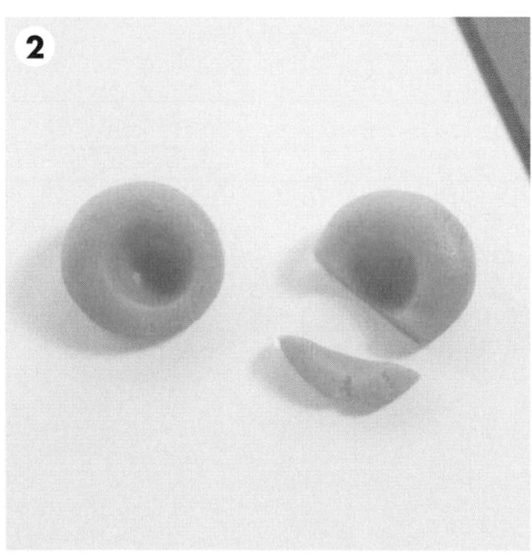

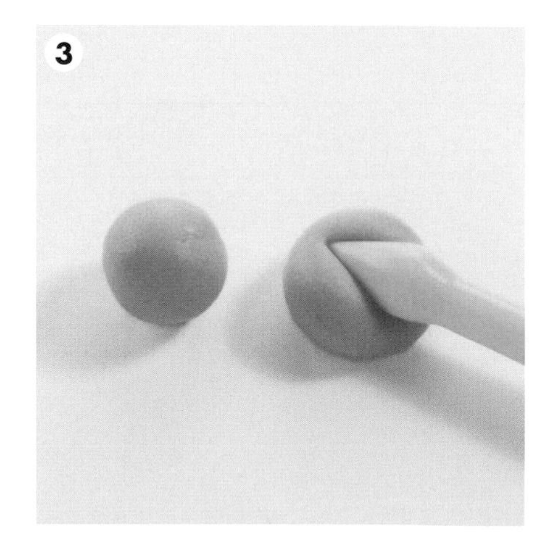

1 Para hacer orejas redondas, se moldean dos bolas del mismo tamaño y se ahuecan con una esteca de bola para formar el lóbulo.

2 Corta el cuarto inferior para adaptar la oreja a la forma de la cabeza.

3 Para hacer orejas puntiaguda, se forman dos bolas del mismo tamaño y se ahuecan con una herramienta cónica para formar el lóbulo.

4 Estira las orejas encima del cono.

5 Corta el cuarto inferior para adaptar la oreja a la forma de la cabeza.

6 Para hacer orejas largas, se forman dos bolas y se ahuecan con una herramienta redonda o el extremo de un pincel.

7 Estira las orejas sobre la herramienta.

8 Pellizca los extremos uniéndolos en forma de lágrima.

9 Corta el cuarto inferior para adaptar la oreja a la forma de la cabeza.

4

5

6

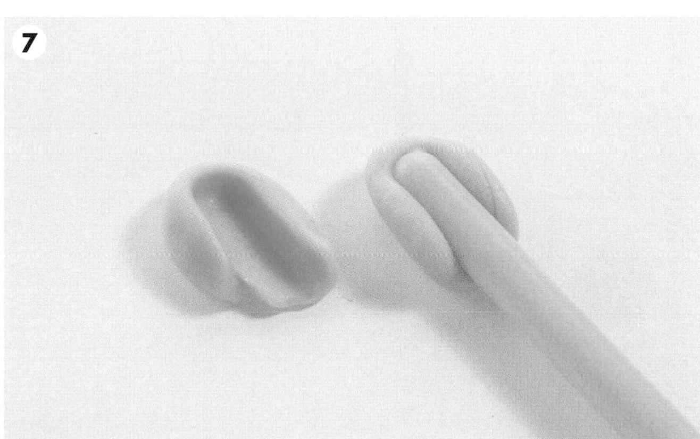
7

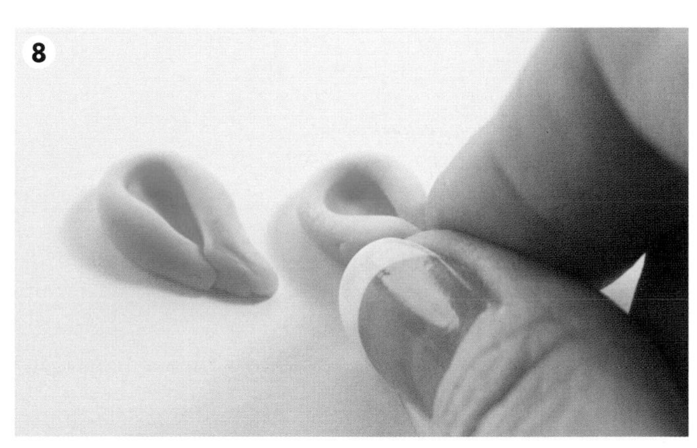
8

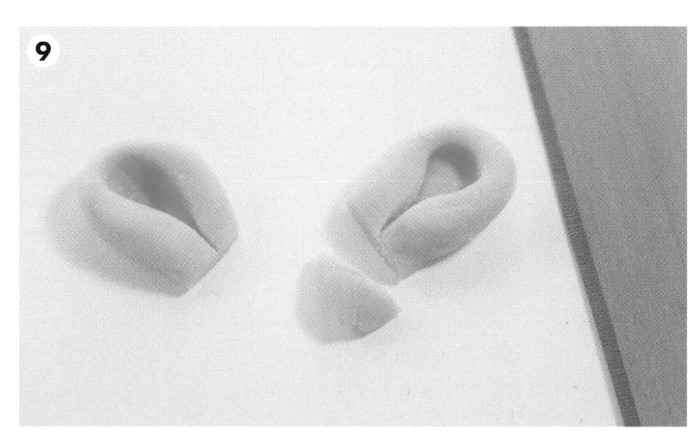
9

COLAS DE ANIMALES

Usa estas colas para animales de pie o sentados. Las colas largas y las rizadas deberán dejarse secar con varias horas de antelación antes de pegarlas al cuerpo, pues podrían deformarse o romperse. Las colas cortas pueden pegarse en cualquier momento.

1

1 Haz un cilindro fino para hacer una cola larga.

2

2 Curva el cilindro con la forma deseada y déjalo secar unas horas antes de pegarlo al cuerpo con cola alimentaria.

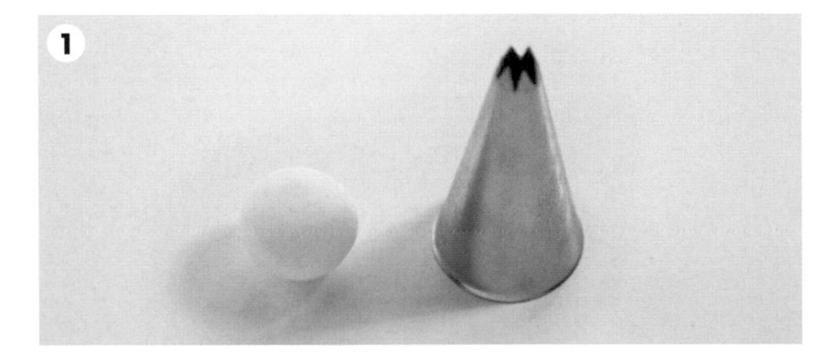

1 Haz una bola para una cola suave.

2 Dale textura con una boquilla de estrella, por ejemplo, del 16, y pégala al cuerpo con cola alimentaria.

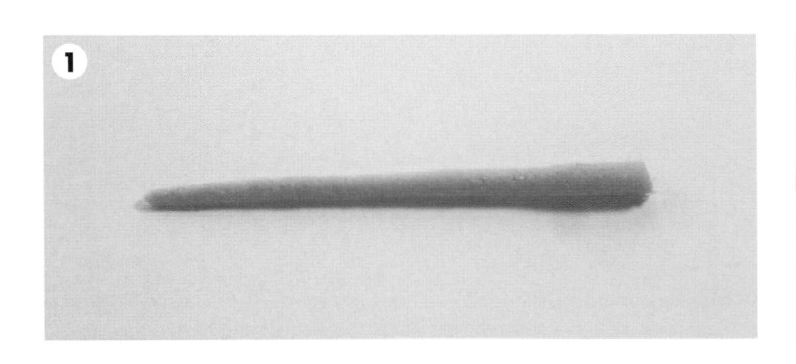

1 Haz un cono muy fino para hacer una cola rizada.

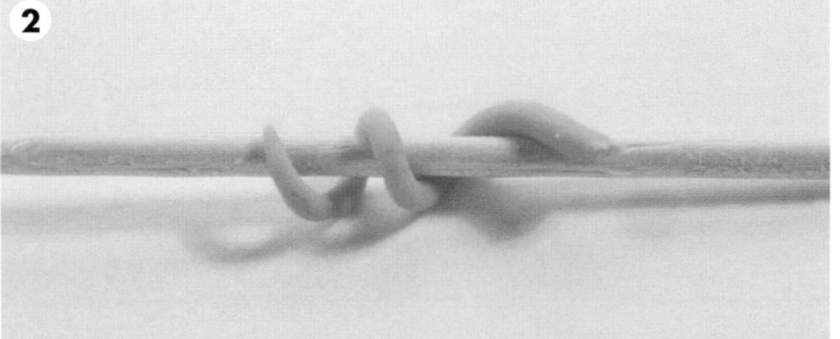

2 Enróscalo alrededor de un palillo, déjalo secar unas horas y pégalo al cuerpo con cola alimentaria.

1

2

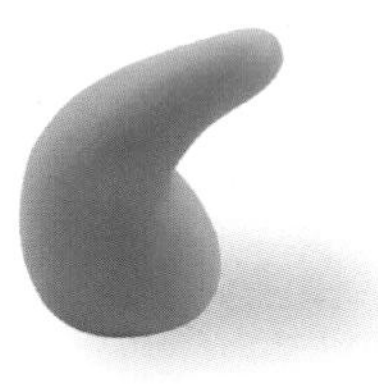

1 Forma un cono para hacer una cola corta y gruesa.

2 Curva la cola en forma de diseño de cachemira y pégala al cuerpo con cola alimentaria.

ESTAMPADOS DE CONTRASTE PARA LOS ANIMALES

Pinta los animales con colorante alimentario concentrado y déjalos secar completamente antes de tocarlos.

También puedes hacer manchas con pasta de goma fina en formas y tamaños diferentes.

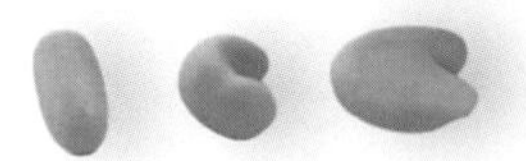

Modelado de personas

Este capítulo ofrece instrucciones para crear personas de pie y sentadas. El cuerpo, la cara, las manos y los pies se hacen el primer día, y el segundo se añaden detalles a los ojos y se modela el pelo. La cantidad de pasta de goma necesaria para los proyectos se indica en gramos, más precisos que las onzas. La mayoría de balanzas digitales pueden convertir onzas a gramos.

1

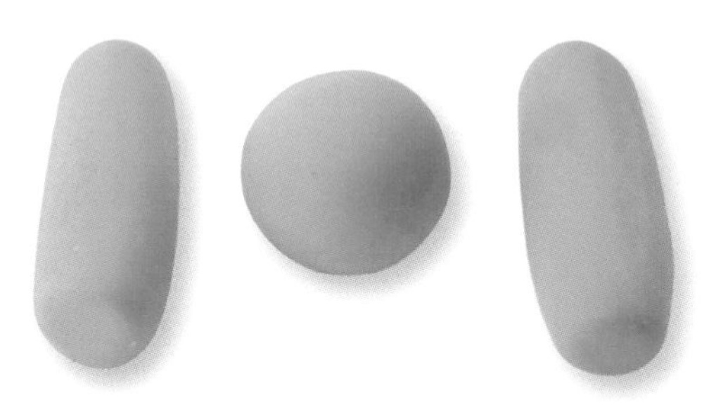

2

3

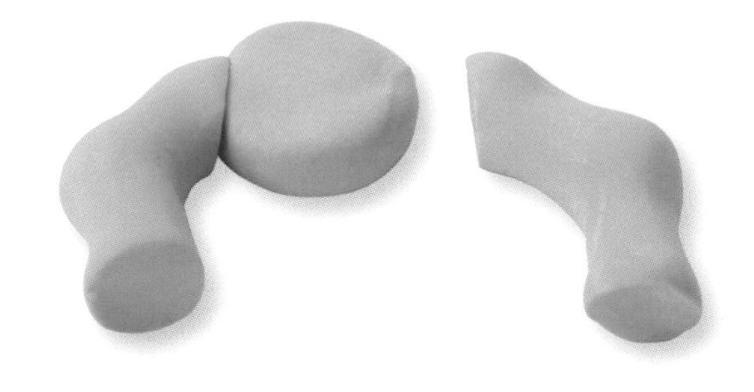

4

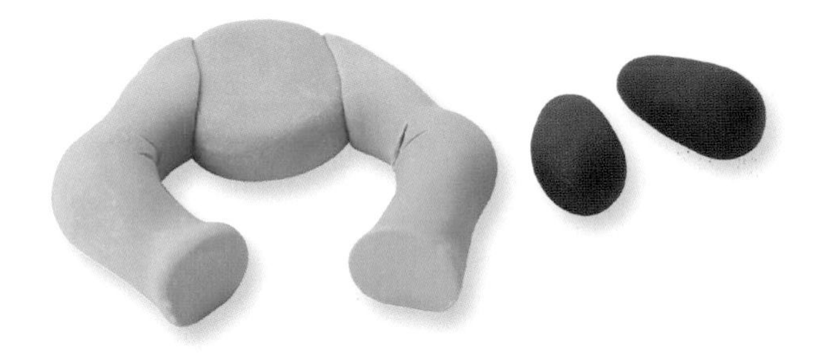

PERSONAS SENTADAS

1 Forma una bola (10 g) para la cintura. Haz dos cilindros (11 g c/u) para las piernas del mismo color que la cintura.

2 Aplana la cintura y añade curvas a las piernas para formar las rodillas y los tobillos.

3 Corta la esquina superior de la pierna en ángulo y pégala con cola alimentaria.

4 Haz pliegues detrás de las rodillas con un cuchillo de mondar. Moldea dos huevos para los zapatos (3 g c/u).

5 Moldea dos conos (6 g c/u) para los brazos y uno (19 g) para el torso.

6 Pega el torso a la cintura con cola alimentaria. Añade curvas a los brazos para formar las muñecas y los codos. Haz pliegues en el codo con un cuchillo de mondar. Da volumen a los zapatos presionando suavemente.

7 Pega los zapatos y los brazos con cola alimentaria.

8 Inserta un palillo presionando suavemente hacia abajo, atravesando el torso. Forma la cabeza según las instrucciones de la pág. 245. Inserta la cabeza en el palillo. Haz las manos según las instrucciones de la pág. 250. Cada mano es de 1 g. Deja secar la cabeza unas horas o toda la noche. Acaba la figura añadiéndole el pelo.

5

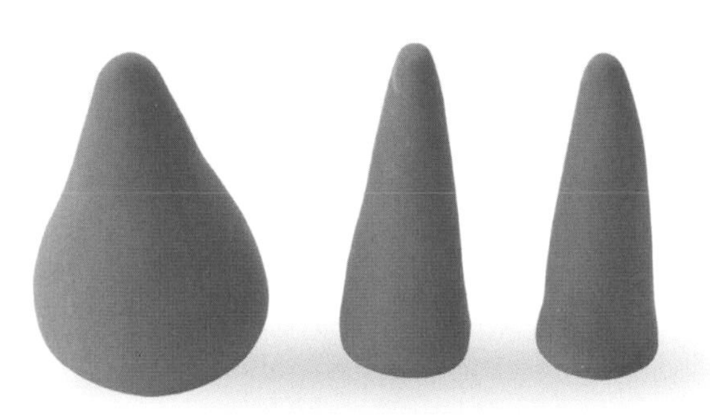

7

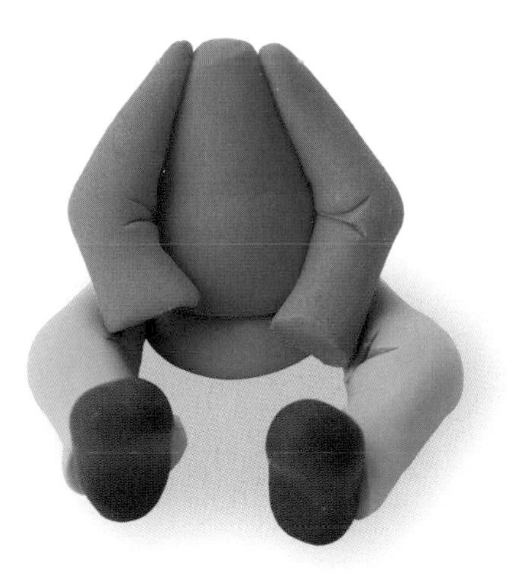

6

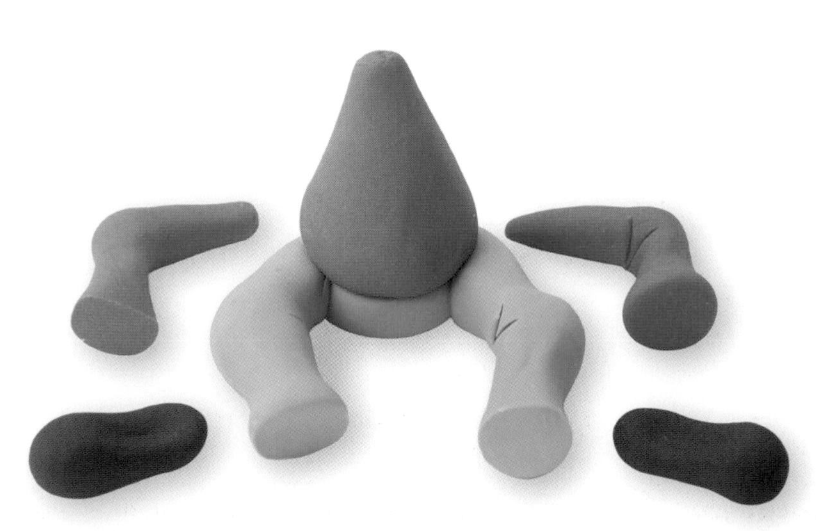

8

1

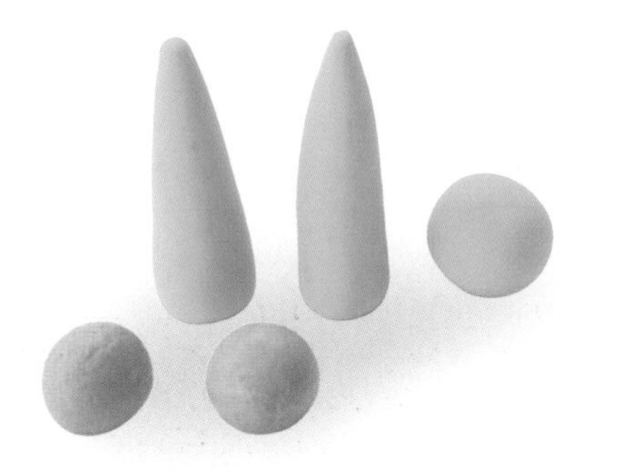

2

3

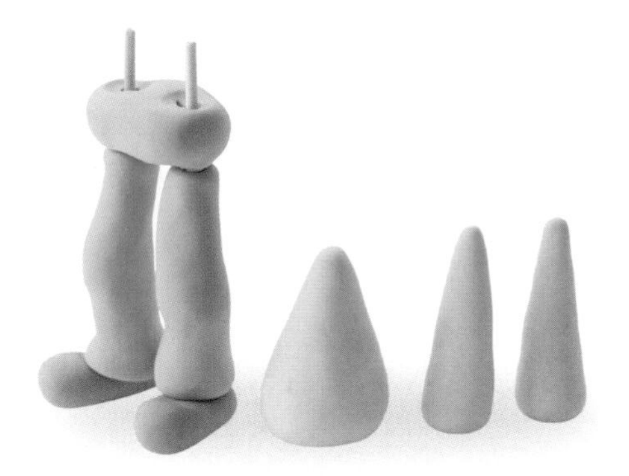

4

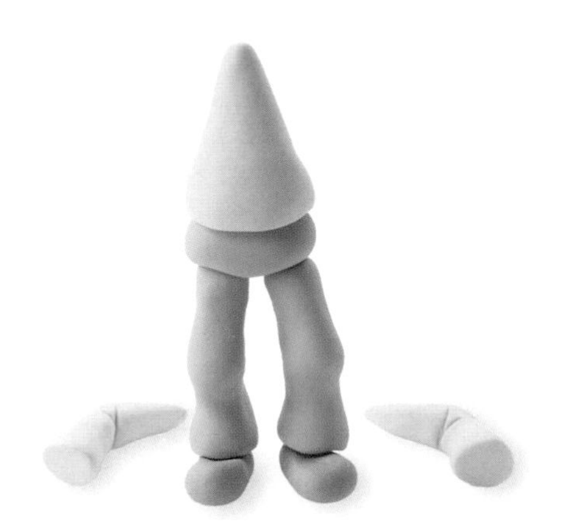

5

PERSONAS DE PIE

1 Forma dos bolas para los zapatos (3 g c/u). Forma una bola (10 g) para la cintura. Moldea dos conos (11 g c/u) del mismo color que la cintura para las piernas.

2 Aplana la cintura. Forma dos óvalos con los zapatos y dales volumen presionando suavemente. Añade curvas a las piernas para formar rodillas y tobillos. Inserta suavemente un pincho de madera en las piernas, procurando no deformarlas.

3 Coloca los zapatos sobre espuma de poliestireno. Dales un toque de cola alimentaria en el dorso e inserta los pinchos con la pierna a través de los zapatos y la espuma de poliestireno. Pinta con cola alimentaria la parte superior de las piernas. Haz pasar la cintura por el pincho hasta que descanse sobre las piernas. Moldea un cono (19 g) para el torso y dos conos (6 g c/u) para los brazos.

4 Pinta con cola alimentaria la parte superior de la cintura e inserta el cono del torso. Añade curvas a los brazos para hacer muñecas y codos. Haz pliegues en la articulación con un cuchillo de mondar.

5 Pega los brazos con cola alimentaria. Añade un poco de cola en la zona del cuello e inserta un palillo presionando suavemente a través del torso. Forma la cabeza como se indica en la página siguiente, e insértala en el palillo. Haz las manos (1 g c/u) según lo indicado en la página 250. Deja que la cabeza se endurezca unas horas o toda la noche. Añade el pelo al final.

MODELAR CARAS

1 Moldea un huevo (13 g) y colócalo en un molde de flores.

2 Haz una hendidura en el centro de la cara para formar la frente.

3 Pellizca el mentón para formar la mandíbula.

4 Haz la boca con una boquilla redonda, como la 1A.

5 Elige el tipo de ojos que quieres para la cara (encontrarás diferentes técnicas en la pág. 247). Para los ojos huecos, haz dos hendiduras con la esteca de bola. Si utilizas otra técnica, no ahueques los ojos.

6 Haz una bola para la nariz y pégala con cola alimentaria. Forma dos bolitas para las orejas y presiónalas con una esteca de bola para darles volumen. Pégalas a la cara y acaba los ojos siguiendo las instrucciones de la página 247.

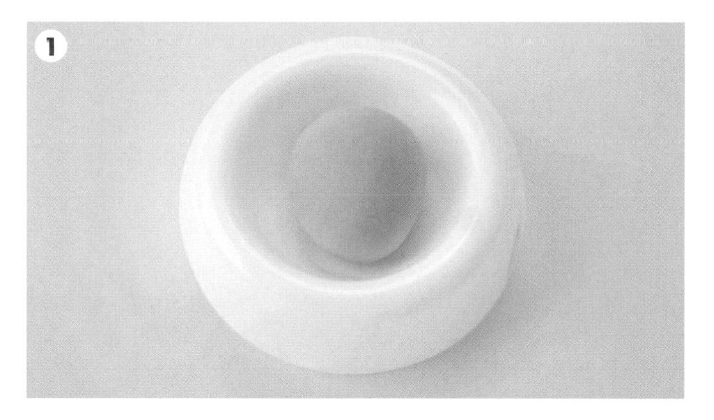
1

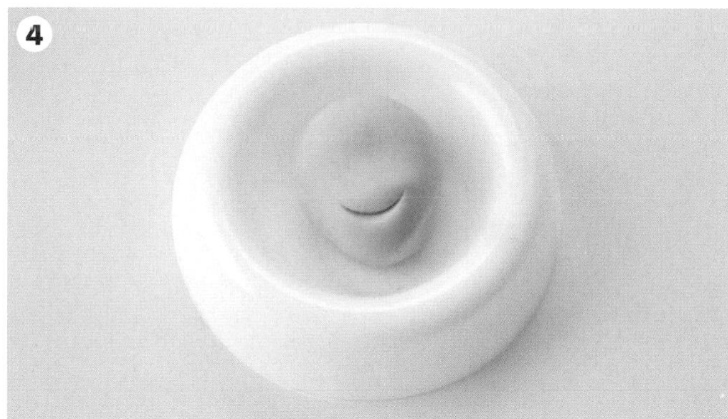
4

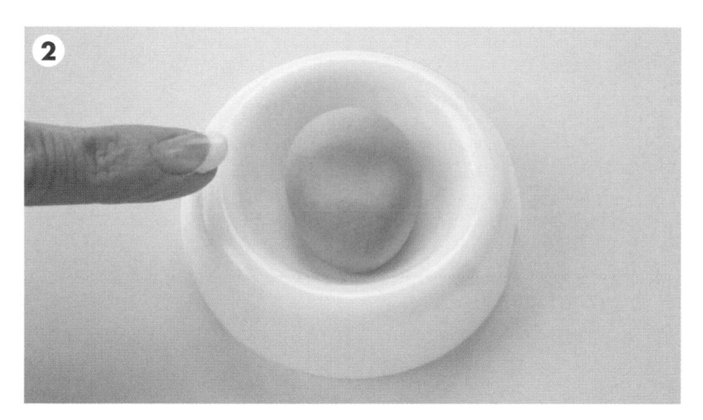
2

5

3

6

DISPOSICIÓN DE LOS RASGOS FACIALES

Sigue estas instrucciones para la disposición general cuando modeles caras. Divide la cara en tres secciones iguales desde la parte superior de la frente hasta la punta del mentón. La marca de la mitad (línea de puntos) debería estar en el centro del tercio central. La línea de las cejas descansa en la base del tercio superior. Los ojos están justo encima de la línea central. La línea de la nariz está justo arriba del tercio inferior. Las orejas están centradas. Estas son las instrucciones generales: si varías el tamaño y la disposición de los rasgos faciales le darás a cada cara un aspecto distinto.

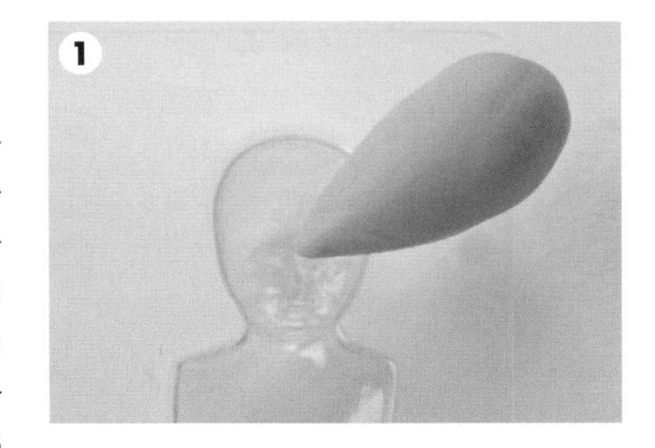

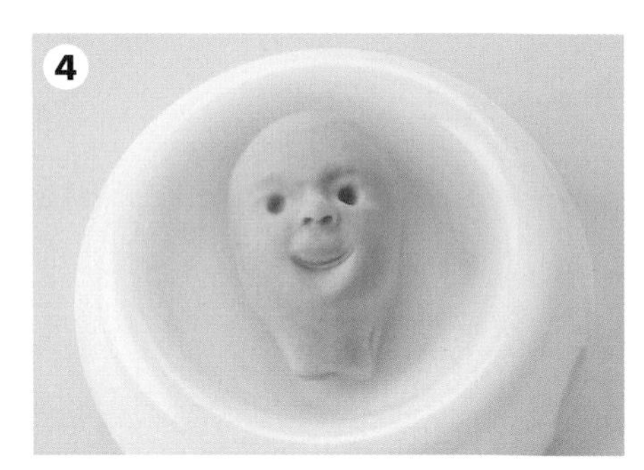

HACER CARAS CON UN MOLDE

1 Forma una lágrima y coloca la punta en la cavidad de la nariz.

2 Presiona el fondant para moldear la cabeza y dale a la parte trasera una forma redonda.

3 Retira la cara del molde, suaviza las junturas visibles y colócala en un molde de flores.

4 Haz dos agujeritos para las fosas nasales. Moldea la boca con una boquilla redonda como la boquilla 12. Haz hendiduras para los ojos con una esteca de bola. Acaba los ojos siguiendo las instrucciones de la página siguiente.

5 Forma dos bolitas para las orejas, dales volumen con la esteca de bola y pégalas a la cara.

HACER LOS OJOS

1 Haz dos bolas blancas del mismo tamaño. Pon un punto de cola alimentaria en la hendidura del ojo. Inserta las bolas, que deben quedar a nivel de la hendidura. Si las bolas son demasiado pequeñas los ojos parecerán hundidos, y si son demasiado grandes, parecerán saltones.

2 Deja secar el blanco de los ojos unas horas. Pinta un iris de color y una pupila negra con colorante alimentario y un pincel fino, o bien usa un rotulador comestible de punta fina. Delinea el ojo y añade las pestañas y las cejas con colorante o rotulador de punta fina. Deja secar el ojo y añade un punto de colorante alimentario blanco en la pupila negra.

También puedes hacer los ojos con dos bolitas iguales de pasta de goma negra. Haz las hendiduras con una esteca de bola pequeña cuando hagas la cara. Corta dos «V» laterales en cada ojo con un cuchillo de mondar, pon un punto de cola alimentaria en las hendiduras y pega las bolas. Estos ojos pueden tener un aspecto siniestro si las bolas son demasiado grandes: los ojos deben ser muy pequeños.

También puedes pintar los ojos. Deja la cara lisa, sin hendiduras, y pinta con colorante alimentario blanco el blanco del ojo. Déjalo secar completamente y luego pinta un iris de color y una pupila negra con colorante alimentario y un pincel fino o un rotulador comestible de punta fina. Contornea el ojo con colorante alimentario y un pincel fino o un rotulador comestible de punta fina.

Ojos a juego

Al hacer los ojos, haz una bola y luego haz la segunda. No hagas una bola y la pongas en la hendidura y después hagas la otra. Es muy difícil repetir el mismo tamaño de los ojos sin ver las dos bolas, una junto a la otra.

DEFINIR LA EDAD

Para dar forma a las caras de los personajes siempre se empieza igual, pero al variar el tamaño y la posición de los rasgos cambiarás la edad que aparentan. Empieza con la posición general de los rasgos faciales de la página 246 para la mayoría de las caras. La variación de la posición de los rasgos faciales es lo que hace cambiar la edad que se aparenta. Si colocas los ojos más arriba, la cara parecerá más larga y más mayor.

Los rasgos de los niños y bebés deben ser pequeños: narices, orejas y cejas diminutos. Los rasgos de los hombres deben ser exagerados. Cuanto más delicados sean los rasgos, más joven parecerá la cara. Compara las diferencias entre las tres caras y fíjate en cómo muestran la progresión de la edad según el tamaño de los rasgos. La nariz y las orejas crecen a medida que la cara envejece. Las cejas en las caras de bebés y niños se pintan, en las de hombres se moldean con pasta de goma. Sin embargo, las cejas pintadas son preferibles en las caras de las mujeres, sean de la edad que sean.

EXPRESIONES

Los ojos y la boca son el mejor modo de reflejar expresiones. Fíjate en la forma y los ángulos de Judy. La forma de su cara es la misma, así como la nariz y el tamaño de los ojos. El ángulo de las cejas y la posición de los ojos es lo que hace cambiar de humor a Judy.

Judy sorprendida

Una cara de sorpresa tiene las cejas arqueadas y la boca abierta. Usa una esteca de bola para formar una boca abierta y profunda. Pinta el interior cuando esté seca con rotulador comestible negro.

Judy enfadada

Las cejas apuntan hacia abajo, así como la boca, mostrando enfado.

Judy contenta

Una cara de alegría tiene las cejas en su posición natural y está sonriente. Crea la sonrisa con una boquilla redonda y abre la boca con una esteca de bola si deseas hacer una sonrisa de oreja a oreja. Pinta el interior cuando esté seca con rotulador negro comestible.

Judy triste

Una cara triste tendrá unas cejas formando un ángulo suave. Usa una boquilla redonda para crear el ceño fruncido.

MANOS Y PIES

Las manos y los pies son sencillos de hacer pero difíciles de dominar. Los dedos, al ser finos, pueden secarse, arrugarse o caerse al moldearlos si no trabajas con rapidez. Las manos y los pies tienen cuatro dedos, como de dibujo animado. Si deseas hacer una figura más realista, corta cinco dedos. La cantidad de pasta de goma necesaria es la misma que para las figuras de personas sentadas y de pie. Las manos requieren 1 g de pasta de goma, y un brazo, 4 g. Si vas a hacer zapatos sencillos en forma de huevo, o bien solo vas a hacer los pies, necesitas 3 g para cada zapato. Para una pierna necesitarás 6 g.

Manos

1 Amasa y ablanda 4 g de pasta de goma y forma un cilindro para el brazo.

2 Haz rodar el cilindro entre el pulgar y el índice para formar la mano y haz una curva para la muñeca.

3 Aplana la mano.

4 Corta la mano en forma de mitón con una hoja.

5 Usa la hoja para cortar tres dedos más.

6 Separa los dedos y hazlos girar suavemente entre el pulgar y el índice para suavizar los bordes afilados y estirar el pulgar.

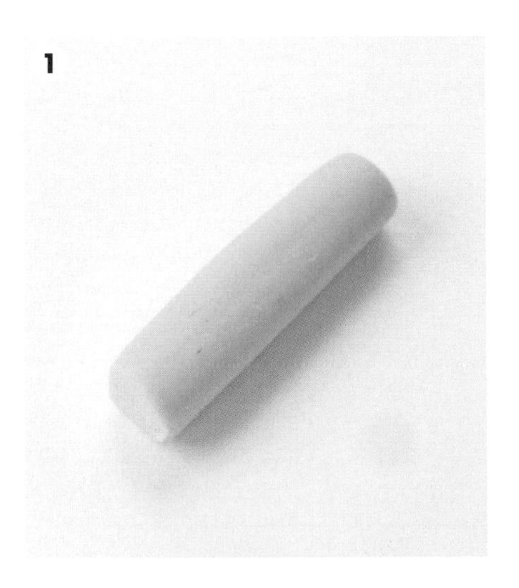
1

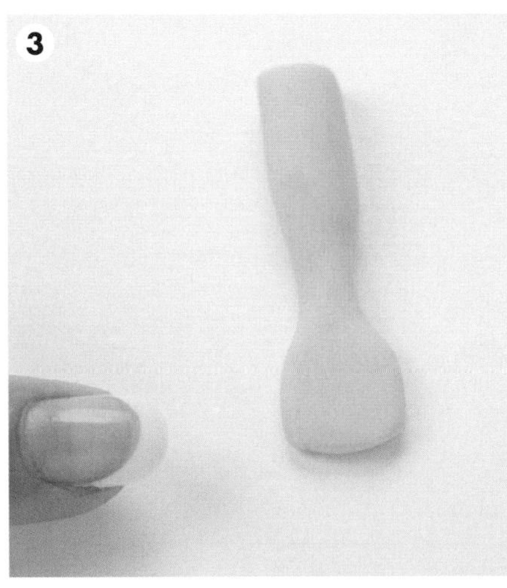
3

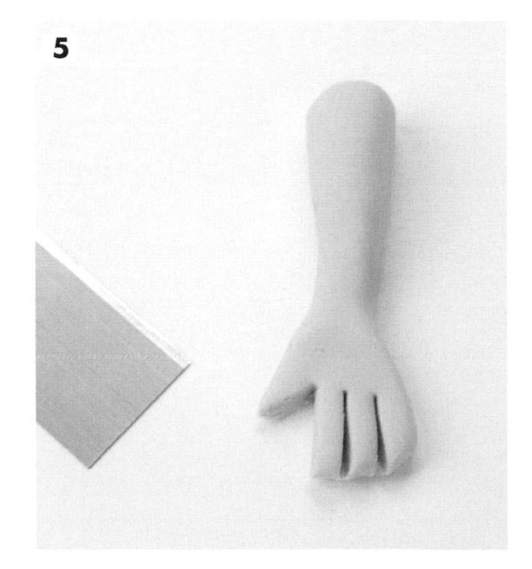
5

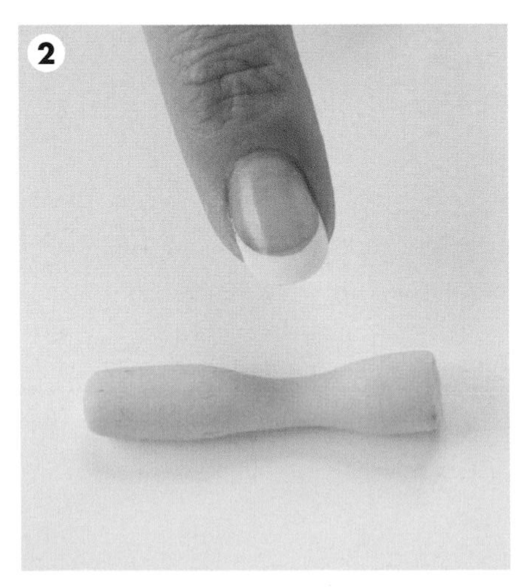
2

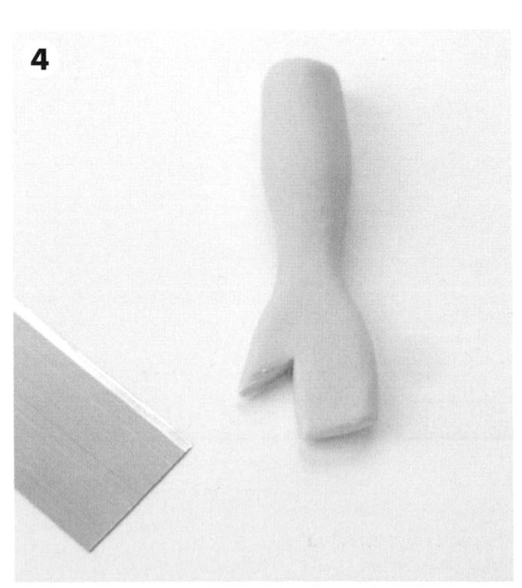
4

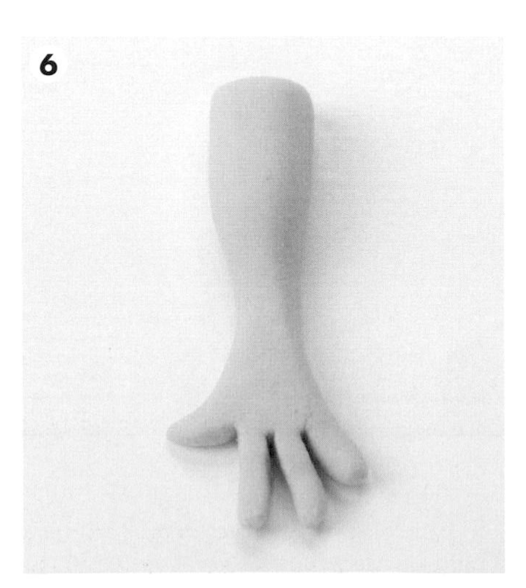
6

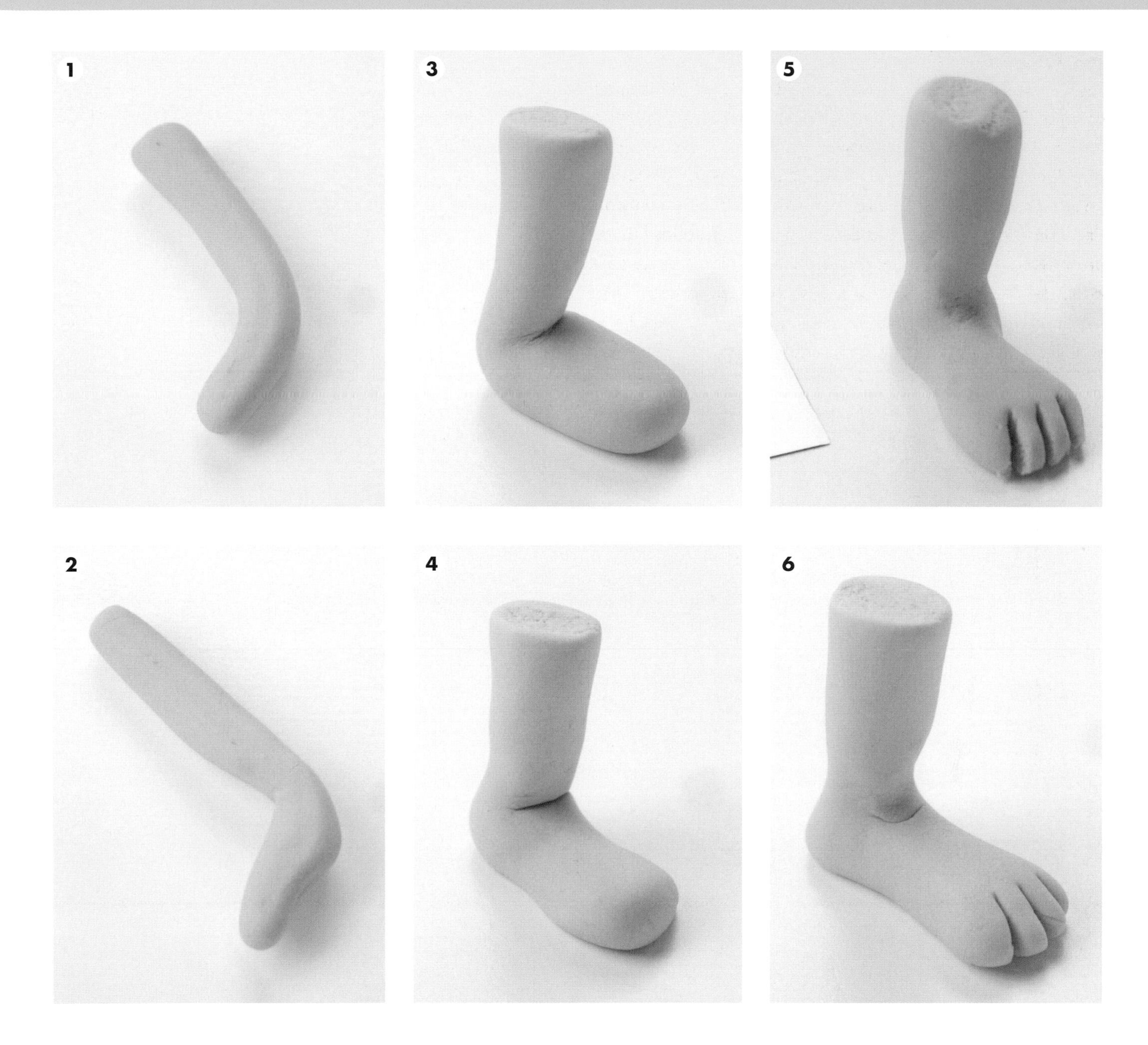

Pies

1 Amasa y ablanda 6 g de pasta de goma, forma un cilindro para la pierna y dóblalo para hacer el pie.

2 Forma una curva en el tobillo haciendo rodar el cilindro entre los dos dedos.

3 Saca el talón para que sobresalga. Pon el pie vertical y presiona suavemente para aplanar la base del pie.

4 Pellizca el pie en el medio para formar un arco.

5 Aplana el pie para que haga pendiente. Haz tres cortes con la hoja para los dedos.

6 Redondea y suaviza los dedos con tus dedos.

PELO

Deja que la cabeza se seque un mínimo de 24 horas antes de añadir el pelo. Puedes añadir el pelo corto en cualquier momento después de que la cabeza se seque. Una vez texturizado el pelo largo, coloca inmediatamente la cabeza sobre el cuerpo para que el pelo tome forma sobre los hombros.

Pelo liso

1 Haz una bola y aplánala formando un óvalo fino y deforme de la longitud deseada y con un extremo más fino que el otro.

2 Pinta la zona de la cabeza donde colocarás el pelo con cola alimentaria y pégalo colocando el extremo fino sobre la frente. Graba líneas con un cuchillo de mondar (no hagas cortes profundos).

3 Corta los bordes de la base del pelo con el cuchillo para separar los mechones.

Rizos

1 Haz una bola y aplánala formando un óvalo fino y deforme de la longitud deseada. Un extremo debe ser más fino que el otro.

2 Pinta la zona de la cabeza donde colocarás el pelo con cola alimentaria y pégalo con el extremo fino sobre la frente. Haz la raya con un cuchillo de mondar. Graba formas de «C» con un palillo para crear una textura rizada.

3 Sigue haciendo la textura por toda la melena.

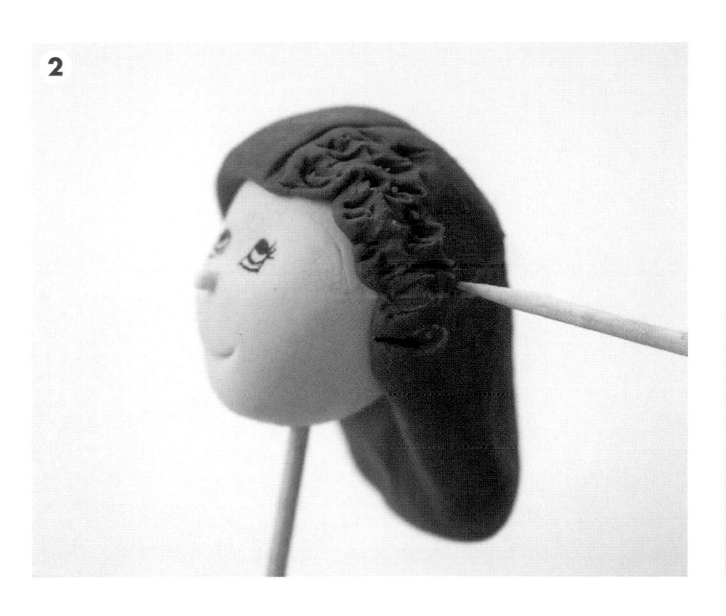

Mechones de pelo finos

1 Amasa y ablanda pasta de goma, haz un cilindro y mételo en una extrusora con disco de agujeros finos. Pinta la zona de la cabeza donde colocarás el pelo con cola alimentaria y pégalo.

2 Sigue añadiendo textura por toda la melena.

Proyectos

EXPLOSIÓN DE SERPENTINAS

QUÉ NECESITAS

- Pastel horneado y enfriado (20 x 10 cm)
- Fondant verde hoja
- Glaseado de crema de mantequilla verde hoja
- Bolsa de manga pastelera
- Boquilla 18
- Pasta de goma: roja, naranja, rosa, amarilla, verde hoja y azul Prusia
- Palos cilíndricos
- Hoja con textura de espiral
- Cortadores: números 1 y 3

1 Por lo menos un día antes, corta los números con pasta de goma naranja (pág. 173). Cuando estén secos, añádeles un soporte (pág. 176). Haz serpentinas rizadas con pasta de goma roja, naranja, amarilla, verde hoja, azul Prusia y rosa (pág. 202).

2 Cubre el pastel con fondant y la estera con textura siguiendo el método dos (pág. 56).

3 Haz un borde de conchas con glaseado de crema de mantequilla verde hoja y una boquilla 18 (pág. 102).

4 Inserta los soportes de los números en el pastel dejando visible unos 2,5 cm del soporte.

5 Coloca las serpentinas alrededor del número, fijándolas con un poco de glaseado de crema de mantequilla o gel para decorar.

PATOS DE GOMA

QUÉ NECESITAS

- Cupcakes horneados y enfriados
- Molde de caramelos de pato
- Pasta de goma amarillo limón
- Colorante alimentario: naranja, blanco y verde hoja
- Glaseado de crema de mantequilla azul cielo
- Gel para decorar azul cielo
- Pincel de repostería
- Bolsa de manga pastelera
- Boquilla 1A
- Grageas blanco nacarado

1 Por lo menos un día antes, haz los patos con pasta de goma amarillo limón y el molde (pág. 169). Cuando se sequen, agrégales un soporte (pág. 176).

2 Pinta el pico con colorante alimentario naranja ligeramente diluido con agua y el ojo con colorante alimentario blanco. Deja que el blanco se seque y luego pinta el centro del ojo, dejando algo de blanco, con un poco de colorante alimentario verde hoja ligeramente diluido con agua.

3 Glasea los cupcakes con glaseado azul cielo y una boquilla 1A (pág. 63) y deja cuajar.

4 Una vez cuajado, pinta el glaseado con gel para decorar azul cielo (pág. 289).

5 Añade las grageas al gel para decorar e inserta los patos.

6 Antes de servir, mete el cupcake en un envoltorio para cupcake.

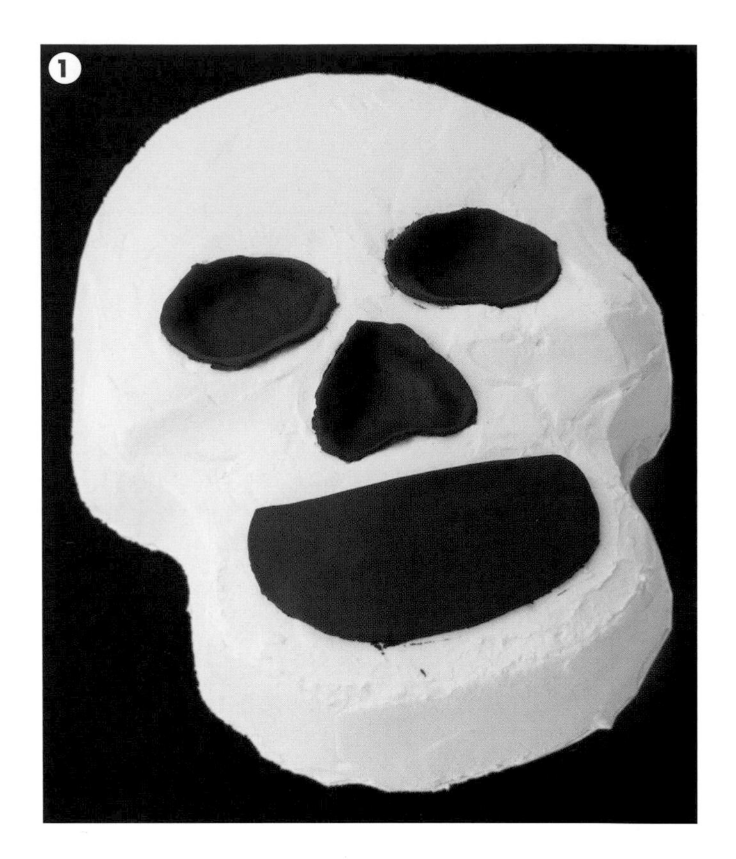

QUÉ NECESITAS

- Molde de calavera Pantastic
- Crema de mantequilla blanca
- Fondant: blanco, rojo, amarillo, marfil y negro
- Joyas comestibles
- Gel para decorar
- Máquina de cortar Cricut Cake
- Cartuchos básicos de pasteles para Cricut Cake
- Polvo dorado brillante
- Alcohol de grano

1 Hornea y enfría el pastel con forma de calavera y colócalo sobre una base de cartón cortada del mismo tamaño que el pastel. Cubre el pastel con crema de mantequilla blanca. Extiende fondant negro fino y corta piezas para los ojos, la nariz y la boca. Pega las piezas al pastel con gel para decorar.

2 Cubre la base del pastel con fondant negro (pág. 71).

3 Extiende fondant blanco y cubre el pastel en forma de calavera. Recorta los ojos, la nariz y la boca procurando no cortar el fondant negro de debajo. Dibuja líneas en la calavera con un palillo. Desliza el pastel sobre la base recubierta de fondant negro.

4 Dale un aspecto antiguo a la calavera (pág. 281).

5 Moldea dientes con fondant blanco y pégalos a la boca con gel para decorar.

6 Corta monedas con cortadores redondos de 2,5 y 4 cm.

7 Pinta los dientes y las monedas con polvo dorado mezclado con

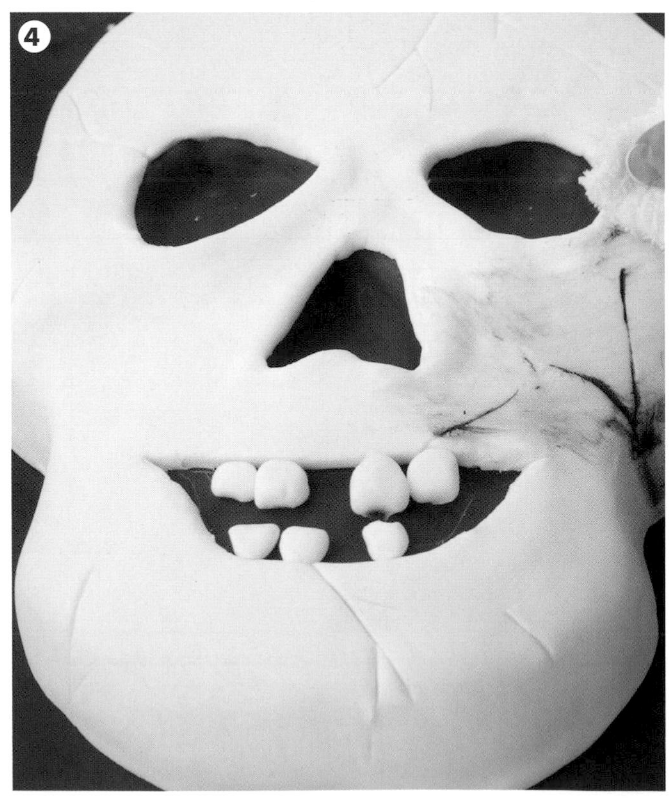

alcohol de grano (pág. 270). Asegúrate de quitar los dientes antes de servir el pastel.

8 Extiende el fondant rojo bien fino y dale forma sobre la calavera. Corta dos triángulos para hacer el lazo.

9 Corta el nombre de fondant rojo con la máquina Cricut Cake.

10 Extiende el fondant marfil bien fino formando una hoja de 17 x 23 cm. Presiona los extremos para darle un aspecto desgarrado y enrolla la hoja. Coloca la hoja sobre la base del pastel, fijándola con un par de puntos de gel para decorar. Coloca espuma en los extremos para evitar que el rollo se deshaga. Quita la espuma cuando el fondant se endurezca.

11 Haz joyas de isomaltosa (pág. 302) o compra joyas comestibles.

CUPCAKE PEQUE

QUÉ NECESITAS

- Pastel horneado y enfriado (15 x 10 cm)
- Pastel horneado y enfriado (23 x 10 cm)
- Cupcake grande horneado y enfriado
- Bolsa de manga pastelera
- Boquillas: 1A y 6
- Fondant marrón
- Pasta de goma: rosa, turquesa, verde lima, roja y naranja
- Glasa real: rosa, turquesa, verde lima, naranja y marrón
- Cortadores patchwork: cupcakes
- Cortador de galletas circular, 4 cm
- Cortador de galletas, número 5
- Máquina Cricut Cake
- Cartucho de pastel de cumpleaños Cricut Cake
- Gel para decorar

1 Al menos un día antes, corta el número 5 de pasta de goma naranja (pág. 172). Haz un cupcake para la parte superior con uno de los cortadores para cupcake pequeños.

2 Cubre los pasteles con fondant marrón (pág. 50) y el cupcake grande con fondant marrón (pág. 66).

3 Cubre la base con fondant marrón (pág. 71). Con el fondant aún blando, graba los cupcake con los cortadores patchwork. Usa la boquilla 1A y ambos extremos de la boquilla 6 para grabar los círculos.

4 Monta los pisos del pastel (pág. 72).

5 Corta círculos (4 cm) de pasta de goma rosa, turquesa, naranja y verde lima y colócalos en el piso de 15 cm.

6 Corta pequeños cupcakes con cortadores patchwork y pasta de goma marrón, rosa, turquesa, naranja y verde lima. Para componerlos, corta las piezas y únelas sobre los círculos.

7 Corta el nombre en pasta de goma turquesa con la máquina Cricut Cake y pégalo en el piso de 23 cm.

8 Corta cupcakes grandes con los cortadores patchwork y pasta de goma rosa, verde y blanca. Para componerlos, corta las piezas y únelas sobre el pastel.

9 Haz bolas de pasta de goma roja y pégalas sobre los cupcakes con gel para decorar.

10 Rodea con puntos de glasa real de color rosa, turquesa, naranja y verde lima los círculos del piso de 15 cm y el cupcake grande. Haz puntos por todo el piso de 23 cm.

11 Haz un borde con glasa real marrón y la boquilla 6.

QUÉ NECESITAS

- Pastel horneado y enfriado (23 x 10 cm)
- Fondant azul claro y blanco
- Cortador recto de volantes
- Juego de cortadores de punto de ojal
- Glasa real blanca
- Bolsa de manga pastelera
- Boquilla 0
- Gel para decorar

ENCAJE ELEGANTE

1 Cubre el pastel hexagonal con fondant azul claro.

2 Extiende el fondant blanco bien fino y recorta un hexágono ligeramente inferior al pastel horneado. Corta tiras de fondant con un cortador recto de volantes (pág. 216). Pincela con una fina capa de gel para decorar las tiras y pégalas a los lados del pastel. Decora la parte superior y los lados mediante la técnica del punto de ojal (pág. 226).

LAZOS DE ROSAS Y DRAPEADOS

QUÉ NECESITAS

- Pastel horneado y enfriado (15 x 10 cm)
- Pastel horneado y enfriado (23 x 10 cm)
- Fondant blanco
- Pasta 50/50: rosa claro, rosa y rosa oscuro
- Palos cilíndricos
- Polvo nacarado extra
- Gel para decorar

1 Cubre los pasteles con fondant blanco (pág. 50).

2 Monta los pisos del pastel (pág. 72).

3 Haz drapeados con pasta 50/50 rosa claro (pág. 220) y pégalos al pastel con gel para decorar.

4 Haz rosas imitación de tela de pasta 50/50 en los tres tonos de rosa (pág. 200) y pégalas al pastel con gel para decorar.

5 Pincela con polvo nacarado extra las guirnaldas y las rosas de tela (pág. 270).

CON MIS MEJORES DESEOS

QUÉ NECESITAS

- Pastel horneado y enfriado (20 x 10 cm)
- Fondant blanco y amarillo
- Pasta de goma: aguacate, blanca y amarilla
- Juego de cortadores para lirio de agua
- Alambre de calibre 18
- Polvo nacarado: verde manzana y verde amarillento
- Azúcar granulado
- Cortadores Patchwork: letras grandes
- Pistola de modelar
- Polvo nacarado extra
- Alcohol de grano

1 Por lo menos dos días antes (un día para dejar secar los centros y otro las flores) haz seis calas (pág. 196).

2 Cubre el pastel con fondant blanco.

3 Corta una tira de cinta ondulada de fondant amarillo (pág. 208) y pégala al pastel.

4 Haz espirales verdes con pasta verde aguacate y extrusora (pág. 159).

5 Junta tres calas secas y fija los tallos con alambre. Moldea una cinta de pasta de goma blanca y enróllala alrededor de los tallos para esconder el alambre. Añade tres bolitas iguales a modo de perlas sobre la cinta. Haz una pintura con el polvo nacarado extra y el alcohol (pág. 270). Pinta las perlas y la cinta.

6 Coloca el ramo de calas sobre el pastel y las otras tres flores alrededor del pastel.

7 Si deseas escribir un mensaje, corta las letras de pasta de goma verde aguacate con los cortadores Patchwork (pág. 173) y pégalas al pastel.

QUÉ NECESITAS

- Cupcakes horneados y enfriados
- 1 cupcake grande horneado y enfriado
- Juego de cortadores de balones con textura
- Glaseado de crema de mantequilla
- Fondant: blanco, verde lima, rojo y terracota
- Rotuladores comestibles: rojo y negro
- Cortadores: números 1 y 3
- Glasa real blanca
- Bolsa de manga pastelera
- Boquilla 3

EL DEPORTISTA CUMPLE 13

1 Glasea el cupcake con crema de mantequilla.

2 Haz las cubiertas de los cupcakes con hojas con texturas de pelotas (pág. 67). Usa fondant terracota para la pelota de baloncesto, fondant verde lima para la de tenis, y fondant blanco para la de golf, fútbol, voleibol y béisbol. Corta las cubiertas con el cortador incluido en el juego.

3 Textura fondant blanco con la hoja con textura de pelota de fútbol y recorta el número tres. Textura fondant terracota con la hoja con textura de pelota de baloncesto y corta el número 1. Añade un soporte a los números (pág. 176).

4 Deja secar las cubiertas y los números durante un día.

5 Añade los detalles al cupcake de baloncesto, de fútbol y a los números con rotulador comestible negro.

6 Añade los detalles al cupcake de béisbol con rotulador comestible rojo.

7 Contornea con glasa real blanca diluida la marca de la pelota de tenis con una boquilla 3.

8 Cubre el cupcake grande con fondant rojo (pág. 66).

9 Inserta los soportes con los números.

DOS PRINCESITAS

1 Cubre el pastel con fondant rosa (pág. 50).

2 Cubre la base con fondant rosa (pág. 71).

3 Extiende sobre la superficie de la base y del pastel gel para decorar y espolvorea encima azúcar de color (pág. 269).

4 Corta el número 3 de fondant rosa con el cortador de galletas y pégalo al pastel con gel para decorar (pág. 172).

5 Escribe los nombres y dibuja puntos alrededor del 3 con glasa real rosa eléctrico y una boquilla 1 (pág. 108).

6 Forma los cuerpos de las niñas (pág. 242) y las cabezas (pág. 245). Dibuja la boca con el rotulador negro.

7 Deja secar las cabezas y añade el cabello (pág. 252).

8 Haz las coronas con los cortadores Patchwork (pág. 174) y pégalas a las cabezas.

9 Añade un puntito de glaseado para fijar las niñas.

10 Haz un borde de crema de mantequilla con la boquilla 18.

QUÉ NECESITAS

- Pastel horneado y enfriado (20 x 10 cm)
- Fondant rosa
- Glaseado de crema de mantequilla rosa
- Glasa real rosa eléctrico
- Bolsas de manga pastelera
- Boquillas: 1 y 18
- Azúcar de color rosa claro
- Cortador de galletas: número 3
- Pasta de goma: azul, blanca, amarilla, verde claro, color carne, marrón claro y rosa
- Rotulador comestible negro
- Cortador Patchwork: corona

CUPCAKES NEVADOS

QUÉ NECESITAS

- Cupcakes horneados y enfriados
- Glaseado de crema de mantequilla
- Purpurina comestible blanca
- Pasta de goma: blanca, azul cielo, naranja, negra, verde, roja y amarilla
- Rotulador comestible negro

1 Haz las figuras por lo menos un día antes (pág. 230).

2 Glasea los cupcakes con glaseado de crema de mantequilla y una boquilla 1A (pág. 268) y espolvoréalos con purpurina comestible justo después de glasearlos (pág. 268).

3 Coloca las figuras sobre los cupcakes.

BELLEZA PÚRPURA

QUÉ NECESITAS

- Pastel horneado y enfriado (15 x 10 cm)
- Pastel horneado y enfriado (23 x 10 cm)
- Pastel de vestido de muñeca hecho con molde para muñecas (véase Recursos, pág. 324)
- Fondant verde lima
- Cortador de flores con émbolo de 1 cm
- Cortador de rosa sencilla de 5 pétalos de 3 cm
- Cortador de lazo pequeño
- Molde de perlas de 8 mm
- Pasta 50/50 color lavanda
- Pasta de goma: rosa, azul, amarilla, marfil y color carne
- Glaseado de crema de mantequilla color lavanda
- Glasa real: rosa y verde lima
- Bolsa de manga pastelera
- Boquilla 0

1 Prepara las flores con pasta de goma rosa y azul por lo menos un día antes (pág. 178). Haz una bolita de pasta de goma amarilla y pégala en el centro de la flor con un punto de gel para decorar. Haz los arcos con pasta de goma lavanda y un cortador de lazo pequeño (pág. 205).

2 Cubre el pastel de fondant verde lima (pág. 50).

3 Marca los pasteles para formar guirnaldas espaciadas uniformemente (pág. 212). Pon puntos de gel para decorar sobre las marcas.

4 Monta los pisos del pastel (pág. 72)

5 Corta tiras de cinta largas de 6 mm x 15 cm de anchura (pág. 208) y pega un extremo de la cinta a un punto de gel para decorar. Retuerce la cinta y pega el otro extremo con otro punto de gel para decorar. Sigue colocando las cintas alrededor de ambos pasteles.

6 Añade un punto de gel para decorar en el punto de unión de cada cinta y pega encima un lazo.

7 Añade un borde de perlas de 8 mm (pág. 162). Pega flores al borde de perlas con gel para decorar.

8 Glasea el pastel de vestido de muñeca con crema de mantequilla, haz volantes con pasta 50/50 color lavanda (pág. 214) y pégalos al vestido con gel decorar, empezando por la base y siguiendo hasta la cintura. Inserta un palillo en el vestido para que aguante el pastel.

9 Moldea la cintura, los brazos y las manos de la muchacha (pág. 250).

10 Haz el pastel con un cilindro y añádele detalles con glasa real rosa y verde lima y una boquilla 0. Corta un círculo como base e inserta el pastel en el palillo.

11 Moldea la cabeza de la muchacha (pág. 245) y déjala secar unas horas. Añade el pelo (pág. 252).

TÉCNICAS VARIAS

Esta sección trata métodos adicionales para mejorar la decoración. Podrás aprender cómo añadir brillo y destellos a los pasteles, y verás lo sencillo que es crear pasteles con dibujos comestibles. Esta sección también sienta las bases del uso de productos o herramientas útiles, como el aerógrafo o la máquina Cricut Cake. Descubre cómo envolver un pastel con chocolate y cómo hacer joyas comestibles.

Añadir brillos y destellos a los pasteles

Añade un toque centelleante a los pasteles. La purpurina comestible, el azúcar de colores, el azúcar de grano grueso y los polvos de destellos se espolvorean sobre el pastel, mientras que el colorante en polvo se aplica con un pincel. Examina cada producto antes de usarlo para asegurarte de que es apto para el consumo humano. Los productos no aprobados por la FDA pueden usarse para decorar la superficie de los pasteles y los cupcakes, pero aunque no son tóxicos deberías retirarlos antes de servir.

PURPURINA COMESTIBLE

La purpurina comestible consiste en unas láminas finas que se espolvorean sobre el glaseado húmedo para añadir un toque brillante. Un poco da para mucho y hay diferentes colores. La purpurina blanca, que es insípida, es la más habitual y sobre glaseado blanco produce un hermoso efecto nevado y brillante. Lo mejor es espolvorearla por todo el pastel, pues resulta difícil cubrir pequeñas zonas. En los pasteles glaseados con crema de mantequilla, espolvorea la purpurina sobre el pastel antes de que se forme una corteza. En un pastel recubierto de fondant o crema de mantequilla ya cuajada, pinta con una capa fina de gel para decorar la zona que desees cubrir y luego espolvorea la purpurina sobre el gel.

AZÚCAR DE COLORES Y AZÚCAR DE GRANO GRUESO

El azúcar de colores es más grueso que el azúcar de caña granulado. Cuanto más grueso es el grano, más destella. El azúcar de grano fino aún es más grueso que el azúcar de colores. Para añadir azúcar de colores o azúcar de grano grueso a un pastel glaseado con crema de mantequilla, espolvorea el azúcar sobre el pastel antes de que la crema de mantequilla forme una corteza. En un pastel recubierto de fondant, o de crema de mantequilla ya cuajado, pinta con una capa fina de gel para decorar la zona que desees cubrir y luego espolvorea el azúcar sobre el gel.

COLORANTES EN POLVO

Existen gran variedad de colorantes en polvo. Hay muchos colores de polvo de brillo, incluso tonos metálicos como oro, plata y cobre. Los polvos nacarados poseen un acabado blanco nacarado, y el polvo nacarado extra es uno de los colorantes en polvo más conocidos: se trata de un brillo blanco básico que aporta brillo a cualquier color. Ilumina los polvos de brillo de colores con polvo nacarado extra, o mézclalo con colores mates (polvos para pétalos) para aportar brillo al color. Al añadir polvo nacarado extra a los colores mates, este puede aclarar un poco el color. El polvo de destellos posee un grano más grueso que el polvo de brillo o el polvo nacarado, por lo que brilla más. El polvo de destellos ultrablanco resulta especialmente bonito sobre las flores, pues proporciona un brillo similar al rocío. Los colorantes en polvo pueden aplicarse en seco, o bien mezclarse con alcohol de grano.

Aplicar polvo en seco

Pincela el glaseado con polvo de colores seco para proporcionar un sutil acabado metálico por todo el pastel. El polvo puede desperdigarse al pincelar la superficie: cubre con papel de hornear las zonas del pastel donde no quieras aplicar el polvo. Los polvos se extienden mejor sobre glaseados firmes. El glaseado de crema de mantequilla puede parecer manchado o sucio si lo espolvoreas con polvos de colores, para dar un acabado metálico a este tipo de pastel es mejor un espray comestible metálico (véase la página opuesta).

Imagen: Cupcake recubierto de fondant amarillo pincelado con polvo de colores dorado.

Pintar el polvo

Mezcla el polvo de colores con alcohol de grano para crear una pintura. Añade solo unas gotas de alcohol al polvo para que cambie de consistencia. Pinta la mezcla sobre una superficie firme, como pasta de goma, fondant o adornos de glasa real seca.

Imagen: Glasa real blanca de manga pastelera pintada con polvo de piedra de luna.

Aplicar polvos sobre crema de mantequilla

Es difícil aplicar polvos de colores sobre un pastel glaseado con crema de mantequilla. Si deseas darle un acabado metálico, mejor rocíalo con espray metálico comestible. Usa los polvos de colores para pintar flores o adornos de crema de mantequilla. Introduce los adornos en el congelador para que se endurezcan, sácalos de uno en uno y píntalos rápidamente con el polvo de colores.

Imagen: Rosa de crema de mantequilla amarillo dorado pintada con polvo de color oro viejo.

ESPRÁIS METÁLICOS COMESTIBLES

El color metálico comestible también existe en aerosol. Es el mejor modo de añadir un efecto metálico a los pasteles glaseados con crema de mantequilla. También resultan adecuados para dar un acabado metálico a un pastel cubierto de fondant.

Antes de añadir los colores metálicos, empieza con un color de base mate del mismo tono que el acabado metálico. Por ejemplo, si vas a rociar todo el pastel con espray plateado, primero cubre el pastel con fondant o crema de mantequilla gris. O si quieres pintar las flores del pastel con polvo de brillo dorado, hazlas con crema de mantequilla o fondant amarillo dorado.

1 Coloca un papel de periódico sobre la superficie de trabajo para protegerla del exceso de espray y coloca el pastel sobre un plato giratorio.

2 Sujeta el bote de espray a unos 30,5 cm del pastel y rocíalo mientras giras el plato.

POLVOS DE DESTELLOS

Estas motitas de brillo metálico relucen más que cualquiera de los brillos anteriormente descritos, y los hay de muchos colores. No son tóxicos, pero no están aprobados por la FDA y se recomienda su uso solo con fines decorativos. A menudo se espolvorean sobre flores o adornos moldeados que se retiran del pastel antes de comerlo.

Plantillas

Las plantillas son un método excelente para añadir detalles rápidamente. Es importante que la superficie del pastel esté lo más lisa y plana posible antes de usar una plantilla. Los pasteles recubiertos de fondant son los mejores, pero también se pueden aplicar sobre otros glaseados. Deja que el pastel forme una corteza firme durante unas horas, o podrían quedar marcas al presionar la plantilla. También puedes usar crema de mantequilla si dejas que forme una corteza unas horas. Si quieres aplicar glaseado sobre la plantilla, usa crema de mantequilla en lugar de glasa real.

1

3

2

4

AÑADIR UNA PLANTILLA CON GLASEADO

1 Coloca la plantilla sobre el pastel. Mezcla la glasa real según las instrucciones y dilúyela con agua hasta que forme picos suaves.

2 Pon una pequeña cucharada de glasa real sobre un extremo de la plantilla.

3 Extiende la glasa real sobre la plantilla con un pequeño raspador.

4 Despega la plantilla.

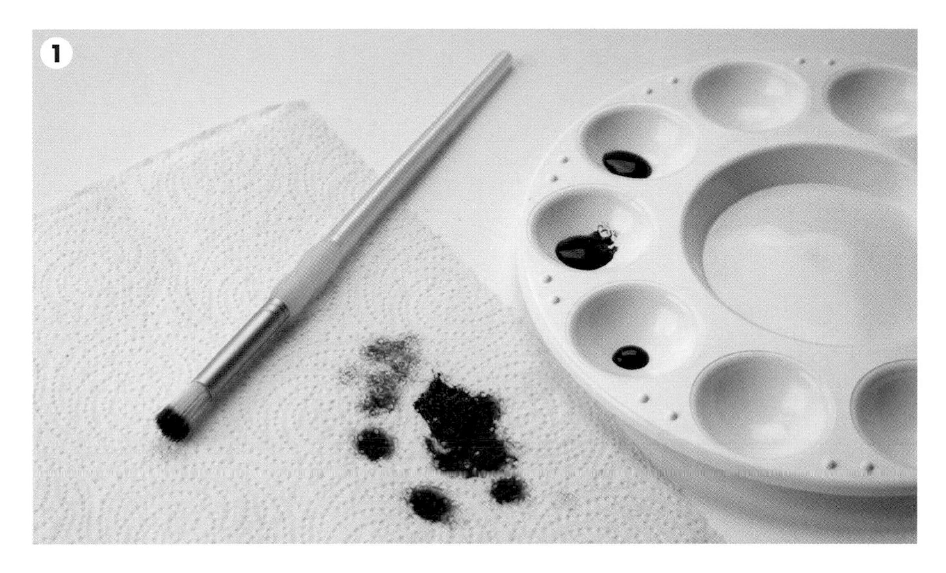

AÑADIR UN DIBUJO CON COLORANTE

Es muy fácil añadir un dibujo a un pastel cubierto de fondant con plantillas y colorante alimentario. Al sacarlo del frasco, el color está muy concentrado y puede teñir los dientes. Utiliza un pincel para plantillas para aplicarlo. Es importante que el fondant se haya endurecido, o el pincel dejará marcas. Lo mejor es hacer el dibujo con plantilla un día después de cubrir el pastel con fondant.

1 Vierte colorante alimentario en un recipiente pequeño y sumerge el pincel para plantillas en él. Limpia el exceso de color con un papel de cocina, así verás el color que vas a aplicar. Si es demasiado concentrado, añade color blanco para suavizarlo.

2 Coloca la plantilla sobre el pastel y sujétala bien con tu mano no dominante y aplica el pincel con toques ligeros sobre la plantilla con la otra mano. Nota: limpia cuidadosamente el pincel antes de aplicar otros colores.

4 Levanta la plantilla bien derecha.

Desplazamiento de la plantilla

Para evitar que la plantilla se mueva, aplica un poco de mantequilla vegetal sólida en el dorso de la plantilla. Tiene que ser muy poca cantidad para no manchar el fondant.

Hojas impresas de papel de azúcar comestible

Las hojas impresas de papel de azúcar comestible son dibujos impresos con papel de azúcar comestible y colorante alimentario. Estas hojas se aplican fácilmente y son una de las técnicas más sencillas para decorar rápidamente un pastel. Existen multitud de temas y estilos para cubiertas, laterales, pasteles de bandeja de horno y cintas. Los pasteles de graduación y de cumpleaños quedan estupendos con la foto del homenajeado. Puedes comprar una impresora con cartuchos de tinta comestibles para imprimir las fotos en casa, pero es una inversión considerable. Algunas tiendas de decoración de pasteles ofrecen un servicio de impresión de fotos para los clientes. Si imprimes fotos de un fotógrafo profesional o si hay información sobre el copyright en el dorso de la foto, deberías pedir permiso al fotógrafo antes de imprimir la imagen fuera del ámbito privado.

DISEÑOS PREIMPRESOS COMESTIBLES
Estas hojas impresas de papel de azúcar comestible han sido concebidas para aplicarlas rápidamente sobre el pastel. Hay diseños preimpresos de muchos temas y fechas señaladas, así como de los personajes más populares.

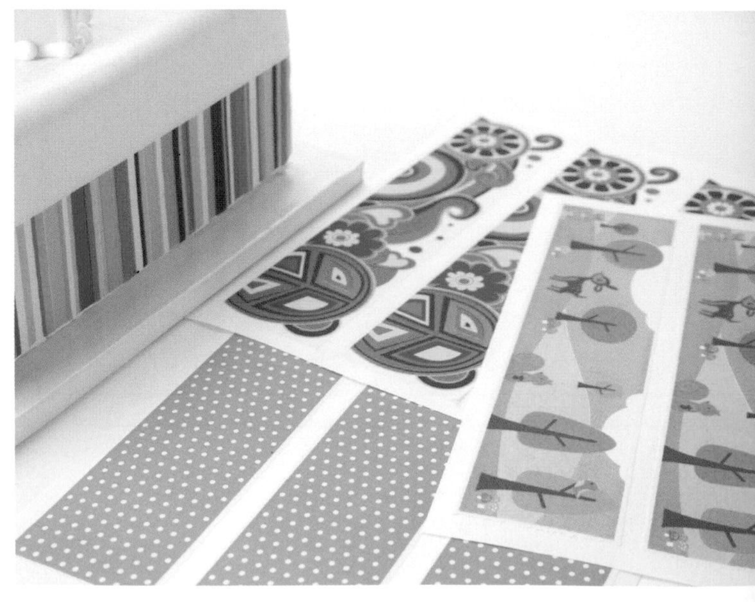

TIRAS DE PAPEL DE AZÚCAR COMESTIBLE
Las tiras de papel de azúcar comestible se utilizan para añadir una banda de vivos colores alrededor del pastel. También pueden aplicarse sobre galletas y cupcakes.

CINTAS DE PAPEL DE AZÚCAR COMESTIBLE

Las cintas de tejido que rodean los pasteles son muy hermosas, pero pueden absorber la grasa y dejar manchas de grasa muy desagradables. Estas cintas brillantes ofrecen el aspecto de una cinta real y evitan las manchas.

HOJAS IMPRESAS

Utiliza estas alegres hojas de colores para cubrir todo el pastel o decorar galletas y cupcakes. Puedes recortar adornos para hacer estampados. Las hojas grandes también pueden usarse para cortar adornos rápidos con la máquina Cricut Cate.

INSTRUCCIONES GENERALES PARA CREMA DE MANTEQUILLA

1 Hornea y glasea el pastel. Coloca la imagen hacia arriba y desliza la hoja de papel de azúcar comestible sobre el borde de una encimera para despegar la imagen.

2 Separa la imagen del papel del dorso y colócala sobre el pastel.

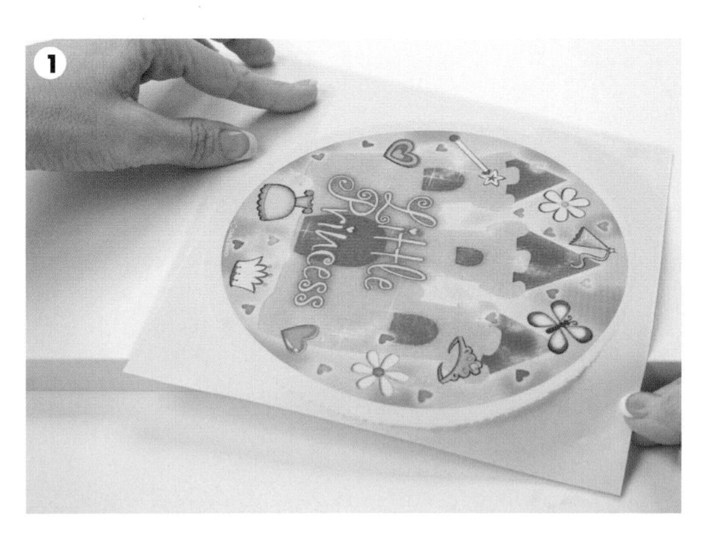

INSTRUCCIONES GENERALES PARA PASTELES RECUBIERTOS DE FONDANT

1 Hornea y recubre el pastel con fondant. Coloca la imagen hacia arriba y desliza la hoja de papel de azúcar comestible sobre el borde de una encimera para despegarla.

2 Pinta con una capa fina de gel para decorar el dorso de la hoja. No extiendas el gel hasta el final de los bordes, podría verse sobre el fondant al pegar la hoja al pastel.

3 Presiona suavemente la hoja sobre el pastel.

ADORNOS DE FONDANT

1 Extiende fondant o pasta de goma hasta el grosor deseado. Corta la pasta a la medida de la hoja de papel de azúcar. Despega la hoja del papel protector.

2 Gira la hoja de papel de azúcar y pinta el dorso con una capa fina de gel para decorar.

3 Coloca la hoja sobre la pasta y pasa el rodillo suavemente con una presión mínima para fijarlo bien

4 Corta formas con cortadores. Un cortador de pizza pequeño va bien para cortar cintas o líneas rectas.

5 Retira la pasta sobrante.

6 Deja secar la pasta antes de mover la pieza cortada.

2

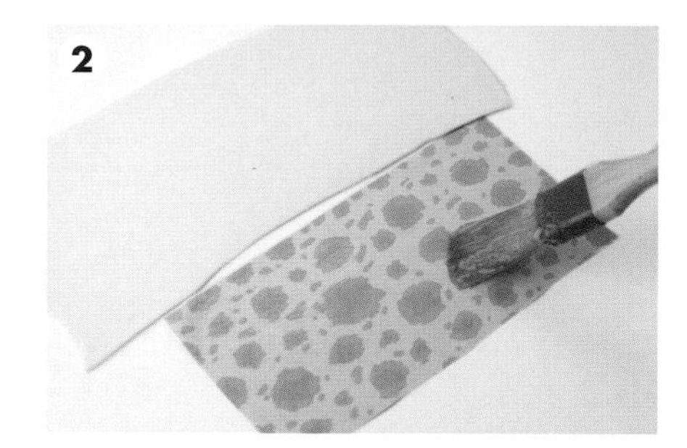

4

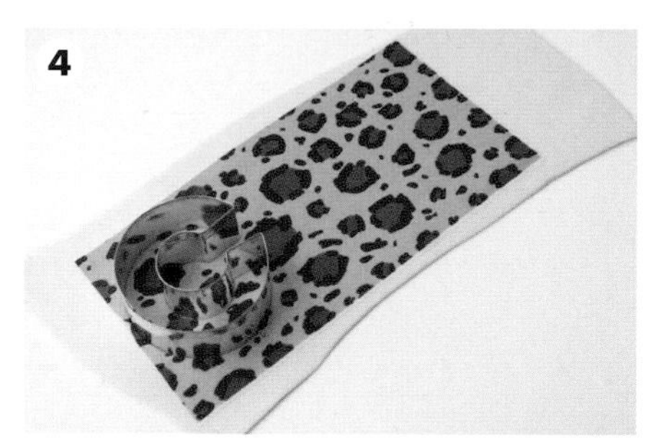

3

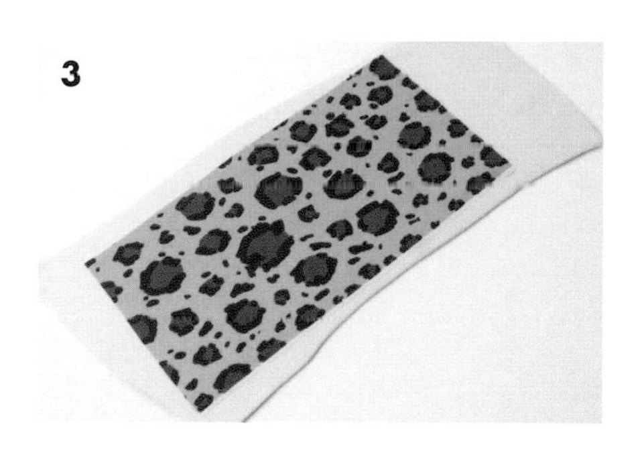

5

1

6

Las piezas cortadas pueden colocarse sobre un molde para flores para darles forma. Levanta las piezas y moldéalas suavemente. La hoja de papel de azúcar podría arrugarse al moldearla.

CUPCAKES

1 Glasea el cupcake con crema de mantequilla. Coloca un cortador de galletas redondo sobre la hoja de papel de azúcar comestible y corta la silueta con unas tijeras o una navaja pequeña. Para los cupcakes normales algo abovedados bastará un cortador redondo de 7,5 cm. Para los cupcakes más o menos grandes será preciso un cortador más o menos grande, respectivamente. Resulta útil tener un juego de cortadores de galletas redondos de diferentes tamaños.

2 Pinta con una capa fina de gel para decorar el recorte de la hoja.

3 Centra la hoja sobre el cupcake glaseado y presiona suavemente para alisar y pegar la hoja.

1

2

3

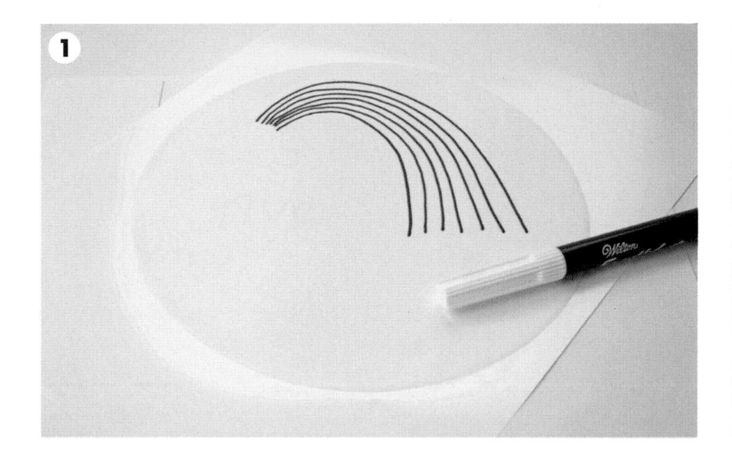

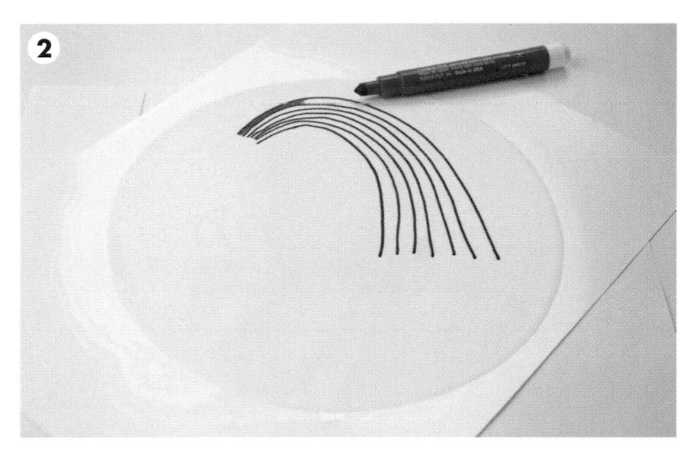

HOJAS EN BLANCO

Va bien tener a mano hojas de papel de azúcar comestible blancas para imprimir imágenes prediseñadas o siluetear dibujos de álbumes para colorear encima de ellas. También sirven como lienzo en blanco para que los niños hagan su propio dibujo comestible y lo pongan en su pastel de cumpleaños.

1. Coloca una imagen prediseñada o una hoja de un álbum de colorear bajo la hoja de papel de azúcar. Una caja de luz te ayudaría, pero también puedes poner el dibujo y la hoja de papel de azúcar sobre una ventana para ver el dibujo al trasluz. Contornea el dibujo con rotulador comestible negro.
2. Rellena los detalles con rotuladores comestibles de colores.
3. Retira la hoja protectora del dorso y coloca la hoja de papel de azúcar sobre el pastel recién glaseado con crema de mantequilla. Si la crema de mantequilla ya ha formado una corteza o es un pastel cubierto de fondant, gira la hoja y píntala con gel para decorar.
4. Coloca la hoja de papel de azúcar comestible sobre el pastel.

Uso de las hojas

- Es importante guardar correctamente las hojas de papel de azúcar comestible. Guárdalas bien cerradas en una bolsa de plástico y a temperatura ambiente. Si cuesta retirar el papel protector del dorso, mete la hoja en el congelador durante dos minutos.
- Las hojas de papel de azúcar comestible se adhieren al glaseado húmedo. El glaseado de colores puede cambiar el tinte del dibujo comestible. Por ejemplo, si el glaseado del pastel es rosa, puede que las zonas blancas se vuelvan rosas y las amarillas, naranjas. El glaseado blanco no afecta al color del dibujo comestible.
- Si el glaseado de crema de mantequilla ha formado una corteza, puede que la hoja de papel de azúcar comestible no se adhiera al pastel. Puedes rociar la hoja con un poco de agua para humedecer el pastel. Procura no saturar la hoja, o el colorante alimentario de la hoja podría correrse.

Pintar y colorear sobre fondant

Un pastel recubierto de fondant blanco sirve como lienzo en blanco para pintar adornos con colorante alimentario o rotuladores. Haz el dibujo, imprime una imagen prediseñada o utiliza páginas de colorear. Si la imagen que quieres transferir está protegida por copyright, deberás obtener permiso antes de utilizarla fuera del ámbito privado. Deja que el fondant cuaje durante unas horas o toda la noche antes de pintar. Si el fondant no ha formado una corteza, los pinceles y rotuladores dejarán marcas sobre el fondant.

PINTAR CON COLORANTE ALIMENTARIO

1 Contornea el dorso de la imagen con un lápiz no tóxico. Una caja de luz es una herramienta útil para ver fácilmente el contorno.

2 Deja que el pastel recubierto de fondant forme una corteza. Sujeta el lápiz no tóxico casi paralelo a la parte superior del pastel. Frota la parte frontal de la imagen con el lápiz para transferir el dibujo sobre el fondant.

3 Levanta el papel. La imagen apenas será visible, pero bastará para utilizar la silueta como guía para colorearla.

4 Diluye colorante alimentario con agua y pinta con él el pastel. Deja un poco de espacio entre cada color para evitar que los tonos se mezclen.

5 Contornea el dibujo con un rotulador comestible negro.

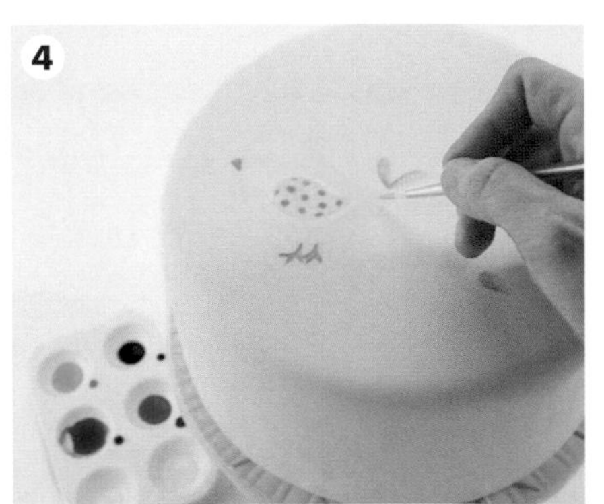

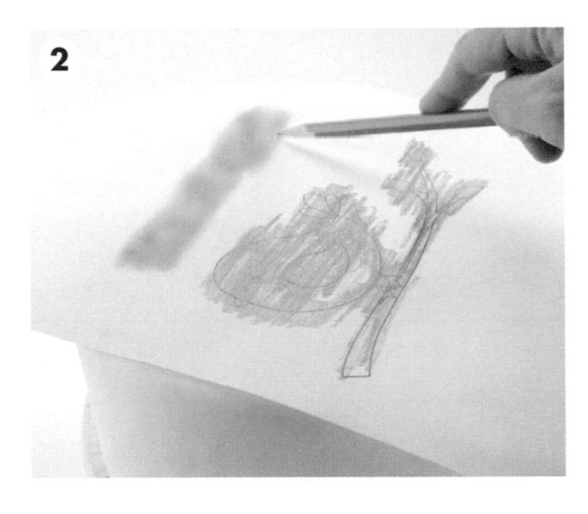

Consejos para pintar

- Prueba el tono del colorante alimentario sobre una hoja de papel blanco antes de pintar directamente sobre el pastel para asegurarte de que es el color que quieres.
- Procura no tocar el pastel con la muñeca o la mano mientras pintas para no dejar marcas.
- Usa solo el color necesario para mojar las cerdas: un exceso de agua disolvería el azúcar del fondant.

PINTAR CON ROTULADORES

1 Deja que el pastel cubierto de fondant forme una corteza (24 horas deberían bastar). Colorea el pastel con rotuladores comestibles de colores. Los rotuladores de punta fina sirven para hacer la silueta, y los de punta gruesa para rellenar zonas amplias.

2 Resigue con un rotulador comestible negro si lo deseas.

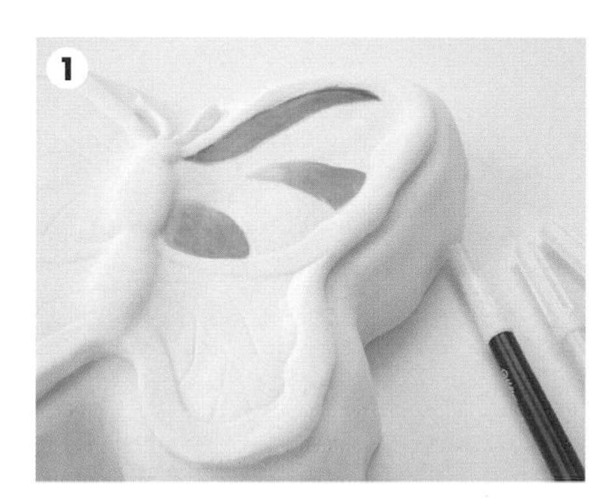

PINTAR PARA DAR UN ASPECTO ANTIGUO AL FONDANT

1 Después de cubrir el pastel con fondant, marca líneas y detalles con un palillo mientras el fondant aún esté suave.

2 Pincela el interior de las líneas con colorante en polvo.

3 Pincela con agua el pastel, mezclando el polvo seco con el agua.

4 Palmea el pastel con un trapo húmedo para retirar el exceso de agua y de colorante en polvo.

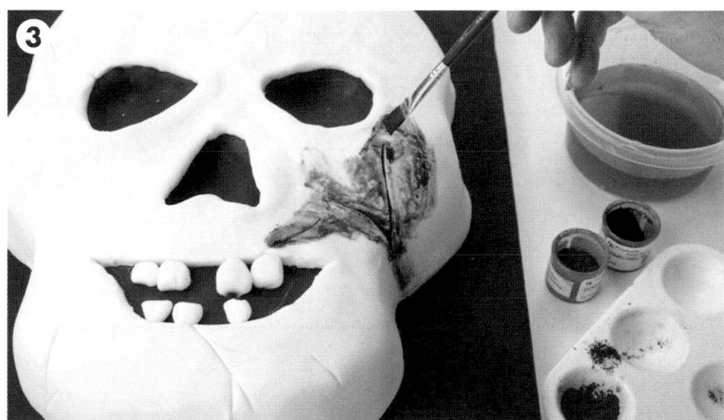

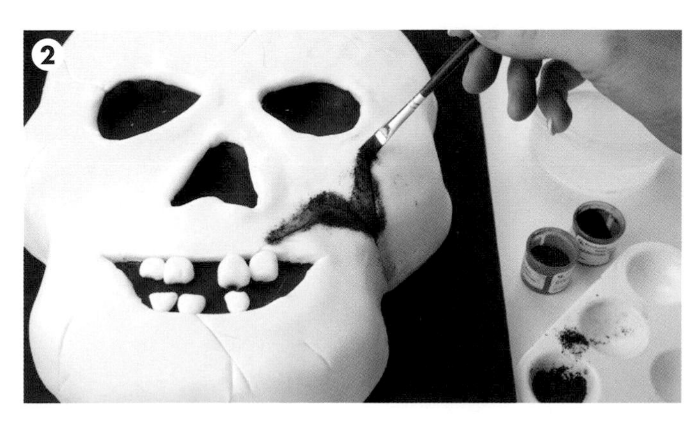

Aerógrafo

El aerógrafo se ha vuelto cada vez más popular. Se usa en la decoración de pasteles para hacer tonos, detalles, dibujos con plantilla y para añadir color de forma uniforme por todo el pastel. El aerógrafo puede usarse en la mayoría de glaseados. La crema de mantequilla y el fondant son los más comúnmente utilizados como «lienzo» para el aerógrafo. Los aceites en los glaseados de ganache podrían hacer que el color de aerógrafo, basado en agua, se encharcara, así que este tipo de glaseados no son adecuados para aerógrafo.

Los aerógrafos empleados en la decoración de pasteles suelen ser de acción simple o de doble acción. En los de acción simple, el aire y el colorante alimentario se liberan al mismo tiempo al apretar el gatillo. En los de doble acción, el aire se controla por separado mediante un compresor y la cantidad de color liberada se controla apretando el gatillo. El aerógrafo de doble acción requiere más práctica para su dominio en comparación con el de acción simple. En las instrucciones de este capítulo se emplean aerógrafos de acción simple de la marca KopyKake. Las agujas de todos los aerógrafos son muy frágiles, pueden doblarse o dañarse, impidiendo el funcionamiento normal del aerógrafo. Usa solo colorante alimentario para aerógrafo en la pistola aerográfica, otros colores podrían obstruir y estropear el aerógrafo. No diluyas colores en gel o en pasta con agua ni añadas agua al colorante en polvo para hacer un color líquido.

El aerógrafo requiere una fuente de aire. La más habitual en la decoración de pasteles es un compresor. Compra un compresor compatible en base a la cantidad de presión (PSI) requerida por el aerógrafo y asegúrate de que el compresor de aire tiene presión suficiente para garantizar un flujo uniforme de color.

INSTRUCCIONES GENERALES

1 Llena el tanque de color del aerógrafo aproximadamente hasta la mitad.

2 Utiliza papel de hornear para cubrir todas las zonas del pastel donde el color de aerógrafo no debe aplicarse.

3 Sujeta el aerógrafo en un ángulo de 45° y aprieta el gatillo para controlar el flujo de aire. Sujeta el aerógrafo a 15-20 cm de distancia del pastel para cubrir una zona amplia. No muevas rápidamente la mano hacia atrás y hacia delante o aparecerán manchas en el color. Presiona el gatillo para empezar a rociar el pastel con color. No sujetes el aerógrafo estático, o empezarán a formarse manchas de color. Rocía el pastel con trazos largos, lentos y constantes.

4 Si deseas añadir un segundo color, lava el aerógrafo antes de añadir otro color. Sigue las instrucciones de lavado del fabricante.

Sujeta el aerógrafo cerca para hacer detalles finos de tonalidad. El gatillo apenas está apretado para liberar un chorro fino de color.

Los espráis de colorante alimentario proporcionan un efecto de aerógrafo sin el gasto que implica comprar un aerógrafo de verdad, pero estos espráis no sirven para hacer detalles delicados.

Usa el aerógrafo para colorear a fondo flores de crema de mantequilla, glasa real, fondant o pasta de goma.

Estas flores se han rociado con azul y después con un ligero espray rosa.

PLANTILLAS

Las plantillas deben usarse solo en pasteles con fondant, o en pasteles que formen una corteza, como la receta de crema de mantequilla de la página 30.

1 Coloca la plantilla encima del pastel recubierto de fondant o crema de mantequilla. Si el glaseado es de crema de mantequilla, deja que se forme una corteza. Coloca papel de hornear sobre todas las áreas del pastel, dejando solo que se vea la plantilla. Pon algún objeto encima de la plantilla (como unos frascos de colorante), para sujetar la plantilla. Procura que el peso no deje marcas sobre el glaseado.

2 Sujeta el aerógrafo en un ángulo de 80° y a unos 15 cm del pastel. Comprueba que el tanque no pierda color. Expulsa el color y rocía con él la plantilla. Retira el peso y el papel de hornear.

3 Levanta la plantilla.

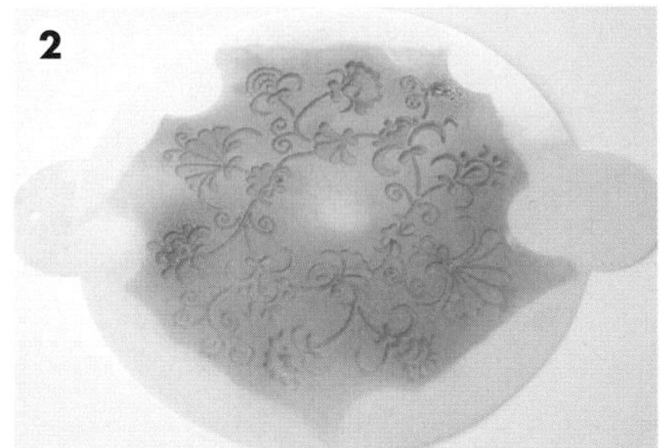

Consejos sobre el aerógrafo

- Sujeta el aerógrafo en un ángulo de 45° cuando añadas color al pastel. No inclines la mano, o el colorante alimentario se derramaría sobre la superficie del pastel.
- La encimera y las zonas aledañas al pastel podrían quedar cubiertas de color del aerógrafo. Asegúrate de retirar todo lo que no deba pintarse.
- Si sujetas el aerógrafo demasiado cerca del pastel pueden crearse salpicaduras de colorante alimentario.
- Si el aerógrafo suelta color, puede que el aerógrafo y la aguja deban limpiarse concienzudamente. También puede ser que la aguja esté doblada y deba cambiarse.

Cricut Cake

Cricut Cake es una máquina electrónica diseñada para cortar piezas de papel comestible o pasta de goma para decorar pasteles y cupcakes. La pasta de goma ofrece los mejores resultados con la máquina, pero también puede usarse fondant. Añade aproximadamente 1 cucharada de polvo Tylose a 0,45 kg de fondant para endurecerlo. La Cricut Cake viene acompañada de un cartucho para pasteles general, pero hay muchos cartuchos de temas y estilos variados. Los cartuchos de la máquina de cortar papel de la empresa Cricut se pueden usar indistintamente con la Cricut Cake.

Crear una escritura para un pastel decorado es uno de los usos más prácticos de la máquina. Las letras pueden hacerse de muchos tamaños y hay cartuchos de gran variedad de fuentes. Dominar la Cricut Cake requiere tiempo y paciencia. Hay algunos ajustes que pueden modificar los resultados del corte y que, una vez dominados, pueden ahorrar mucho tiempo. A continuación se ofrecen las instrucciones generales básicas.

CORTAR PASTA DE GOMA

1 Engrasa ligeramente la estera de corte de la Cricut Cake con manteca vegetal sólida y resérvala.

2 Amasa y ablanda la pasta de goma. Espolvorea la encimera con maicena y extiende bien fina la pasta de goma (1 mm) o 4 (0,6 mm) de la máquina de pasta. Coloca la pasta de goma extendida sobre la estera de la Cricut Cake y luego extiende aún más fina la pasta, hasta que las líneas de la estera sean prácticamente visibles.

3 Recorta el exceso de pasta de los bordes de la estera.

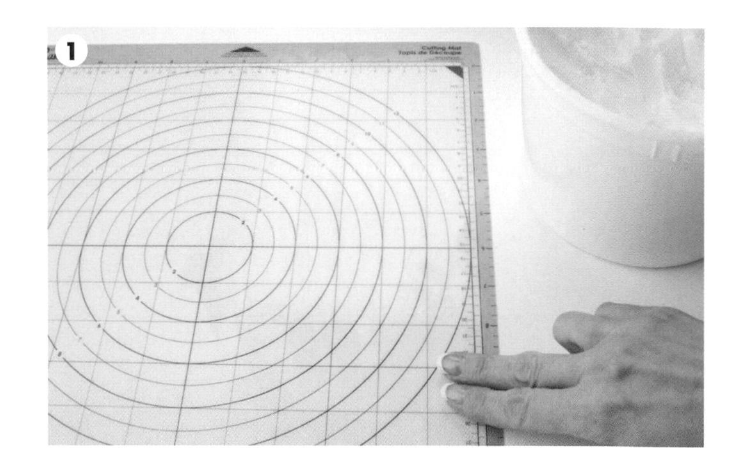
1

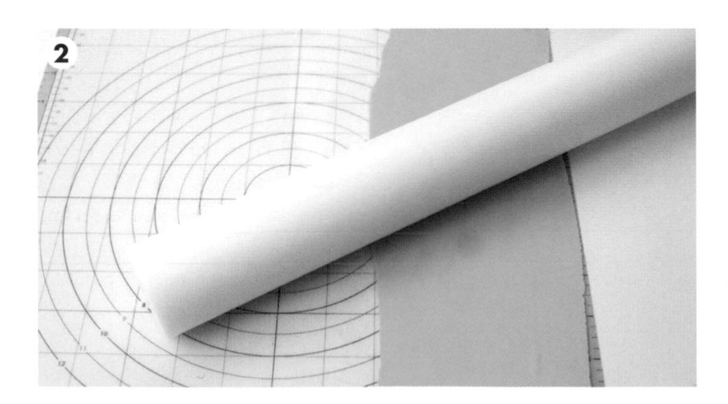
2

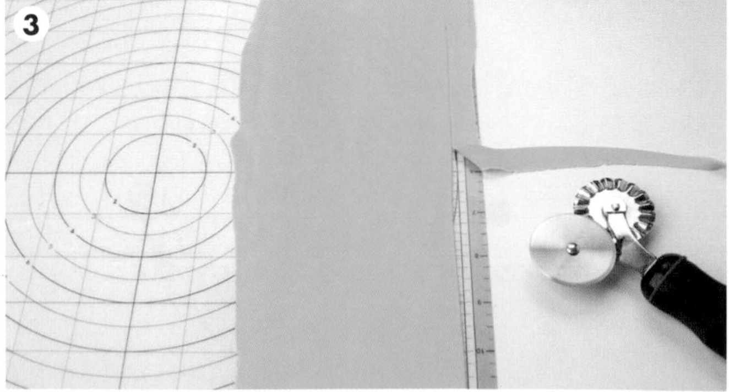
3

4 Ajusta la Cricut Cake con presión y velocidad media y el diseño deseado siguiendo las instrucciones de la máquina. Empieza a cortar la pasta de goma.

5 Descarga la estera y retira la pasta de goma sobrante, dejando solo la decoración cortada sobre la estera. Usa un alfiler para retirar las piezas pequeñas, como la boca (véase imagen).

6 Deja secar los adornos unos minutos. Usa una espátula de hoja fina para despegar la decoración cortada. Si la decoración se desgarra, deja que se seque unos minutos más.

7 Pinta con un poco de gel para decorar el dorso del adorno y colócalo sobre el pastel.

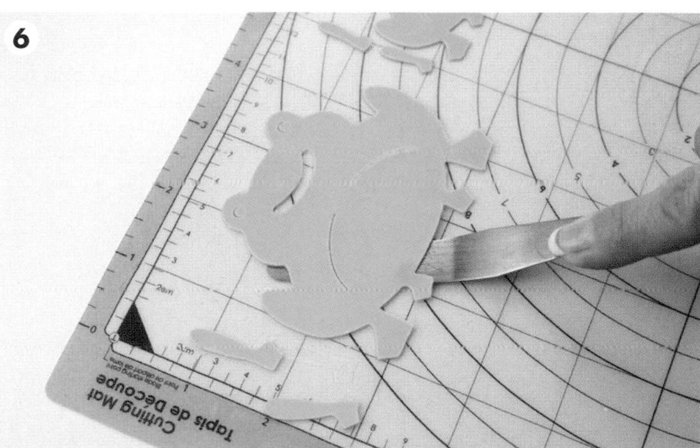

Solución de problemas

- Si el dibujo se suelta o se distorsiona, puede que haya demasiada grasa en la estera: solo se necesita una capa fina y ligera. O puede que la pasta de goma sea demasiado gruesa; no debería tener un grosor superior a los 3 mm, lo ideal es 1 mm. Si la pasta de goma sigue distorsionándose, coloca la estera de corte con la pasta de goma extendida en el congelador unos 30 minutos y luego intenta cortarla.
- Si tienes que cortar diferentes formas, extiende la pasta de goma en pequeñas tandas y corta unos cuantos dibujos cada vez. Si cortas todos los dibujos a la vez, la pasta de goma podría secarse antes de cortarlos todos.
- Limpia cuidadosamente la máquina después de cada uso. Los trozos secos de pasta de goma o de hojas de papel de azúcar comestible pueden atascar la máquina o estropear la hoja de corte.

CORTAR HOJAS DE PAPEL DE AZÚCAR COMESTIBLE

Las hojas de papel de azúcar comestible son un modo rápido de hacer diseños cortados. La cantidad de grasa utilizada en la estera de corte es muy importante: una capa fina y transparente debe cubrir toda la estera. Demasiada manteca haría resbalar la hoja, y si hay poca, la hoja podría arrugarse. Mantén las hojas bien envueltas hasta que estén listas para cortar. Las hojas que se han secado se vuelven quebradizas al cortarlas.

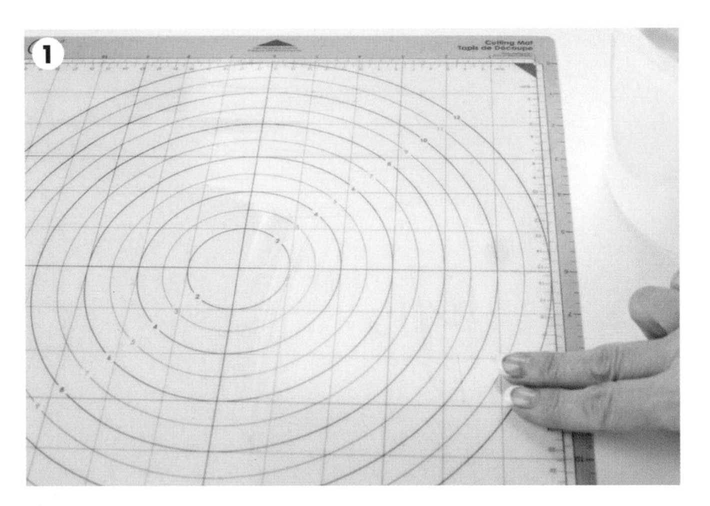

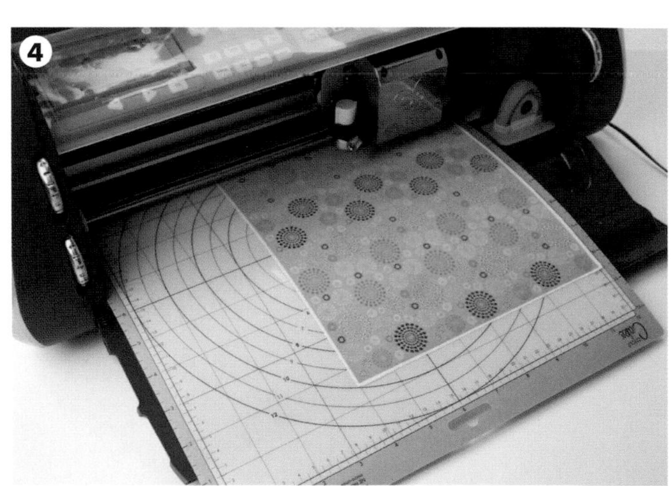

1 Engrasa ligeramente la estera de corte de la Cricut Cake con manteca vegetal sólida.

2 Retira el papel protector del dorso de la hoja de papel de azúcar comestible.

3 Coloca la hoja sobre la estera de corte y elimina las burbujas de aire pasando suavemente el rodillo sobre la hoja.

4 Ajusta la Cricut Cake con presión y velocidad media y el diseño deseado siguiendo las instrucciones de la máquina. Empieza a cortar la hoja de papel de azúcar comestible.

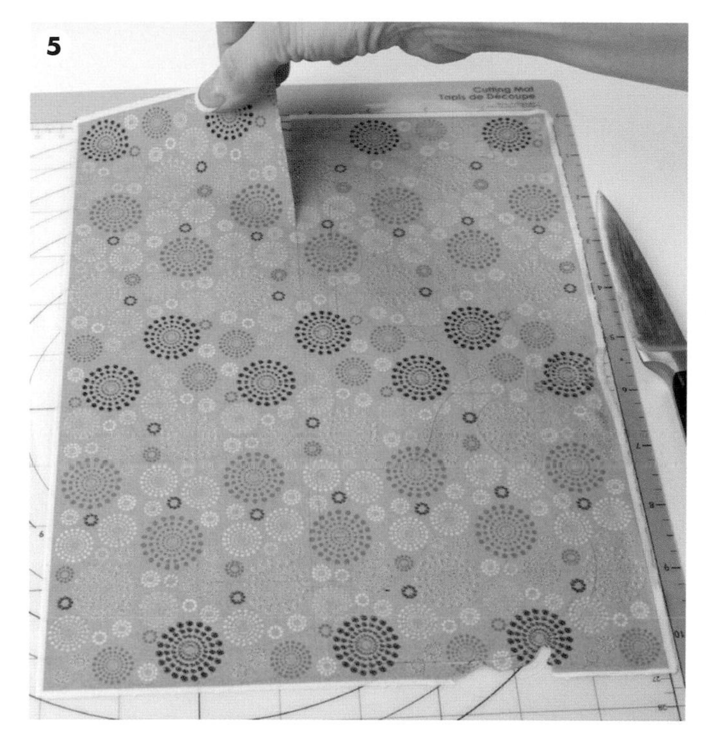

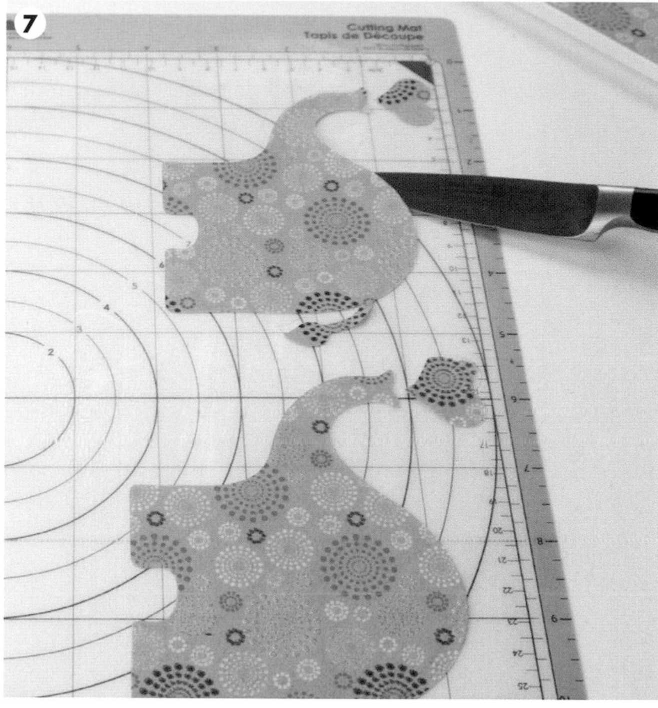

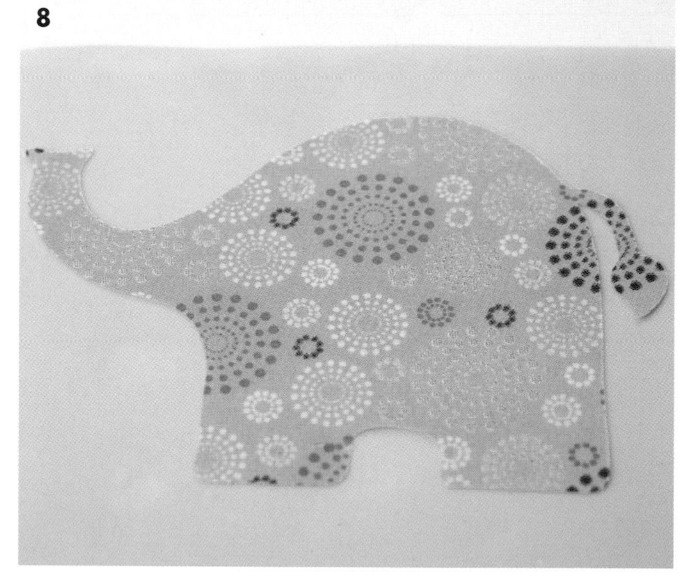

5 Descarga la estera. Retira con un cuchillo de mondar las piezas grandes sobrantes que no se han cortado. Las hojas no cortadas pueden colocarse sobre el papel protector y volver a cerrarse para usarlas más adelante.

6 Retira los trozos sobrantes que rodean el dibujo cortado, dejando solo el dibujo cortado sobre la estera.

7 Desliza cuidadosamente un cuchillo de mondar alrededor de los bordes del dibujo cortado para despegar la pieza.

8 Pinta el dorso del dibujo cortado con gel para decorar y colócalo sobre el pastel.

Paisajes naturales

Añade una textura comestible y realista a los pasteles y cupcakes con estas técnicas.

HIERBA DE CREMA DE MANTEQUILLA

Haz hierba con la manga pastelera y una boquilla 233. Consulta la página 93 sobre cómo hacer hierba.

HIERBA DE FONDANT

Puedes añadir textura al fondant para imitar la hierba. Extiende el fondant y colócalo sobre el pastel o el cupcake. Sujeta una boquilla de estrella en un ángulo de 45° y arrástrala para añadir textura.

NIEVE

Añade una capa de nieve realista al glaseado de crema de mantequilla con coco desecado. Espolvorea el coco sobre el glaseado húmedo. El coco desecado es coco seco triturado fino, aporta la textura y el sabor del coco al cupcake. Otra alternativa es la purpurina comestible (véase la pág. 268).

TIERRA Y ROCAS

Las galletas rellenas de chocolate machacadas parecen tierra. Las rocas comestibles se pueden comprar o se pueden hacer con fondant jaspeado (pág. 42). Glasea el pastel o los cupcakes con glaseado de chocolate y espolvoréalo con las galletas machacadas sobre el glaseado húmedo. Distribuye las rocas.

ARENA

Haz arena de playa comestible mezclando a partes iguales azúcar moreno y azúcar de color blanco. Glasea el pastel o el cupcake con glaseado marfil. Espolvorea la arena comestible sobre el glaseado húmedo.

AGUA

El gel para decorar es un material transparente y comestible que queda genial como agua. Es insípido y un poco viscoso si pones demasiado. Glasea el pastel o cupcake con glaseado azul cielo y deja que se forme una corteza. Tiñe gel para decorar transparente con un poco de colorante alimentario azul cielo. Pinta una capa fina de gel azul sobre el glaseado azul cuajado.

HIELO

El hielo comestible se fabrica con un producto llamado isomaltosa. Prepara isomaltosa con la receta de la página 302, o bien mezcla palos de isomaltosa transparente o perlas Venuance transparentes. Tiñe la isomaltosa caliente con un poco de colorante alimentario azul cielo. Vierte charcos de isomaltosa en una bandeja para galletas forrada de papel de hornear y deja que se enfríen unos minutos. Una vez fríos, coloca el lago de isomaltosa sobre un pastel o un cupcake glaseado.

FUEGO

El fuego comestible también se hace con isomaltosa. Prepara la isomaltosa según la receta de la pág. 302, o funde palos de isomaltosa amarillos y rojos, o bien perlas Venuance. Vierte pequeños charcos de isomaltosa amarilla sobre una bandeja para galletas forrada de papel de hornear. Justo después, vierte isomaltosa roja encima y arrastra un palillo a través de la mezcla para crear llamas. Deja que la isomaltosa se seque unos minutos, y luego coloca las llamas de isomaltosa sobre el pastel o el cupcake glaseado.

Envoltura de chocolate

Envolver en láminas de chocolate un pastel le confiere una textura exterior lisa y brillante. Los diseños divertidos con hojas de calcomanía añaden más color. Las hojas con textura ofrecen un elegante grabado en el exterior del pastel. Los pasteles envueltos de chocolate deberían tener un glaseado debajo, que puede ser ganache, crema de mantequilla o fondant, pues el chocolate exterior es mayoritariamente decorativo y no es lo suficientemente dulce como para hacer de glaseado. Al servir el pastel resulta difícil evitar que la envoltura de chocolate se rompa. Deberá usarse un cuchillo muy caliente para cortar la envoltura de chocolate, o sencillamente romper la envoltura y servir los trozos rotos junto con la porción de pastel.

DIFERENCIA ENTRE CHOCOLATE Y COBERTURA

Las instrucciones de esta sección de decoración con chocolate se han hecho todas con cobertura de chocolate, que es mucho más fácil de usar que el chocolate de verdad, y hay más probabilidades de que los resultados sean satisfactorios para los novatos. La cobertura de chocolate también se conoce como cobertura de vainilla, y suele estar hecha de cacao en polvo, azúcares, lácteos y aceites (las coberturas blancas o de colores no contienen cacao en polvo). Si en la lista de ingredientes está el licor de chocolate o la manteca de cacao, es chocolate de verdad y hay que templarlo. El templado del chocolate, que no se enseña aquí, consiste en fundir y enfriar el chocolate. Si no se hace correctamente, el chocolate se pondrá viscoso y duro, o bien aparecerán manchas blancas. El chocolate blanco de verdad no contiene cacao en polvo, sino manteca de cacao. Al comprar el chocolate es importante comprobar la etiqueta para saber si es preciso templar el chocolate.

CHOCOLATE FUNDIDO Y COBERTURA

Los chocolates y las coberturas tienen un punto de fusión muy bajo. Procura evitar el exceso de calor. Mantén el chocolate y la cobertura alejados del agua y el vapor. Coloca obleas de cobertura o chocolate picado groseramente en un recipiente apto para microondas y mételo en el microondas durante 30 segundos. Mezcla bien.

Vuelve a meter la mezcla en el microondas, solo unos segundos cada vez, mezclándola entre tanda y tanda, hasta que la cobertura esté casi fundida. Retira del microondas y mézclala hasta que se funda.

Nota: estas instrucciones son para fundir cobertura. Si haces alguno de los proyectos incluidos en este capítulo con chocolate de verdad, antes deberás templarlo.

TROZOS DE CHOCOLATE CON DISEÑOS DE CALCOMANÍA

1 Hornea y enfría el pastel y luego glaséalo. Coloca una hoja de calcomanía de chocolate encima de una estera de silicona, o papel de hornear, con la textura hacia arriba. Vierte cobertura fundida uniformemente en la hoja de calcomanía. Extiende la cobertura fundida con una espátula fina. No dejes que la espátula toque la hoja de calcomanía, o el dibujo se mancharía. La cobertura debería extenderse a 1 mm de grosor.

2 Levanta el papel de hornear y golpéalo suavemente contra la encimera para alisar la cobertura. Deja secar la cobertura, y una vez seca, desliza la hoja sobre el borde para romper la hoja en algunas tiras largas.

3 Rompe cada tira por la mitad y en ángulo.

4 Haz una línea de crema de mantequilla sobre el pastel glaseado.

5 Añade las piezas de cobertura sobre el pastel.

TIRA DE CHOCOLATE CON DISEÑOS DE CALCOMANÍA

1 Hornea y enfría el pastel y luego glaséalo a tu gusto. Corta una tira de calcomanía de chocolate de la altura del pastel. La mayoría de calcomanías de chocolate no son lo suficiente largas como para rodear el pastel; corta más si es necesario. Pega el lado liso de las tiras hasta formar una tira que rodee el pastel más 1,3 cm más.

2 Coloca la tira de calcomanía encima de una estera de silicona, o papel de hornear, con la textura hacia arriba. Vierte cobertura fundida uniformemente en la hoja de calcomanía.

3 Extiende la cobertura fundida con una espátula fina. No dejes que la espátula toque la hoja de calcomanía, o el dibujo se mancharía. La cobertura debería extenderse a 1 mm de grosor.

4 Levanta el papel de hornear y golpéalo suavemente contra la encimera para alisar la cobertura. Desliza una espátula de hoja fina bajo la hoja de calcomanía con cobertura y trasládala a un área limpia del papel de hornear para obtener unos bordes limpios.

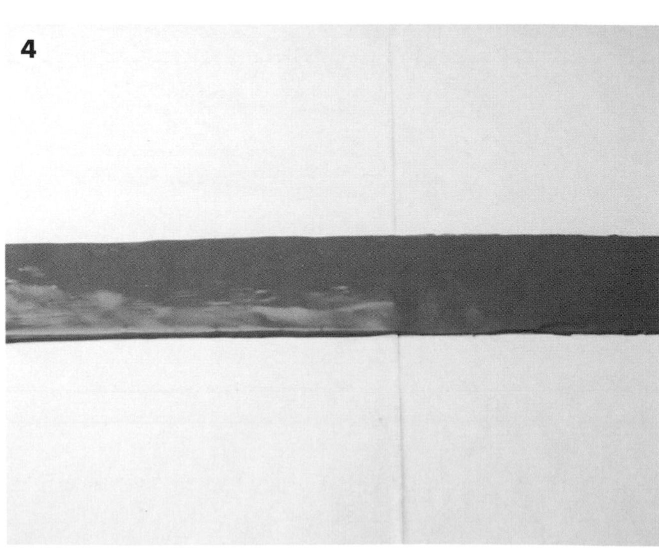

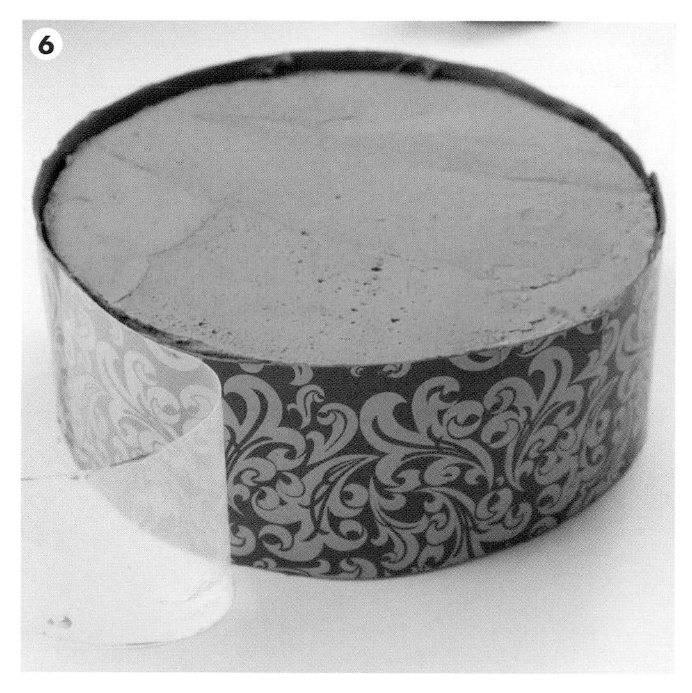

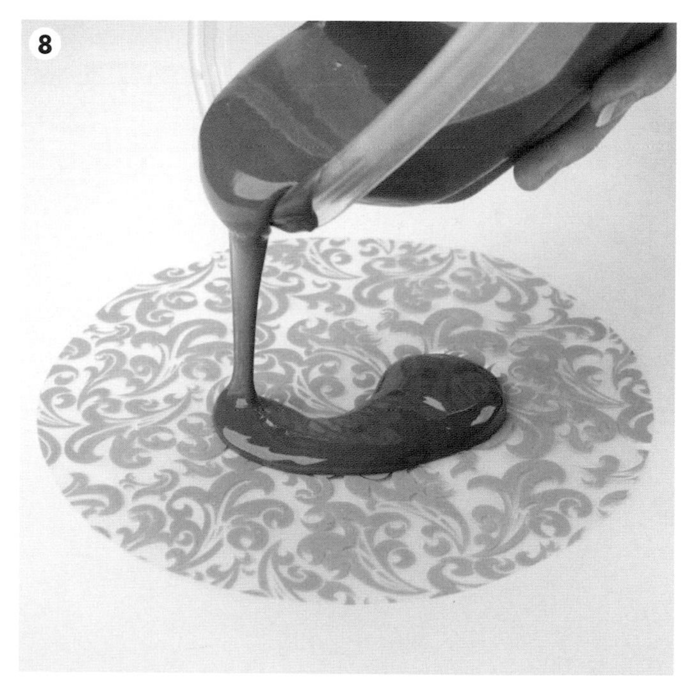

5 Cuando la cobertura empiece a perder brillo, levanta la tira y rodea con ella el pastel.

6 Mete el pastel en la nevera unos 10 minutos. Retíralo de la nevera y despega la hoja de calcomanía.

7 Corta una hoja de calcomanía del tamaño de la superficie del pastel: puedes usar como plantilla el molde del pastel. Coloca la hoja de calcomanía sobre una estera de silicona o papel de hornear con la textura hacia arriba.

8 Vierte cobertura fundida uniformemente en la hoja de calcomanía.

(sigue)

9 Extiende la cobertura fundida con una espátula fina. No dejes que la espátula toque la hoja de calcomanía, o el dibujo se mancharía. La cobertura debería extenderse a 1 mm de grosor.

10 Levanta el papel de hornear y golpea suavemente contra la encimera para alisar la cobertura. Desliza una espátula de hoja fina bajo la hoja de calcomanía con cobertura y trasládala a un área limpia del papel de hornear para obtener unos bordes limpios.

11 Desliza el papel de hornear y la hoja de calcomanía sobre una bandeja para galletas y mete la bandeja en la nevera unos 10 minutos. Sácala de la nevera y despega la hoja de calcomanía.

12 Glasea la parte superior del pastel.

13 Coloca la pieza de chocolate sobre el pastel.

14 Haz un borde alrededor del pastel para ocultar la unión, y si es necesario, haz un borde perpendicular en la parte trasera del pastel para ocultar la costura.

¿Qué ha salido mal?

Si el chocolate no brilla, no ha estado el tiempo suficiente en la nevera.
Si el chocolate se rompe, has tardado mucho en rodear el pastel, el pastel ha estado demasiado tiempo en la nevera o la capa de chocolate es demasiado fina.

ENVOLTURA DE CHOCOLATE TEXTURIZADA

1 Hornea y enfría el pastel y luego glaséalo a tu gusto. Corta una tira de hoja con textura lo bastante larga como para rodear el pastel más 1,3 cm extra. Si la hoja con textura no es lo bastante larga, pega el lado desigual de las tiras y corta la tira a la altura del pastel. Coloca la tira con textura cortada sobre una estera de silicona o papel de hornear con el lado desigual hacia abajo.

2 Extiende una capa fina de cobertura fundida con un pincel sobre las muescas, así eliminarás las burbujas de aire.

3 Vierte la cobertura fundida uniformemente sobre la hoja con textura.

4 Extiende la cobertura fundida con una espátula fina. La cobertura debería extenderse a 1 mm de grosor.

5 Levanta el papel de hornear y golpéalo suavemente contra la encimera para alisar la cobertura. Levanta con cuidado la hoja con textura y trasládala a un área limpia del papel de hornear para tener unos bordes limpios.

6 Cuando la cobertura empiece a perder brillo, levanta la tira y rodea con ella el pastel.

7 Mete el pastel en la nevera unos 10 minutos. Luego sácalo y despega la hoja con textura.

8 Corta una hoja con textura del tamaño de la superficie del pastel: puedes usar como plantilla el molde del pastel. Coloca la hoja con textura sobre una estera de silicona o papel de hornear y repite los pasos 2 a 5.

9 Desliza el papel de hornear con la hoja con textura con cobertura sobre una bandeja para galletas y métela en la nevera unos 10 minutos. Sácala y despega la hoja.

10 Glasea la superficie del pastel y coloca encima la pieza de cobertura.

11 Haz un borde alrededor del pastel para cubrir los bordes.

Tiempo

El tiempo es muy importante al trabajar con hojas de calcomanía y con textura, pues el chocolate debe estar prácticamente cuajado y empezar a ponerse mate. Si no ha cuajado lo suficiente, la base se deshará y formará una capa muy frágil alrededor del borde superior del pastel. Si el chocolate está demasiado cuajado, la pieza se romperá al rodear el pastel.

Adornos de chocolate con moldes

Las golosinas de chocolate de molde son un delicioso complemento para los pasteles. Hay cientos de moldes de golosinas con multitud de temas y diseños. Las golosinas pueden moldearse y servirse junto al pastel, o bien colocarse como adornos sobre pasteles y cupcakes. En estas instrucciones se utiliza cobertura. Consulta la información sobre chocolate y cobertura de la página 290. Puedes añadir saborizantes concentrados o aceites saborizantes. Evita los extractos basados en agua que podrían espesar la mezcla.

PIEZAS DE COLOR SÓLIDO

1 Funde la cobertura (véanse las instrucciones en la pág. 290) y viértela en una botella dispensadora. Corta el extremo de la boquilla un poco para facilitar el relleno de los moldes. Presiona la cobertura sobre el molde, llenándolo casi hasta arriba. Golpea el molde sobre la superficie de trabajo para eliminar las burbujas de aire.

2 Coloca el molde en el congelador hasta que la cobertura esté fría y el molde quede cubierto de vaho. Retíralo del congelador y gira el molde sobre un paño. Flexiona suavemente el molde; las golosinas deberían caer. De no ser así, deja el molde en el congelador un poco más. Si los adornos siguen sin caer, no se han enfriado lo suficiente.

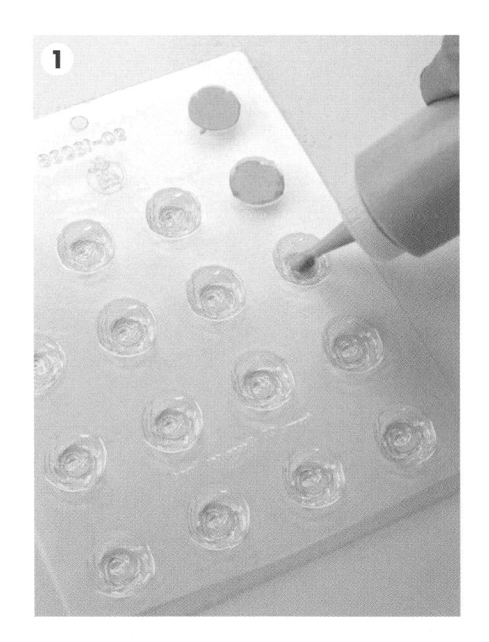

PIEZAS CON DETALLES PINTADOS

1 Con cobertura fundida de un lápiz pastelero (véase Recursos, pág. 324), presiona la cobertura directamente en los detalles de un molde limpio y seco. Deja que cada color se asiente a temperatura ambiente antes de pintar la zona adyacente. No utilices el lápiz pastelero para rellenar el molde, sólo para los detalles.

2 Funde cobertura de color como fondo y viértela en una botella dispensadora. Cuando los detalles se hayan asentado completamente, llena el molde con la botella dispensadora. Mete el molde en el congelador hasta que la cobertura esté fría y el molde forme vaho. Sácalo del congelador y gira el molde sobre un paño.

Flexiona suavemente el molde; las golosinas deberían caer. De no ser así, deja el molde en el congelador un poco más. Si los adornos siguen sin caer, no se han enfriado lo suficiente.

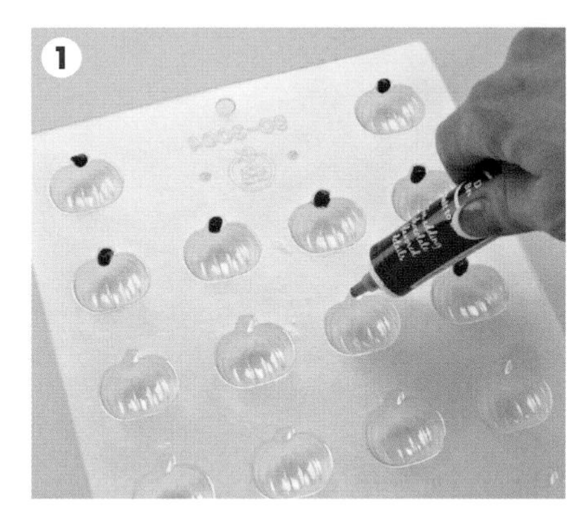

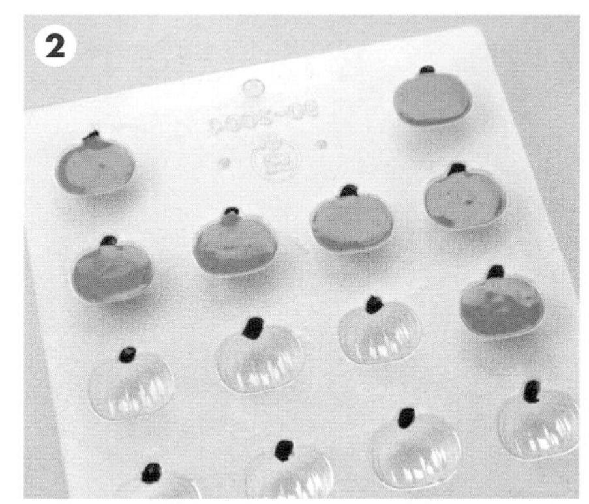

PIEZAS JASPEADAS

1 Funde la cobertura y aplica una pequeña capa en el molde con un pincel, dejando rayas de cobertura en el molde. Deja que se sequen a temperatura ambiente.

2 Llena una botella dispensadora con cobertura fundida que contraste como fondo. Presiona la cobertura sobre el molde, llenándolo casi hasta arriba. Golpea el molde sobre la superficie de trabajo para eliminar las burbujas de aire. Mete el molde en el congelador hasta que la cobertura esté fría y el molde forme vaho. Sácalo del congelador y gira el molde sobre un paño. Flexiona suavemente el molde; las golosinas deberían caer. De no ser así, deja el molde en el congelador un poco más. Si los adornos siguen sin caer, no se han enfriado lo suficiente.

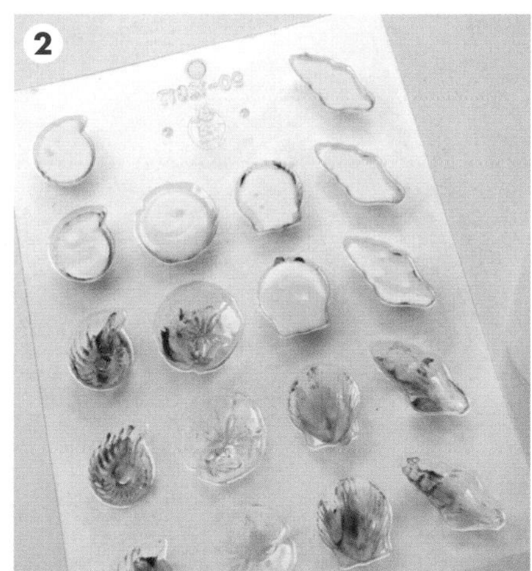

Añade un brillo metálico a las golosinas con polvo de brillo o polvo nacarado. En la imagen se aplica polvo nacarado extra. Coloca las golosinas sobre una hoja de papel de hornear y pincela las piezas con el polvo en seco. Espera a que estén a temperatura ambiente para hacerlo.

Mantener el calor

Coloca las botellas dispensadoras y los lápices pasteleros llenos sobre una compresa de calor cubierta con un paño para mantener caliente la cobertura fundida mientras no la usas.

Adornos de gelatina

Crea piezas comestibles transparentes con gelatina insípida, agua y colorante alimentario. Añade alas transparentes a hadas e insectos, o bien crea hermosas flores cristalinas. Las hojas de nervaduras de plástico se utilizan para añadir un toque realista en alas, pétalos u hojas. Las piezas de gelatina pueden hacerse con varios meses de antelación. Guárdalas en un recipiente hermético y a temperatura ambiente. La gelatina se disuelve si hay humedad, así que no las guardes en la nevera ni en el congelador.

1 Vierte 2 y ½ cucharadas (38 ml) de agua en un recipiente apto para microondas y añade 1 cucharada (15 ml) de gelatina insípida encima del agua. Remueve y deja que la mezcla se asiente durante algunos minutos hasta volverse espesa y amarilla.

2 Calienta la gelatina en el microondas en tandas de 10-15 segundos, removiendo entre cada tanda. Cuando la mezcla esté diluida y casi transparente y los gránulos de gelatina se hayan disuelto, retira la mezcla del microondas y déjala reposar unos minutos. Se formará una capa de espuma en la superficie. Retírala con cuidado y deja reposar unos minutos más. Retira la espuma adicional y sigue retirándola hasta que no se forme más espuma.

3 Colorea la mezcla con un colorante alimentario líquido.

4 Extiende una capa fina de la mezcla de gelatina sobre una hoja de nervaduras con un pincel suave y redondo. La mezcla debe estar caliente y lisa al extenderla. Si está demasiado caliente, formará gotitas, y si está demasiado fría, espesará. Puedes volver a calentar la mezcla si se enfría demasiado.

5 Deja secar durante varias horas. Si pones un ventilador sobre las hojas cubiertas de gelatina acelerarás el tiempo de secado. Una vez secas, las piezas se despegarán solas, Recorta cada pieza.

6 Añade detalles con rotuladores comestibles o colorante alimentario. Aplica el color con cuidado, pues un exceso de líquido puede disolver la pieza de gelatina.

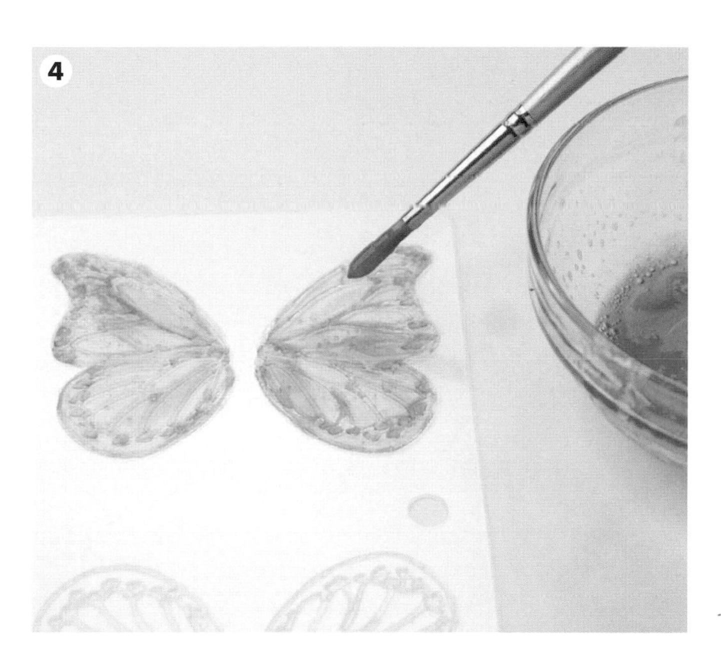

Si vas a poner un alambre a las flores, colócalo en el centro de la pieza, sujétalo y píntalo con la mezcla de gelatina.

Isomaltosa

La isomaltosa es un sustituto del azúcar que soporta temperaturas muy altas sin amarillear, y puede esculpirse y moldearse de muchas formas. Este capítulo trata las formas básicas de moldeado de la isomaltosa. Los moldes empleados están hechos de un plástico especial resistente al calor, pues la mayoría de moldes de plástico se deformarían. La isomaltosa se calienta mucho y puede producir quemaduras graves si no se toman las precauciones necesarias. Puedes comprarla en tiendas de decoración de pasteles y golosinas en forma de gránulos. Las perlas Venuance y las barras de isomaltosa son preparaciones listas para su uso de isomaltosa sólida, disponibles en tono transparente o diversos colores. Solo tienes que colocar las perlas o las barras en un recipiente de silicona para fundirlas. La isomaltosa puede ocasionar problemas gástricos si se consume en grandes cantidades.

Receta de isomaltosa

- *400 g de gránulos de isomaltosa*
- *120 ml de agua destilada o del grifo para limpiar los cristales (mejor agua destilada, contiene menos impurezas)*
- *Colorante alimentario (opcional)*

Es mejor trabajar en una habitación fresca y con poca humedad. En una cacerola de fondo grueso, bate el agua con la isomaltosa. Calienta la mezcla a fuego medio y deja de remover durante el resto del proceso. Cuando la mezcla se aclare, retira la espuma con un colador. Sumerge un pincel limpio en el agua y pinta suavemente el perímetro interior de la cacerola con el pincel mojado, ligeramente por encima del azúcar hirviendo. Sigue retirando la espuma y limpiando los bordes de la cacerola hasta que el sirope sea totalmente transparente. Las impurezas no son nocivas, pero si retiras la espuma, el sirope resultante será más claro y más fuerte. Cuando hayas retirado los cristales y el sirope se vea transparente, coloca un termómetro en la cacerola y calienta hasta los 110 ºC. Añade colorante alimentario si lo deseas. Sigue calentando a fuego medio hasta alcanzar los 170 ºC. Retira inmediatamente la cacerola del fuego y sumérgela en agua fría unos segundos para detener la cocción. El sirope está listo para verterlo en los moldes o en forma de salpicaduras sobre papel de hornear o una estera de silicona para que se enfríen. Guarda las salpicaduras en bolsas con cierre zip, colocando las piezas planas y sin que se toquen unas con otras. Coloca las piezas en recipientes herméticos y con gel de sílice.

PIEZAS CON MOLDE

1. Coloca las piezas de isomaltosa preparada, perlas Venuance o barras de isomaltosa en un recipiente de silicona con pitorro y mételo en el microondas unos segundos. Remueve con un palo de madera. Mete la isomaltosa en el microondas unos segundos más y repite el proceso hasta fundirla por completo.

2. Rocía el molde con espray para cocinar.

3. Remueve la isomaltosa para eliminar las burbujas y vierte la mezcla en el molde.

4. Espera unos minutos a que se asienten las piezas, y cuando se enfríen, gira el molde para soltarlas.

Limpieza

La isomaltosa caliente es pegajosa y difícil de limpiar. Utiliza palos de madera largos para removerla y tíralos después de usarlos. Para facilitar la limpieza, mezcla la isomaltosa en recipientes de silicona o moldes para cupcakes. Para limpiarlos, deja que la isomaltosa se enfríe en el molde, pues la silicona permite que la isomaltosa salga bien del recipiente.

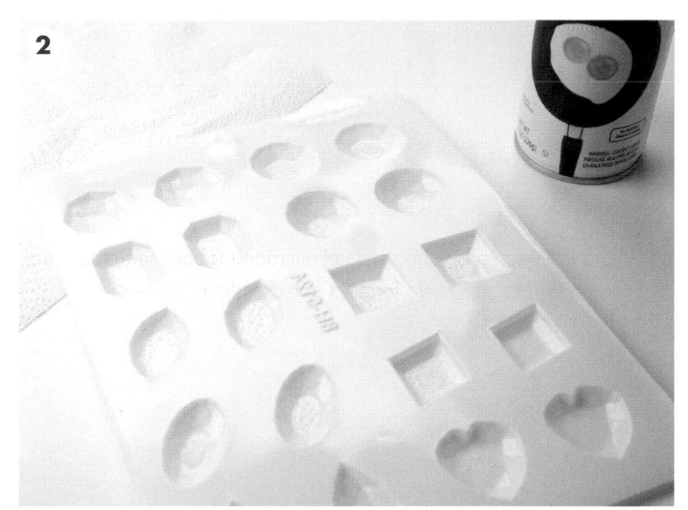

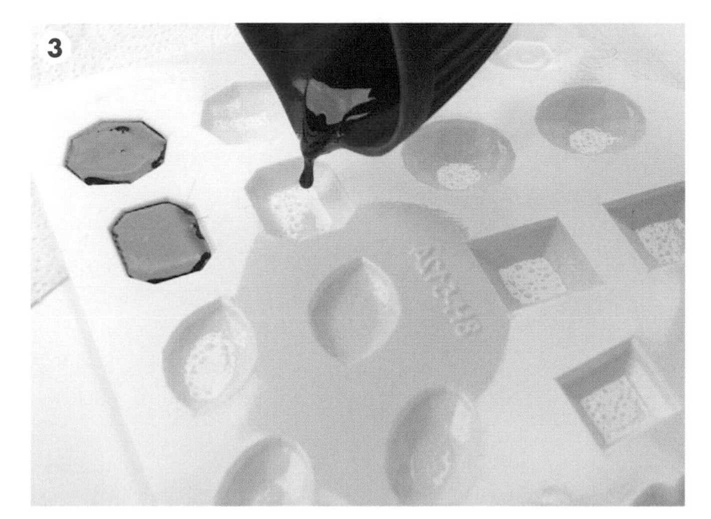

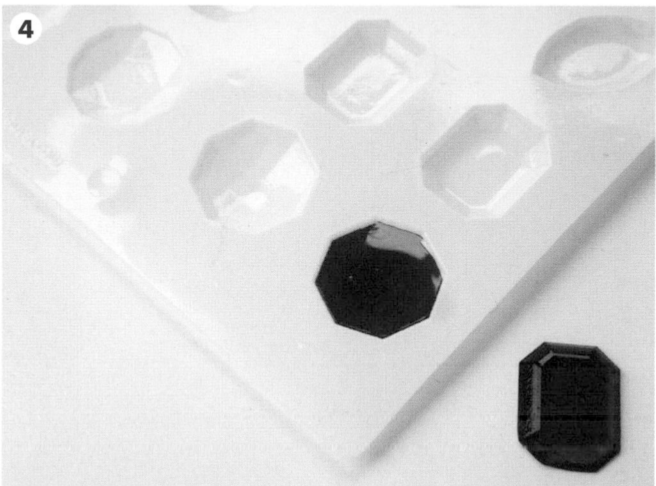

Si llenas moldes pequeñitos, calienta la isomaltosa según las instrucciones anteriores y rellena los moldes con un palillo.

Almacenamiento

Las piezas de isomaltosa pueden ponerse turbias y pegajosas después de unos días. Para evitarlo, guárdalas con saquitos de gel de sílice para mantener un nivel de humedad bajo.

Proyectos

CUPCAKES HORNEADOS Y ENFRIADOS

1 Con un mínimo de un día de antelación, prepara flores con el cortador de émbolo (pág. 178) en fondant o pasta de goma rosa pastel, fucsia, turquesa y aguacate. Deja que se endurezcan toda la noche antes de pegarlas a los cupcakes.

2 Coloca las hojas de papel de azúcar comestible sobre los cupcakes glaseados (pág. 278).

3 Haz bolitas de fondant o pasta de goma de los cuatro colores para los centros de las flores y píntalos con gel para decorar. Añade polvo de destellos y aplana la bola. Aplica manzana ácida sobre las bolas color aguacate, verde esmeralda sobre las bolas turquesa y rosa bebé sobre las bolas rosa pastel y fucsia.

4 Haz un puntito con la manga en el centro de las flores ya endurecidas y pega las bolas brillantes y aplanadas.

5 Pega las flores a los cupcakes con gel para decorar.

QUÉ NECESITAS

- Cupcakes horneados y enfriados
- Crema de mantequilla blanca
- Hojas de papel de azúcar comestible
- Cortador de galletas redondo de 7,5 cm
- Cortador de émbolo de margarita: 35 mm y 44 mm
- Polvo de destellos: rosa bebé, manzana ácida y verde esmeralda
- Pasta de goma: rosa pastel, fucsia, turquesa y aguacate
- Molde de flores 43-9026

LOCOS 21

1 Con un mínimo de un día de antelación, cubre la base con fondant blanco y hojas de rayas de cebra. Corta flores con los cortadores de flores (pág. 172) y los números 2 y 1 con fondant blanco. Añade a las flores blancas y al 21 un estampado de cebra (pág. 277). Moldea las flores en un molde para flores (pág. 185).

2 Cubre un pastel de 12 cm y otro de 23 cm con fondant rosa. Cubre un pastel de 17 cm con fondant blanco (véase pág. 50).

3 Pega las hojas de rayas de cebra sobre el pastel de 17 cm (pág. 276).

4 Haz bolas negras para el centro de las flores rosas y píntalas con gel para decorar. Añade polvo de destellos negro. Aplana las bolas y pégalas en el centro de las flores con gel para decorar.

5 Haz bolas rosas para el centro de las flores rosas y píntalas con gel para decorar. Añade polvo de destellos rosa fuerte. Aplana las bolas y pégalas en el centro de las flores con gel para decorar.

6 Pega las flores al pastel con gel para decorar.

QUÉ NECESITAS

- Pastel horneado y enfriado (12 x 10 cm)
- Pastel horneado y enfriado (17 x 7,5 cm)
- Pastel horneado y enfriado (23 x 10 cm)
- Fondant: rosa, blanco y negro
- Polvo de destellos: rosa fuerte y negro
- Hojas de papel comestible de rayas de cebra: 2 hojas y 3 tiras
- Cortadores de flores: 2,5, 5 y 7,5 cm
- Cortadores de galletas: números 2 y 1

PRINCESITA

1 Con un mínimo de un día de antelación, prepara adornos en forma de corazón con glasa real rosa y la boquilla 3 (pág. 128).

2 Glasea el pastel con crema de mantequilla (pág. 44).

3 Coloca los dibujos comestibles de princesa sobre la superficie y los lados del pastel (pág. 275).

4 Haz el borde de la base de conchas (pág. 102) y el superior de rizos invertidos (pág. 106).

5 Pega los corazones de glasa real sobre el borde presionando suavemente.

QUÉ NECESITAS

- Pastel horneado y enfriado (20 x 75 cm)
- Hoja de papel comestible de princesita
- Tiras de papel comestible de princesas
- Glasa real rosa
- Bolsas de manga pastelera
- Boquillas: 3 y 16
- Crema de mantequilla

ARCO IRIS DIVERTIDO

1 Con un mínimo de un día de antelación, haz 12-14 arco iris pequeños de glasa real para los lados del pastel (pág. 134).

2 Contornea un arco iris sobre una hoja de papel de azúcar comestible con rotulador comestible negro. Dibuja el arco iris para la superficie del pastel y colorea los detalles con rotuladores comestibles de colores (pág. 281). Escribe el nombre con rotulador comestible negro.

3 Cubre el pastel con fondant blanco (pág. 50). Retira el papel protector del dorso del dibujo y coloca el dibujo sobre el pastel (pág. 279).

4 Rocía el pastel con el color azul cielo para aerógrafo (pág. 282) o con espray de color comestible (pág. 283).

5 Haz las nubes de la superficie del pastel con glaseado de crema de mantequilla blanco y una boquilla 8.

6 Haz puntos en forma de nube para el borde con glaseado de crema de mantequilla y una boquilla 4 (pág. 98).

7 Pega los arcos iris con un poco de gel para decorar.

QUÉ NECESITAS

- Glasa real: roja, naranja, amarilla, verde, azul y blanca
- Pastel horneado y enfriado (20 x 7,5 cm)
- Hoja de papel comestible blanca
- Rotuladores comestibles de colores
- Fondant blanco
- Gel para decorar
- Crema de mantequilla
- Bolsas de manga pastelera
- Boquillas: 4 y 8
- Aerógrafo
- Color para aerógrafo azul

LAZOS FABULOSOS

1 Con un mínimo de un día de antelación, haz lazos rizados con pasta de goma amarilla y cintas brillantes verde lima (pág. 206). Haz flores de pasta de goma naranja y azul claro (pág. 172) y añade una bolita rosa de pasta de goma como centro.

2 Cubre el pastel con fondant amarillo (pág. 50).

3 Pega una cinta brillante alrededor del pastel, en el centro (pág. 275).

4 Monta las flores y pégalas al pastel con gel para decorar.

5 Monta el lazo en la superficie del pastel (pág. 206).

6 Haz un borde con glasa real amarilla y la boquilla 4.

QUÉ NECESITAS

- Pastel horneado y enfriado (20 x 10 cm)
- Pasta de goma: amarilla, azul claro, naranja y rosa
- Cortador de 5 pétalos de 5 cm
- Cortador de 6 pétalos de 3,5 cm
- Tres hojas de cintas brillantes de papel comestible verde lima
- Fondant amarillo
- Bolsa de manga pastelera
- Boquilla 4
- Glasa real amarilla
- Gel para decorar

BOSQUE INFANTIL

1 Con un mínimo de un día de antelación, cubre el pastel con fondant (pág. 50).

2 Después de que el pastel forme una corteza, calca el dibujo sobre el pastel y coloréalo (pág. 280).

QUÉ NECESITAS

- Pastel horneado y enfriado (20 x 10 cm)
- Fondant blanco
- Colorante alimentario: rosa, verde lima, azul cielo, marrón y amarillo limón
- Rotulador comestible negro
- Dibujos hechos a mano o calcados

CUPCAKES MARINOS

1. Haz conchas de chocolate jaspeado con cobertura blanca, butterscotch y chocolate con leche (pág. 299).
2. Pincela las conchas con polvo nacarado extra (pág. 299).
3. Glasea el cupcake con glaseado marfil y una boquilla 1A (pág. 63).
4. Espolvorea arena comestible sobre el glaseado aún húmedo (pág. 289).
5. Coloca las conchas y la perla sobre el cupcake.
6. Antes de servir, mete los cupcakes en el envoltorio.

QUÉ NECESITAS

- Cupcakes horneados y enfriados
- Crema de mantequilla color marfil
- Bolsa de manga pastelera
- Boquilla 1A
- Moldes de golosinas de conchas 90-12817 y 90-12816
- Cobertura: blanca, butterscotch[1] y chocolate con leche
- Polvo nacarado extra
- Perlas comestibles de 8 mm, una por cupcake
- Arena comestible
- Envoltorios para cupcake color marfil

1. Es una golosina confeccionada con azúcar de caña y mantequilla.

MARIQUITA

1 Haz la hoja por lo menos un día antes (pág. 182).

2 Glasea el pastel con glaseado de crema de mantequilla verde lima (pág. 44).

3 Rodea el pastel con una hoja de calcomanía de chocolate de mariquitas con chocolate verde lima (pág. 292).

4 Pega un disco de chocolate de 20 cm sobre la superficie del pastel de cobertura verde lima extendida sobre papel de acetato (pág. 293).

5 Haz un borde con crema de mantequilla verde lima y la boquilla 21 (pág. 102).

6 Para hacer la mariquita, moldea fondant rojo en forma de bola de chicle grande y aplánala. Corta ⅓ de la bola aplanada. Moldea fondant negro en forma de una bola de chicle pequeño y aplánala. Corta ⅓ de la bola aplanada. Pega los bordes aplanados. Extiende fondant negro fino, haz puntos con la boquilla 4 y pégalos a la mariquita con cola alimentaria. Haz dos bolitas blancas para los ojos y pinta un punto en cada una con rotulador comestible negro.

7 Haz el nombre con el cartucho para cumpleaños de Cricut Cake (pág. 284).

QUÉ NECESITAS

- Pastel horneado y enfriado (20 x 7,5 cm)
- 2 hojas de calcomanía de chocolate con mariquitas
- Papel de acetato
- Cobertura verde lima
- Glaseado de crema de mantequilla verde lima
- Fondant: negro, rojo, blanco y verde esmeralda
- Cortador de hojas
- Molde para hojas
- Bolsas de manga pastelera
- Boquillas 4 y 21
- Cricut Cake
- Cartucho de cumpleaños Cricut Cake

SAPO SAPITO

1 Por lo menos un día antes, confecciona los sapos y las flores. Para hacer los sapos, colorea pasta de goma verde hoja y corta sapos de 5 cm con la Cricut Cake (pág. 284). Cuando estén duros, añade un soporte (pág. 176).

2 Corta flores con pasta de goma (pág. 178): primero una de 19 mm, luego coloca una de 13 mm en el centro y pégalas con cola alimentaria. Colócalas en un molde de flores y haz el centro con glasa real amarillo huevo y una boquilla 1.

3 Extiende bien fina la pasta de goma amarillo limón y corta la barriga del sapo con un cortador redondo de 5 cm (pág. 172). Recorta los bordes y la base para ajustarla a la barriga del sapo y pégala con cola alimentaria.

4 Haz bolas de pasta de goma para los ojos del sapo y pinta las pupilas con rotulador comestible negro.

5 Glasea los cupcakes con glaseado azul cielo y la boquilla 1A (pág. 63) y deja que se forme una corteza.

6 Una vez cuajados, píntalos con gel para decorar azul cielo (pág. 289).

7 Extiende bien fina pasta de goma verde esmeralda. Corta un círculo con un cortador redondo de 5 cm. Corta una forma en «V» en el círculo para crear un nenúfar y colócalo sobre los cupcakes glaseados y cubiertos de gel.

8 Inserta el soporte con el sapo. Pega la flor al nenúfar con un poco de gel para decorar.

QUÉ NECESITAS

- Cupcakes horneados y enfriados
- Cartucho Cricut Cake «Once Upon a Princess»
- Cricut Cake
- Glaseado de crema de mantequilla azul cielo
- Gel para decorar azul cielo
- Bolsas de manga repostera
- Boquilla 1 y 1A
- Cortador redondo de 5 cm
- Cortador de émbolo margarita: 13 mm y 19 cm
- Pasta de goma: verde hoja, verde esmeralda y amarillo limón
- Glasa real amarillo huevo
- Cola alimentaria

QUÉ NECESITAS

- Pastel horneado y enfriado (20 x 10 cm)
- Fondant azul claro
- Hojas de papel comestible, tema carnaval
- Cricut Cake
- Cartucho Cricut Cake de cumpleaños

CUMPLEAÑOS DE CARNAVAL

1 Cubre el pastel con fondant azul claro (pág. 50).

2 Corta el nombre y el elefante en la Cricut Cake con las hojas de papel de azúcar comestible y pégalos al pastel (pág. 286).

3 Corta una de las hojas de papel comestible en tiras y rodea la base del pastel.

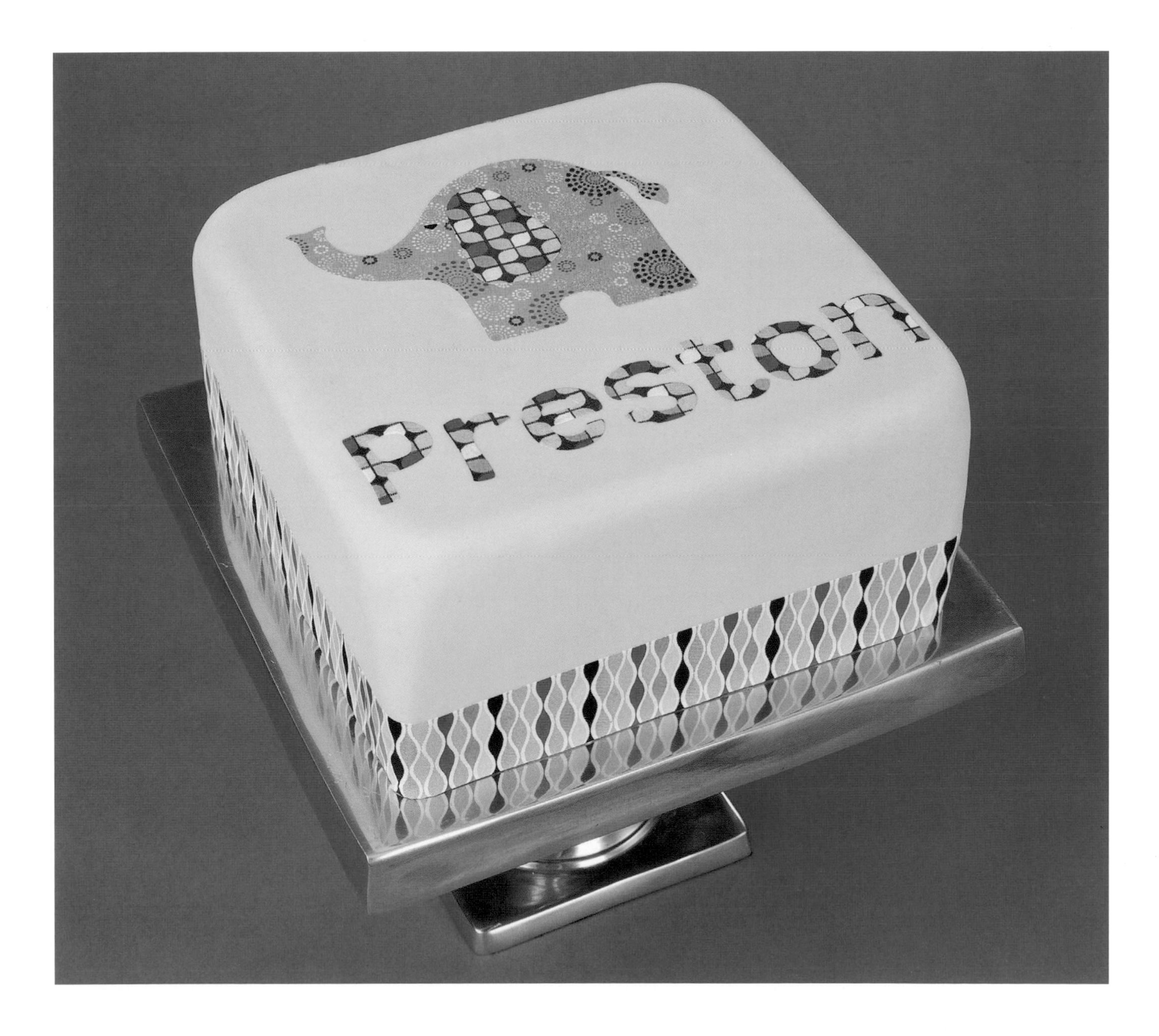

MEDALLÓN ROJO

1. Cubre el pastel con fondant blanco (pág. 50).
2. Aplica la plantilla con glasa real roja (pág. 272).
3. Pega la cinta de satén al pastel (pág. 211).

QUÉ NECESITAS

- Pastel horneado y enfriado (23 x 10 cm)
- Fondant blanco
- Glasa real roja
- Plantilla de medallón francés
- Cinta de satén roja

GRAFITI

QUÉ NECESITAS

- Pastel de bandeja de horno horneado y enfriado (23 x 33 cm)
- Glaseado de crema de mantequilla gris
- Fondant gris, blanco, verde, rojo, amarillo y negro
- Hoja con textura de ladrillo
- Aerógrafo y colores rojo, amarillo, verde y negro
- Etiquetas de aerosoles
- Papel comestible (pág. 279), impresión comestible (pág. 274) o rotuladores comestibles (pág. 280)
- Gel para decorar
- Polvo de brillo plateado piedra de luna
- Alcohol de grano

1. Por lo menos un día antes, prepara el patín. Extiende fondant negro muy fino y corta una tira de 7,5 x 4 cm. Redondea los bordes y apoya botes sobre los bordes para añadir curvas a los extremos del patín.

2. Cubre el pastel con crema de mantequilla gris (pág. 44). Texturiza el fondant y añade la pieza superior y las tiras a los lados del pastel (pág. 50).

3. Moldea cilindros de fondant blanco e imprime etiquetas de botes de espray con papel comestible con impresión comestible, o dibújalas con rotuladores comestibles. Pega las etiquetas a los cilindros blancos con gel para decorar.

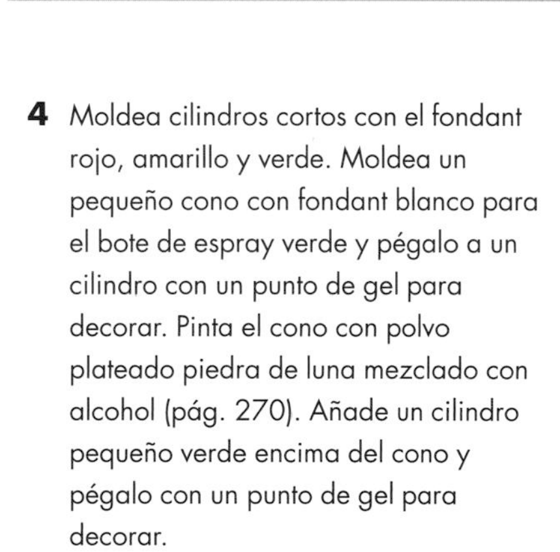

4. Moldea cilindros cortos con el fondant rojo, amarillo y verde. Moldea un pequeño cono con fondant blanco para el bote de espray verde y pégalo a un cilindro con un punto de gel para decorar. Pinta el cono con polvo plateado piedra de luna mezclado con alcohol (pág. 270). Añade un cilindro pequeño verde encima del cono y pégalo con un punto de gel para decorar.

5. Moldea cuatro bolas de igual medida con fondant rojo para hacer las ruedas y hazles hendiduras con una esteca de bola. Forma cuatro bolitas blancas de fondant para el eje de las ruedas e insértalas en las hendiduras de las ruedas. Pinta las bolas blancas con polvo plateado piedra de luna mezclado con alcohol (pág. 270). Pega las ruedas al patín ya endurecido.

6. Haz el nombre con aerógrafo: el contorno negro y el interior rojo, amarillo y verde.

7. Coloca los botes de espray y el patín sobre el pastel.

Galería de diseños

Después de practicar y dominar todas estas técnicas ya podrás exhibir con orgullo tus propios diseños de pasteles. Para más inspiración, disfruta de la siguiente galería de pasteles y cupcakes.

En la granja

Un pastel de cumpleaños en forma de corral de granja que hará feliz a cualquier niño, adornado con diversas formas y texturas. La bala de heno está hecha con una extrusora y fondant dorado. Los paneles de madera del piso central se han hecho con una estera con textura de vetas de madera. La extrusora se ha usado para hacer las tiras de pasta de goma de las ventanas y la puerta del establo. Las texturas del piso de la base son piezas cortadas espontáneamente y texturizadas a mano. La base del pastel se ha cubierto de fondant texturizado verde imitando la hierba. Los animales modelados a mano distribuidos por el pastel lo convierten en una pieza extraordinaria.

Traje de Papá Noel

Para darle un toque divertido a un pastel sobre Papá Noel, crea un pastel con la ropa de Papá Noel colgada en un tendal, lista para celebrar la Navidad. La ropa se ha cortado en pasta de goma con un cortador de galletas de Papá Noel. La piel es de glaseado de crema de mantequilla y se ha añadido con una boquilla fina. Los detalles de los calcetines y los calzoncillos son de rotulador comestible rojo. El pastel tiene un fondo invernal y nevado. Se han incorporado dibujos de copos de nieve a paneles de cobertura azul claro mediante hojas de calcomanía impresas con manteca de cacao blanca. Los paneles se han pegado a un pastel glaseado de crema de mantequilla, que también se ha usado para hacer los bordes y ocultar las uniones.

La pesca del día

Celebra el Día del Padre, o cualquier día en que preferirías estar pescando, con este pastel horneado en un molde en forma de pez. La parte superior se ha moldeado en el molde con fondant blanco y luego se ha colocado en la parte superior con varios tonos de colorante alimentario. Después de secarse el color, se pincela el pez con polvo nacarado extra. El anzuelo se ha modelado a mano.

Bebé y naturaleza

Da la bienvenida al bebé con un pastel con estampado de cuadros y hermosos animales salvajes moldeados a mano. Los cuadrados del pastel se han cortado del fondant. Las bolas rosas son perlas de azúcar listas para su uso. La base del pastel está cubierta por una capa de fondant texturizado con una estera con textura de estampado de diamante. Las letras se han cortado con la Cricut Cake.

Loca por las compras

Tres pasteles de decoración sencilla en tonos rosa y verde son la pieza central perfecta para una fiesta del Día de la Madre, una noche de chicas o una despedida de soltera. Los pasteles están cubiertos de fondant texturizado con bordes de crema de mantequilla. La decoración minimalista permite que destaquen los bolsos y los zapatos tridimensionales de pasta de goma. Un bolso está decorado con rosas y hojas de lazos de pasta de goma y el otro con círculos de pasta de goma. Unas flores diminutas cortadas con un cortador de émbolo de margaritas adornan los zapatos de tacón.

En construcción

Ideal para el cumpleaños de un pequeño albañil. El piso superior está recubierto de fondant amarillo y las tiras de fondant negro emulan una cinta de construcción. Con una estera con textura de vetas de madera se han creado las tablas del piso inferior y adornan el superior. Casco, martillo y cono naranja están moldeados a mano. La señal de STOP se ha recortado con un cortador octagonal y pasta de goma roja, los bordes blancos y letras son de pasta de goma. Los clavos se han cortado con una boquilla 6 y fondant gris y pintado con polvo plateado piedra de luna mezclado con alcohol de grano. La base del pastel se ha cubierto con fondant rojo mediante una hoja de textura de ladrillos. Las letras se han cortado con la Cricut Cake.

Nuestro monito

Celebra el primer aniversario del bebé con un pastel en forma de babero decorado con puntos de polca y monos. El pastel está cubierto de fondant verde lima. Se ha cortado una pieza redonda de fondant azul para la parte superior y se le ha recortado un círculo para hacer el cuello. Se han cortado círculos más pequeños para crear un estampado de incrustación en el babero. El mono es un dibujo de azúcar fluido, y el borde inferior lleva decoraciones de glasa real en forma de caras de mono. El borde superior festoneado es un cuello de azúcar fluido, y las letras de pasta de goma se han cortado con cortadores de letras de pasta de goma. Un lazo de pasta de goma completa el pastel.

Cupcakes de San Valentín

A veces las técnicas más simples producen los efectos más sorprendentes, como es el caso de estos cupcakes de San Valentín, glaseados con crema de mantequilla y decorados con hojas de papel de azúcar comestible impresas. Añade una decoración adicional con pasta de goma rosa y corazones rojos cortados con cortadores Patchwork y rodeados de puntitos de glasa real blanca con la boquilla 2.

Pastel de volantes

Las hileras de volantes que rodean este pastel le confieren un aspecto romántico. Los volantes hechos de pasta 50/50 permiten cortar la pasta al servir el pastel y proporcionan estabilidad para crear unos volantes sólidos y elegantes. Dos sencillas flores de volantes añaden un toque de color. El polvo nacarado extra sobre los volantes aporta un efecto satinado.

Búho de graduación

Añade un toque original y moderno al tradicional «búho sabio». Los dos pasteles de bandeja de horno glaseados con crema de mantequilla y cubiertos de fondant aparentan libros. Los lados están cubiertos de tiras de fondant blanco texturizado, y la parte superior, un lado y la base de cada libro están envueltos en una hoja cortada de fondant. El búho se ha modelado a mano con delicias de arroz inflado y el cuerpo se ha decorado con tiras de fondant rosa y hojas cortadas a modo de alas. La base del sombrero de graduación es una banda de pasta de goma negra en forma de círculo sobre la cual, una vez endurecida, se ha colocado un trozo cuadrado. La borla se ha hecho con la extrusora. El diploma es una hoja de pasta de goma blanca muy fina, atada con un lazo y una banda de pasta de goma. La base del pastel está cubierta de fondant rosa con un diseño floral incrustado rosa pálido. Unas flores de pasta de goma decoran los libros y la base del pastel.

Paz y Amor

Este divertido pastel de crema de mantequilla y de colores brillantes incorpora el símbolo de la paz y algunas flores. El símbolo de la paz se ha hecho con cobertura negra y un molde del símbolo de la paz. Las flores del pastel son de pasta de goma de colores brillantes y luminosos cortadas con cortadores de émbolo. La niña y el cachorro se han moldeado a mano con pasta de goma. La base del pastel está cubierta de fondant negro con textura floral para dar cohesión al proyecto. Las letras se han cortado con el Cricut Cake.

Cupcakes Paz y Amor

Estos cupcakes de aspecto retro son perfectos como bocado sencillo en un guateque. La crema de mantequilla dispensada con una bolsa de manga pastelera de dos colores da un toque de lo más atractivo a los cupcakes. Los símbolos de la paz de cobertura y las flores de fondant recortado constituyen el adorno de estos cupcakes.

Bichos

Tus invitados se volverán locos con estos cupcakes tan naturales. La hierba de crema de mantequilla cubre el cupcake y proporciona un lecho para los insectos y la seta modelados a mano. Las decoraciones florales de glasa real aportan aún más color y textura.

Bordado con glasa real

La sencillez de formas y diseño de este pastel de azul brillante, naranja y blanco es impactante. Una banda de fondant azul envuelve el pastel y un pequeño borde naranja confiere al envoltorio un borde acabado. Las flores se han cortado en pasta de goma y se han colocado en moldes para crear contornos. Una vez endurecidas, las flores se han decorado con bordado de glasa real.

Blanco y negro
Los remolinos y tallos en negro y tonos verdes de este pastel tan chic se han pintado a mano con colorante comestible. Las flores de pasta de goma negra aportan textura y un toque moderno al pastel.

Recursos

Puedes encontrar los productos empleados en este libro en tu tienda de decoración de pasteles local, o bien en Country Kitchen SweetARt, 4621 Speedway Drive, Fort Wayne, Indiana 4645, 260-482-4835, www.shopcountrykitchen.com. A continuación se detallan los fabricantes de cada producto.

Americolor
Colorante alimentario
www.americolorcorp.com

Autumn Carpenter
Hojas con textura, moldes para joyas, plantillas
www.autumncarpenter.com

Chicago Metallic
Fuentes de horno, rellenadores de cupcakes
www.cmbakeware.com

CK Products
Boquillas de plástico de precisión, moldes Pantastic, bordes de silicona y moldes de encaje, lápices pasteleros y palos cilíndricos
www.ckproducts.com

FMM Sugarcraft
Cortadores de pasta de goma y fondant
www.fmmsugarcraft.com

JEM Cutters
Cortadores de pasta de goma y fondant, moldes de flores
www.jemcutters.com

Magi-Cake®
Tiras aislantes
www.magi-cake.com

Patchwork Cutters
Cortadores de pasta de goma y fondant
www.patchworkcutters.com

PME Arts and Crafts
Cortadores de pasta de goma y fondant
www.pmeartsandcrafts.com

Sobre la autora

La pasión de Autumn Carpenter por la decoración empezó a edad muy temprana. De pequeña se pasaba horas en casa de su abuela, la famosa sugarcarft Mildred Brand. Más tarde, su madre, Vi Whittington, adquirió una pastelería y tienda de decoración de pasteles. La abuela le proporcionó muchas recetas, y su madre le inculcó su ética profesional, así como su pasión por este arte, convirtiéndose en su mejor guía y maestra.

Autumn Carpenter ha recorrido todos los Estados Unidos para hacer demostraciones, y también ha hecho de juez en competiciones de decoración de pasteles. Ha sido socia, profesora y tallerista de la International Cake Exploration Society (ICES) durante casi 20 años.

Autumn es copropietaria de Country Kitchen SweetArt, una pastelería y tienda de decoración de pasteles que ha pertenecido a su familia durante 45 años. La tienda ofrece venta al público, venta por catálogo y venta en línea a través de www.shopcountrykitchen.com.

Autumn ha desarrollado su propia línea de herramientas y utensilios muy útiles para la decoración de pasteles y galletas. Sus pasteles y productos han sido presentados en numerosas publicaciones y revistas, tales como *American Cake Decorating* y *Cake Central*. Sus productos pueden encontrarse en línea, así como en muchas tiendas de decoración de pasteles de los Estados Unidos y otros países.

Otras páginas web de Autumn son www.autumncarpenter.com y www.cookiedecorating.com.

Agradecimientos

Dedico este libro a mis hijos: Isaac, Austin, Sydney y Simon, una fuente de inspiración constante. También se lo dedico a mi mamá, Vi Whittington, quien me inculcó el amor por la decoración de pasteles desde niña, y fue una pieza clave para la finalización de este libro, ejerciendo de consejera, lavaplatos, ama de llaves, chófer y niñera.

Gracias a Creative Publishing y un agradecimiento especial a Linda Neubayer por ofrecerme la maravillosa oportunidad de traer a la vida este libro.

Gracias a mi hermana y a mi cuñado, Leslie y Todd Myers, por ser unos maravillosos y comprensivos socios. Gracias a Leslie, Mom, Kelly y a todo el personal de Country Kitchen SweetArt, que comparten conmigo ideas, limpieza y risas.

Por último me gustaría dar las gracias a mi marido y socio, Bruce Carpenter, por su apoyo incondicional en todas mis empresas.

Índice

g

h

i

j

l

m

n

o

p

r

s

t

v